Murken/Cleve · Humangenetik

3. Auflage

ENKE REIHE ZUR AO[Ä]

HUMANGENETIK

Herausgegeben von
Jan Murken und Hartwig Cleve

3., neu bearbeitete Auflage

132 Abbildungen, 30 Tabellen

Ferdinand Enke Verlag Stuttgart

Professor Dr. Jan Murken
Abt. f. pädiatrische Genetik
und pränatale Diagnostik
der Kinderpoliklinik der Universität München

Professor Dr. Hartwig Cleve
Institut f. Anthropologie und Humangenetik
der Universität München

CIP-Kurztitelaufnahme der Deutschen Bibliothek
Humangenetik / hrsg. von Jan Murken u. Hartwig
Cleve. – 3., neu bearb. Aufl. – Stuttgart :
Enke, 1984.
(Enke-Reihe zur AO, Ä)
ISBN 3-432-88173-8
NE: Murken, Jan [Hrsg.]

Wichtiger Hinweis

Medizin als Wissenschaft ist ständig im Fluß. Forschung und klinische Erfahrung erweitern unsere Kenntnisse, insbesondere was Behandlung und medikamentöse Therapie anbelangt. Soweit in diesem Werk eine Dosierung oder eine Applikation erwähnt wird, darf der Leser zwar darauf vertrauen, daß Autoren, Herausgeber und Verlag größte Mühe darauf verwandt haben, daß diese Angabe genau dem Wissensstand bei Fertigstellung des Werkes entspricht. Dennoch ist jeder Benutzer aufgefordert, die Beipackzettel der verwendeten Präparate zu prüfen, um in eigener Verantwortung festzustellen, ob die dort gegebene Empfehlung für Dosierungen oder die Beachtung von Kontraindikationen gegenüber der Angabe in diesem Buch abweicht. Eine solche Prüfung ist besonders wichtig bei selten verwendeten Präparaten oder solchen, die neu auf den Markt gebracht worden sind.

Geschützte Warennamen (Warenzeichen) werden nicht besonders kenntlich gemacht. Aus dem Fehlen eines solchen Hinweises kann also nicht geschlossen werden, daß es sich um einen freien Warennamen handelt.

Printed in Germany

Satz und Druck: Calwer Druckzentrum GmbH
Schrift: 9 Punkt Times, System Compugraphic 8600

5 4 3 2 1 0

Vorwort

Der vorliegende Arbeitstext soll eine Lernhilfe für das Fach Humangenetik sein. Er hält sich eng an die neueste Fassung des Gegenstandskatalogs für den ersten Abschnitt der ärztlichen Prüfung nach der Approbationsordnung für Ärzte, da „in ihm grundsätzlich das einzelne Stoffgebiet so aufgefächert wird, daß gleichsam ‚abgelesen' werden kann, was von den angehenden Medizinern an Wissen erwartet wird. Konkret bedeutet das, daß der Student damit rechnen muß, daß ihm Fragen auf der Grundlage des Katalogs im schriftlichen Examen vorgelegt werden".

Der Arbeitstext ist aus der Vorlesung „Klinische Genetik" an der Universität München entstanden. Bei der 3. Auflage sind die Hinweise und Anregungen, die uns wieder dankenswerterweise in großer Zahl zugingen, so weit wie möglich berücksichtigt. Vor allem die Genetische Beratung, die letzten Endes die ärztliche Anwendung der Humangenetik bedeutet, wurde ausführlicher dargestellt. Hier sind besonders die Abschnitte: Pränatale Diagnostik, Teratogene Fruchtschädigung und Therapie von Erbkrankheiten erweitert worden.

Die an der Vorlesung beteiligten Dozenten und Mitarbeiter haben den Stoff, der im Kolleg detailliert dargeboten werden konnte, so gestrafft, daß er den Ziffern des Gegenstandskatalogs zugeordnet werden konnte. Das führte zwangsläufig zu so weitgehenden Überschneidungen, daß es nicht möglich war, die Beiträge der Mitarbeiter jeweils einzeln zu kennzeichnen — alle Mitarbeiter sind am ganzen Text beteiligt. Trotz der Straffung des Stoffes wurden einzelne klinisch wichtige Abschnitte, so z. B. der genetische Anteil an der Entstehung der psychischen Störungen, Fragen der Immungenetik, Auswirkungen der Gentechnologie eingehender als im Gegenstandskatalog verlangt behandelt. Der Text soll so wenigstens einen ersten Überblick über die klinische Genetik im ganzen ermöglichen.

Ausdrücklich möchten wir betonen, daß dieser Arbeitstext die Lehrbücher der klinischen Genetik und der Humangenetik keineswegs ersetzen will oder kann. Um tiefer in das faszinierende Gebiet der menschlichen Vererbungslehre einzudringen, sollte jeder Medizinstudent eines der im Literaturverzeichnis angegebenen Lehrbücher durcharbeiten. Dieser Arbeitstext soll ihm lediglich dabei helfen, seine Examensvorbereitungen zu erleichtern.

Wir danken Herrn Dr. *R. Sigmund* und Frl. *B. Rüth* für die Hilfe bei der Korrektur und beim Anfertigen des Registers.

Dem Ferdinand Enke Verlag, besonders Frau Dr. *M. Kuhlmann,* danken wir für die sorgfältige und geduldige Betreuung des Arbeitstextes, dessen Herstellung wieder in den Händen von Frau *B. Müller-Willmann* lag.

J. Murken *H. Cleve*

Mitarbeiterverzeichnis

Professor Dr. med. *Ekkehard Albert*
Kinderpoliklinik der Universität München

Professor Dr. rer. nat *Manfred Bauchinger*
Gesellschaft für Strahlen- und Umweltforschung mbH, Neuherberg/München

Professor Dr. med. *Hartwig Cleve*
Institut für Anthropologie und Humangenetik der Universität München

Dr. rer. nat. *Karl Daumer*
Studiendirektor, Lehrbeauftragter für biologische Fachdidaktik
an der Universität München

Dr. med. *Manfred Endres*
Abt. für pädiatrische Genetik der Kinderpoliklinik der Universität München

Professor Dr. med. *Dietrich Knorr*
Universitätsklinik im Dr. v. Hauner'schen Kinderspital, München

Professor Dr. med. *Detlef Kunze*
Kinderpoliklinik der Universität München

Prof. Dr. med. *Frank Majewski*
Institut für Humangenetik der Universität Düsseldorf

Professor Dr. med. *Jan Murken*
Abt. für pädiatrische Genetik der Kinderpoliklinik der Universität München

Priv.-Doz. Dr. med. *Sabine Stengel-Rutkowski*
Abt. für pädiatrische Genetik der Kinderpoliklinik der Universität München

Professor Dr. med. *Edith Zerbin-Rüdin*
Max-Planck-Institut für Psychiatrie, Deutsche Forschungsanstalt für Psychiatrie, München

Dr. med. *Joachim Ulrich Walther*
Kinderpoliklinik der Universität München

Inhalt

1 Biochemische Grundlagen der Humangenetik

Avery, Mac Leod und Mc Carty führten 1944 als erste den Nachweis, daß Desoxyribonukleinsäure (DNS) die genetische Information enthält. Watson und Crick entwikkelten 1953 das Doppelhelix-Modell der DNS mit zwei komplementären Strängen von Nukleotidbasen. Der genetische Code wurde 1961/62 von Nierenberg und Matthaei sowie von Ochoa's Arbeitsgruppe entschlüsselt. Die zur DNS-Sequenzanalyse und für gentechnologische Untersuchungen erforderlichen Restriktionsenzyme wurden 1974/75 von Arber sowie Nathans und Smith entdeckt.

1.1 Molekularbiologie

Von einigen RNS-Virusarten abgesehen ist bei allen Lebewesen die DNS die genetische Substanz. Auch beim Menschen erfolgt die Protein-Biosynthese unter Beteiligung der Komponenten: DNS, RNS-Polymerase, Boten-RNS, Transfer-RNS, Ribosomen. Die in der Polynukleotid-Sequenz des DNS-Stranges enthaltene genetische Information wird unter Mitwirkung des Enzyms RNS-Polymerase in den komplementären Strang der Boten-RNS (mRNA) transkribiert. Die Polynukleotid-Sequenz der Boten-RNS dient als Vorlage für die Aminosäuren-Sequenz der Proteine; diese Übersetzung (Translation) findet in den Ribosomen statt. Für jede der 20 verschiedenen Aminosäuren gibt es mindestens eine spezifische Transfer-RNS, die den Einbau der Aminosäure in die richtige Position bestimmt. RNS-Polymerasen, Transfer-RNS-Moleküle und Ribosomen weisen artspezifische Unterschiede auf (Abb. 1).

Der genetische Code hat sehr wahrscheinlich universale Gültigkeit, d. h. ein bestimmtes Triplett-Codon ist bei den verschiedensten Organismen für den Einbau der gleichen Aminosäure verantwortlich. Der genetische Code gilt auch für den Menschen. Sämtliche biochemisch analysierten Hämoglobinmutanten des Menschen und die Aminosäure-Sequenz-Ergebnisse menschlicher Immunglobuline lassen sich ausnahmslos mit dem Code in Einklang bringen. Für die mitochondriale DNS sind einige Änderungen des genetischen Codes nachgewiesen worden.

Die Regulierung der Genaktivitäten erfolgt bei Prokaryonten durch zwei Arten von Kontroll-Genen, die nach *Monod* und *Jacob* als Regulator-Gene bzw. Operator-Gene bezeichnet werden.

Wie man sich die Regulierung der Genaktivitäten in den Zellen höherer Organismen, einschließlich des Menschen, vorzustellen hat, ist noch weitgehend ungeklärt. In Tabelle 1 sind einige der genetisch bedeutsamen Unterschiede von Bakterienzellen und menschlichen Zellen aufgeführt. Die bei Mikroorganismen nachgewiesenen Regulierungs-Mechanismen können auf Eukaryonten nicht übertragen werden. Nachgewiesen ist, daß Hormone in die Regulierung von Genaktivitäten eingreifen. Steroidhormone wie Kortison, Hydrokortison, Aldosteron, Testosteron, die Östrogene und auch das Steroidvitamin D steigern die Aktivitäten bestimmter Gene ebenso wie Insulin und Thyroxin.

Sequenzierung der DNS hat zum Nachweis von DNS-Abschnitten geführt, die den Strukturgenen vor- oder nachgeschaltet sind und die teils transkribiert, teils nicht transkribiert werden. Sie werden als flankierende DNS-Sequenzen bezeichnet. Für das Eukaryonten-Genom charakteristisch sind zudem DNS-Abschnitte, die innerhalb

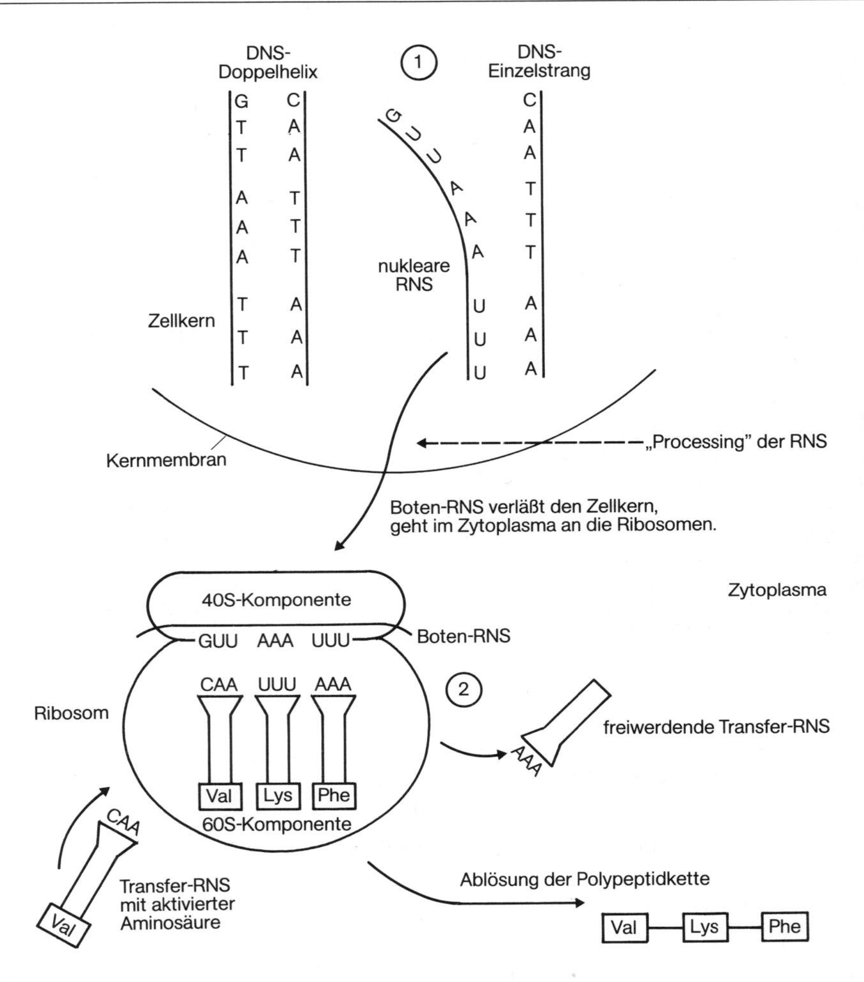

Abb. 1 Schema der Protein-Biosynthese: ① Transkription, ② Translation

der Strukturgene zwischengeschaltet sind. Diese sog. Introns werden transkribiert. Im Verlaufe des „processing" der nuklearen RNS werden diese RNS-Sequenzen durch „splicing" herausgeschnitten (Abb. 2). Die DNS-Sequenzen, die im komplementären RNS-Strang und in der Polypeptid-Kette ihnen korrespondierende Sequenzen aufweisen, werden Exons genannt. Sowohl den Introns wie den flankierenden DNS-Sequenzen werden Funktionen bei der Regulierung von Gen-Aktivitäten zugeschrieben.

Das Genom einer jeden Zelle eines höheren Organismus ist komplett, d. h. jede somatische Zelle hat den gleichen Bestand an Genen wie die aus der Vereinigung von Eizelle und Spermium entstandene Zygote. Eine Ausnahme bilden die Antikörper-synthetisierenden B-Lymphozyten und Plasmazellen, deren Differenzierung mit Deletionen und Translokationen von genetischem Material einhergeht.

In jeder Zelle ist der größere Anteil des Genoms inaktiv, d. h. dessen genetische Information wird nicht in Gen-Produkte übersetzt. Unter Mitwirkung von Kontroll-Genen

Tabelle 1 Genetisch bedeutsame Unterschiede von Bakterienzellen und menschlichen Zellen

	Bakterienzelle	menschliche Zelle
Zelldifferenzierung	nein	ja
Zellkern	nein	ja
Zellorganellen (Mitochondrien, Golgi-Apparat, Vesikel)	nein	ja
DNS-Menge	$0{,}008 \times 10^{-9}$ mg	$6{,}5 \times 10^{-9}$ mg
Chromosomenzahl	1	46
Chromosomenstruktur	DNS-Doppel-helix	DNS sowie basische und saure Nukleo-proteine
Repetitive DNS-Sequenzen	nein	ja
Exons und Introns der DNS	nein	ja
Operons und polyzistronische mRNS	ja	unbekannt
Heterogene nukleare RNS	nein	ja
Halbwertszeit der mRNS	wenige Minuten	wesentlich länger
Ribosomen (Sedimentationskonstanten)	70 S	80 S
Ribosomale Untereinheiten	30 S, 50 S	40 S, 60 S
Gen-Regulierung bei der Transkription	ja	unbekannt
Gen-Regulierung nach der Transkription	unbekannt	wahrscheinlich

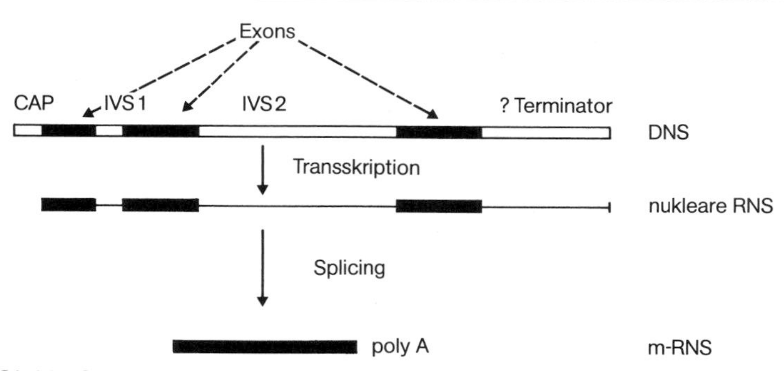

Abb. 2 β-Globin-Gen der Maus: Transskription und RNS-processing. Exons: schwarz, Introns: hell, IVS = intervenierende Sequenzen; flankierende Sequenzen: aufwärts — CAP, abwärts — Terminator; poly A: Segment mit mehreren aneinander gereihten Adenyl-Nukleotiden

wird in jeder Zelle jeweils nur ein relativ kleiner Anteil des Genoms aktiviert. In den Zellen verschiedener Gewebe sind verschiedene Gene aktiv, z. B. in der Leberzelle wird Albumin synthetisiert, in den Inselzellen des Pankreas Insulin, in den Plasmazellen Antikörpermoleküle, in den kernhaltigen Zellen der Erythropoese Hämoglobin. Zu verschiedenen Zeitpunkten der Entwicklung sind im gleichen Zellverband oder Organ verschiedene Gene aktiv. Als Beispiel kann die Hämoglobin-Synthese angeführt werden: Im Fetus wird das fetale Hämoglobin F gebildet, das aus 2α- und 2γ-Ketten besteht. Zu diesem Zeitpunkt sind somit die Strukturgene für die α-Kette und die γ-Kette aktiv. Nach der Geburt wird das fetale Hämoglobin F weitgehend durch Hämoglobin A ersetzt. Hämoglobin A_1 besteht aus 2α- und 2β-Ketten (Abb. 3). Nach der Geburt sind folglich die Strukturgene für die α-Kette und die β-Kette aktiv.

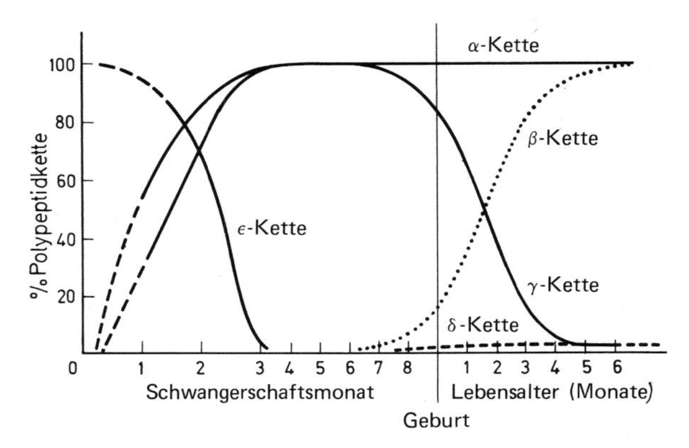

Abb. 3 Bildung der Polypeptidketten der verschiedenen Hämoglobine des Menschen

Zelldifferenzierung kann demnach interpretiert werden als das Resultat der Inaktivierung und Aktivierung verschiedener Gene. Der spezialisierten Funktion einer differenzierten Zelle entspricht die Aktivität eines ganz bestimmten, von Gewebe zu Gewebe verschiedenen Anteils von Kontroll- und Struktur-Genen des gesamten Genoms.

Erbkrankheiten manifestieren sich häufig nur in bestimmten Zellsystemen; das mutierte Gen gibt sich in der Regel nur in den Zellsystemen zu erkennen, in denen auch das normale Wildtyp-Gen aktiv ist und sich manifestiert.

Hämoglobinsynthese findet nur in den Vorstufen der Erythrozyten statt. Zum Nachweis einer Hämoglobinmutante bedarf es daher der Analyse von Zellen der Erythropoese bzw. ihrer Differenzierungsstufe, den kernlosen Erythrozyten. Die Phenylalanin-Hydroxylase wird nur in Leberzellen synthetisiert; ein Defekt dieses Enzyms führt zur Phenylketonurie. Dieser Enzym-Defekt kann in Blutzellen oder in Fibroblasten nicht diagnostiziert werden, da dieses Enzym in diesen Zellen auch bei gesunden Personen nicht nachgewiesen werden kann.

1.2 Molekularbiologische Veränderungen als Grundlage menschlicher Erbleiden

Zu den Erbleiden mit bekanntem primären genetischen Defekt gehören die **Hämoglobinanomalien,** bei denen die strukturellen Änderungen des Hämoglobin-Moleküls biochemisch charakterisiert und ihre Auswirkungen auf Tertiärstruktur, Löslichkeitsverhalten und Funktion aufgeklärt sind.

Bei Negriden häufig ist das Sichelzell-Hämoglobin HbS, welches im homozygoten Zustand mit dem Krankheitsbild der Sichelzellanämie einhergeht. Das Sichelzellhämoglobin ist im Sauerstoffmangelmilieu schlecht löslich, es fällt in den Erythrozyten kristallin aus. Die Erythrozyten werden dadurch bizarr verformt und unelastisch. Es bilden sich sog. Sichelzellen, die die kapillären Strombahnen infarzieren können. Dadurch werden sehr vielgestaltige Krankheitserscheinungen bedingt, je nachdem, welches Organ betroffen ist: akute abdominale Symptome bei Milzinfarzierung, pleuropneumonieartige Zustände bei Infarzierungen der Lungenkapillaren, Osteomyelitis-artige Krankheitserscheinungen bei Befall der großen oder kleinen Röhrenknochen, passagere Erblindungen bei Infarzierungen im Bereich der Sehrinde u. a. m. Die Sichelzellen werden beschleunigt abgebaut, woraus eine hämolytische Anämie resultiert.

Die molekulare Ursache für diese vielfältigen Krankheitszeichen ist einheitlich: eine Hämoglobinanomalie mit einem Aminosäureaustausch in der 6. Position der β-Kette; Glutaminsäure ist durch Valin ersetzt. Durch diesen Austausch wird die Oberfläche des Moleküls verändert, so daß sich durch Polymerisation lange Ketten aneinandergelagerter Hämoglobinmoleküle bilden, die den Erythrozyten deformieren.

1.3 Folgen von Genveränderungen für die Gesundheit

1.3.1 Genmutation

Unter einer Genmutation versteht man eine stoffliche Veränderung der DNS eines Gens, die auf die Tochterzellen bzw. den DNS-Tochterstrang übertragen wird. Von Punktmutationen spricht man, wenn die Änderung nur ein einziges Basenpaar betrifft.

Auf Grund der Analyse von etwa 300 verschiedenen Hämoglobinmutanten lassen sich folgende molekulare Typen von Mutationen unterscheiden.

(1) **Substitution:** Austausch einer einzelnen Base im Triplett-Codon durch eine andere Base; entweder als Transition (Purin durch Purin, Pyrimidin durch Pyrimidin) oder – etwas seltener – als Transversion (Purin durch Pyrimidin und umgekehrt). Es handelt sich um den häufigsten Mutationstyp überhaupt; er bewirkt in der Polypeptidkette den Austausch eines Aminosäurerestes.

(2) **Deletion:** a) Verlust eines oder mehrerer Triplett-Codons, die den Verlust eines oder mehrerer Aminosäurereste in der Polypeptidkette bedingen.

b) Selten ist der Verlust *eines* Basenpaares. Er hat eine Verschiebung des Ableserasters zur Folge und bedingt vom Punkt der Deletion ausgehend zahlreiche Veränderungen der Aminosäuresequenz.

(3) **Insertion:** Einfügung eines Basenpaares. Sie bedingt ebenfalls eine Rasterverschiebung. Dieser Mutationstyp ist sehr selten. Auch Insertion eines oder mehrerer Triplett-Codons ist beobachtet worden. Die Polypeptidkette zeigt einen oder mehrere eingefügte Aminosäurereste.

(4) **Genduplikation:** Kann, partiell oder vollständig, durch ungleiches Crossing over entstehen (im Verlauf der Evolution bedeutsam).

Bei nichthomologem Crossing over können Anteile nicht-alleler Gene zu einem neuen Gen fusioniert werden, wie das beispielsweise bei den Lepore- bzw. Anti-Lepore-Hämoglobinen der Fall ist.

(5) Verkürzung oder Verlängerung der Polypeptidkette (und des zugehörigen Gens) durch **Stop-Codon-Mutationen:** Drei verschiedene Triplett-Codons funktionieren als Stop-Codons (Amber, Ochre und End). Basenaustausch von einem aminosäurecodierenden Triplett zu einem Stop-Codon bedingt Verkürzung der Kettenlänge und umgekehrt.

Nachdem eine Mutation einmal eingetreten ist, wird das mutierte Gen den *Mendel*schen Gesetzen folgend weitervererbt.

1.3.2 Funktionelle Folgen

Von der Lokalisation und Art der Genmutation hängt es ab, zu welchen funktionellen Folgen der Aminosäureaustausch führt. Zur Beurteilung der Auswirkung ist die dreidimensionale Struktur des Genproduktes, des Proteins, zu berücksichtigen, z. B. ob der Aminosäure-Austausch die Oberfläche des Moleküls oder das Molekülinnere betrifft. Ob ein funktionell aktiver Anteil des Moleküls betroffen ist oder nicht, ist für die Auswirkung einer Mutation von entscheidender Bedeutung. Funktionell aktive Anteile sind z. B. das aktive Zentrum eines Enzyms oder der Rezeptor für einen Liganden.

Substitutionen, die Häm-Kontakte betreffen, können zu Methämoglobinämie führen, z. B. Ersatz bestimmter Histidin-Reste durch Tyrosin führt zu irreversibler Umwandlung des 2wertigen Eisens des Häms in 3wertiges Eisen (Abb. 4). Letzteres kann keinen Sauerstoff binden und ist somit funktionsuntüchtig.

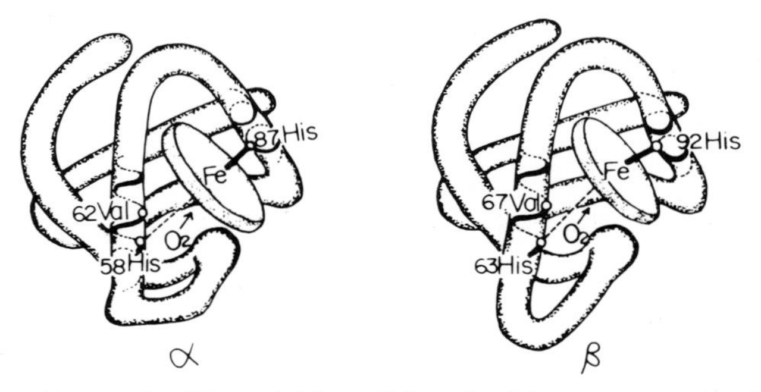

Abb. 4 α- und β-Ketten des Hämoglobins mit Lagebeziehungen zum eisenhaltigen Häm. Substitution des Histidins α58, α87, β63 oder β92 durch Tyrosin führt zur Methämoglobinanämie

Substitutionen, die Kontakte der Ketten des Hämoglobinmoleküls untereinander betreffen ($\alpha_1\beta_1$, $\alpha_1\beta_2$), führen mitunter zu instabilen Hämoglobinen, die eine hämolytische Anämie zur Folge haben. Außerdem gibt es auch Hämoglobin-Mutanten, die eine erhöhte bzw. eine verminderte Sauerstoffaffinität aufweisen.

Manche Substitutionen an der Moleküloberfläche bleiben ohne Einfluß auf die Funktion und die Löslichkeit. Es gibt zahlreiche Hämoglobin-Mutanten, die nur zufällig bei Routine-Elektrophoreseuntersuchungen entdeckt wurden.

Thalassämien sind Erbkrankheiten, die zu einer hämolytischen Anämie führen. Bei ihnen ist die Synthese bestimmter Hämoglobin-Polypeptidketten vermindert oder aufgehoben (α- bzw. β-Globinketten bei α- bzw. β-Thalassämien). Einige der Thalassämie-Syndrome sind durch Deletionen eines ganzen Gens bedingt, z. B. des α-Ketten-Strukturgens bei der α-Thalassämie 1, die in Südostasien häufiger vorkommt.

1.3.3 Multiple Allelie

Als Allel bezeichnen wir eine von zwei oder mehreren verschiedenen Zustandsformen eines Gens. Allele Gene nehmen auf homologen Chromosomen homologe Loci ein (s. auch 4.1).

Die Begriffe homozygot und heterozygot beziehen sich immer auf ein Allelenpaar: sind die Allele identisch, ist das Individuum homozygot, sind die Allele verschieden, ist es heterozygot.

Am AB0-Blutgruppen-Locus können beide Allele die Information 0 tragen, der Genotyp ist homozygot 00. Trägt dagegen ein Allel die Information A, das andere die Information 0, so ist der Genotyp A0, das Individuum ist heterozygot. Da ein Individuum im diploiden Chromosomensatz von jedem Gen nur ein Paar hat, kann es selber immer nur zwei allele Gene haben. Dagegen kann es in einer Bevölkerung für einen bestimmten Genort eine Reihe verschiedener Allele geben, so für den AB0-Genort die Allele A_1, A_2, B und 0. Man spricht in einem solchen Fall von einer allelen Reihe oder multipler Allelie.

HbS und HbC sind beides Mutationen im gleichen Zistron, nämlich dem Strukturgen für die β-Kette des Hämoglobins, und zwar sind beide durch Aminosäuresubstitutionen in der 6. Position gekennzeichnet. Bei einigen Negerstämmen kommen beide mutierte Gene vor; sie verhalten sich wie Allele: Wir kennen nicht nur die Genotypen $\beta^A\beta^A$, $\beta^A\beta^S$, $\beta^S\beta^S$ und $\beta^A\beta^C$, $\beta^C\beta^C$, sondern auch $\beta^S\beta^C$. Die korrespondierenden Phänotypen sind HbA, HbAS, HbS, HbAC, HbC, sowie HbSC. In diesen Negerstämmen sind also drei allele Gene (β^A, β^S, β^C) vorhanden.

1.3.4 Mutationen nicht gekoppelter Loci mit verwandter Funktion

Das Hämoglobin-Molekül des Erwachsenen, HbA, ist ein Tetramer, das aus zwei verschiedenen Arten von Ketten zusammengesetzt ist, $Hb\alpha_2\beta_2$. Mutationen der Gene für α- und β-Ketten vererben sich voneinander unabhängig, da die Gene für die α-Kette und die β-Kette genetisch nicht gekoppelt sind und auf verschiedenen Chromosomen liegen.

1.3.5 Funktionsänderung von Proteinen als Folge von Mutationen

Die am „Modell" Hämoglobin gewonnenen Erkenntnisse sind sinngemäß auf Enzym-Proteine zu übertragen, wie sich jetzt durch die Analyse der Glukose-6-Phosphat-Dehydrogenase-Mutanten abzeichnet.

Mutanten von Enzym-Proteinen können mit einer Beeinträchtigung der Enzym-Aktivität einhergehen, wenn die Aminosäuresubstitution das aktive Zentrum oder das allosterische Zentrum in Mitleidenschaft zieht.

1.3.6 Auswirkung von Homozygotie und Heterozygotie bei Enzymveränderungen

Mutanten von Enzym-Proteinen sind die Ursache erblicher Stoffwechselkrankheiten. Meistens sind nur für die Mutante homozygote Personen von der Krankheit betroffen. Ist das mutierte Gen auf einem Autosom lokalisiert, spricht man von autosomal rezessivem Erbmodus. Auch auf dem X-Chromosom lokalisierte Gene können zu erblichen Stoffwechselkrankheiten führen. X-chromosomal rezessiver Erbgang liegt vor, wenn die für das X-Chromosom hemizygoten, von der Mutation betroffenen Männer an einer klinisch manifesten Erkrankung leiden, während die heterozygoten

Trägerinnen des mutierten Gens (Konduktorinnen) zumeist symptomfrei sind. Phenylketonurie, Alkaptonurie, Galaktosämie usw. werden durch den Nachweis herabgesetzter Aktivitäten spezifischer Enzyme biochemisch definiert. Eine ausführliche Analyse der Primärstruktur dieser Enzyme und ihrer Änderung bei diesen Mutationen steht noch aus.

Heterozygote für ein rezessiv vererbtes Leiden, die ein normales Allel und ein mutiertes Gen aufweisen, sind unter normalen Lebensumständen gesund und unauffällig. Bei Stoffwechselleiden mit bekanntem Enzymdefekt beträgt die Enzymaktivität der Heterozygoten um 50 % der Norm (s. 4.3.7).

1.3.7 Genetische Grundlagen morphologischer Anomalien

Die erblichen morphologischen Anomalien sind biochemisch noch nicht definiert, z. B. Polydaktylie. Diese werden oft dominant vererbt, wenn sie einem einfachen *Mendel*schen Erbgang folgen.

Eine Erbkrankheit mit einem einfachen *Mendel*schen Erbgang beruht auf der Mutation eines einzelnen Gens. Dieses Gen bestimmt die Primärstruktur einer Boten-RNS und somit einer Polypeptidkette. Letzten Endes dürfte jedes *Mendel*sche Merkmal in dieser Weise zu interpretieren sein.

Bei der Klassifizierung des Erbgangs ist zu beachten, daß bei der Zuordnung eine Übereinkunft über das Niveau der Analyse besteht. Als Beispiel soll wiederum das Sichelzell-Hämoglobin HbS dienen. Eine klinisch manifeste, behandlungsbedürftige Krankheit, die Sichelzellanämie, findet sich bei für das Sichelzellgen homozygoten Personen ($\beta^S\beta^S$). Die heterozygoten Anlageträger ($\beta^A\beta^S$) sind im allgemeinen nicht krank und bedürfen keiner Behandlung. Das Sichelzellgen ist zudem nicht geschlechtsgebunden. Der Erbgang der „Sichelzellanämie" ist somit autosomal rezessiv.

Untersuchen wir nun das Merkmal „Sichelzelltest", das mikroskopisch faßbare Phänomen der Sichelzellbildung, so stellen wir fest, daß dieser Laborbefund bei für das Sichelzellgen homozygoten ($\beta^S\beta^S$) und heterozygoten ($\beta^A\beta^S$) Personen zu erheben ist. Das Merkmal „positiver Sichelzelltest" wird demnach dominant vererbt.

Wird die Analyse direkt auf dem Niveau des Genproduktes durchgeführt, d. h. nimmt man eine Elektrophoreseuntersuchung des Hämoglobins vor, stellt sich heraus, daß man bei Heterozygoten ($\beta^A\beta^S$) sowohl Hämoglobin A wie Hämoglobin S nachweisen kann. Der Erbgang des Merkmals „Sichelzellhämoglobin" ist somit autosomal kodominant.

Wir finden also verschiedene Erbgänge, je nachdem auf welchem Niveau die Analyse vorgenommen wird. In der klinischen Genetik besteht die Übereinkunft, als Bezugssystem die durch klinische Untersuchung faßbare Krankheit oder Anomalie gelten zu lassen.

1.3.8 Immungenetik

Das Kapitel Immungenetik wird an dieser Stelle eingefügt, weil der Themenkreis der Beziehungen zwischen dem HLA-System (HLA = **H**uman **L**eucozyte **A**ntigen, s. auch 11.1.2.3) und vielen Erkrankungen stark an klinischer Bedeutung gewonnen hat.

Zum Verständnis dieser Beziehungen sollen die wichtigsten Erkenntnisse der Immungenetik des Menschen kurz zusammengefaßt werden.

1.3.8.1 Allgemeine Definition

Die Immungenetik im engeren Sinne umfaßt die genetisch festgelegten Gegebenheiten für die Funktion des Immunsystems.

Hierzu gehört die genetische Kodierung der Antigenbindungsstellen der variablen Teile der Immunglobulinmoleküle in ihrer außerordentlichen Diversität. Die Fähigkeit eines Individuums, auf bestimmte Antigene immunologisch zu reagieren, hängt von der Konfiguration der als Rezeptoren auf der Zelloberfläche lokalisierten variablen Teile der Immunglobulinmoleküle ab. Der Mechanismus der Diversifikation der Gene für die Antigenbindungsstelle der schweren Immunglobulinkette (H-Kette) ist im Prinzip geklärt: Die Diversifikation findet in der Ontogenie des Einzelindividuums statt. Bei der Reifung eines B-Lymphozyten werden aus dem in der Keimbahn auf Chromosom 14 genetisch vorgegebenen „Baukasten" durch somatische Rekombination zufallsbedingt einzelne „Bausteine" nebeneinandergestellt. Diese „Baustein"-Sequenz wird für diesen B-Lymphozyten und seine klonalen Nachkommen fixiert, abgelesen und in Proteinsequenz übersetzt. Der Vorgang des Rearrangements ist grob schematisch in Abb. 5 dargestellt. Dies erklärt, wie das Immunsystem in der Lage ist, aus einer begrenzten Anzahl (ca. 250) von Keimbahngenen (die „Bausteine") die Antikörperdiversität (10^6-10^7 verschiedene Antikörpermoleküle) darzustellen.

Durch Untersuchungen in der Maus, die später im Meerschweinchen, in der Ratte und anderen Experimentaltieren bestätigt wurden, erkannte man, daß die Fähigkeit, gegen eine Vielzahl von synthetischen und natürlichen Antigenen Antikörper zu produzie-

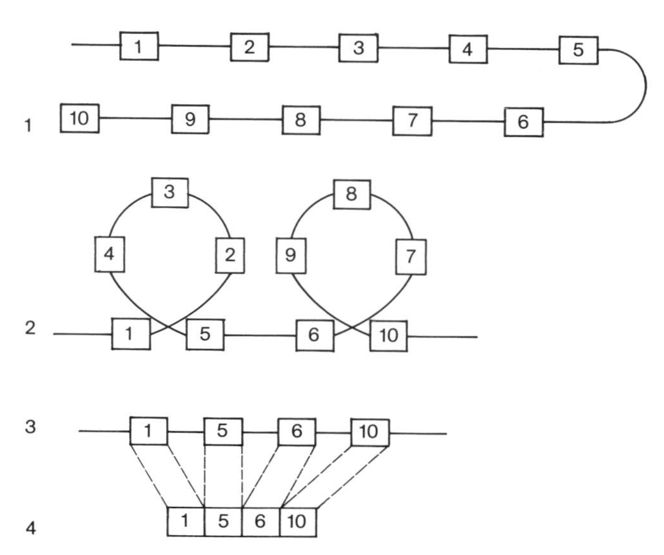

Abb. 5 Rearrangement der Immunglobulingene. Schematische Darstellung, stark vereinfacht. 1. In der Keimbahn aufgereihte Gen-Bausteine, 2. Schleifenbildung des Chromosomenfadens, 3. Fixierung der zufallsbedingten Sequenz 1, 5, 6, 10 im Genom des reifen B-Lymphozyten, 4. Ablesung und Übersetzung der Sequenz

ren, vom Histokompatibilitätstyp des Individuums abhängt. Man konnte verschiedene „Immun-Antwort-Gene“ durch Rekombinanten in nächster Nähe der Histokompatibilitäts-Loci kartieren. Auch wenn diese Erkenntnisse bisher nur in Experimentaltieren gewonnen wurden, so besteht wegen der hochgradigen Analogie zwischen dem Haupt-Histokompatibilitätssystem der Maus (H-2) und dem des Menschen (HLA) kein Zweifel, daß auch beim Menschen eine sehr enge Beziehung zwischen Histokompatibilitätsgenen und Immun-Antwort-Genen vorliegt.

1.3.8.2 Der HLA-Genkomplex auf Chromosom 6

Der HLA-Genkomplex ist auf dem kurzen Arm des Chromosoms Nr. 6,p21–p23 lokalisiert. In diesem Genkomplex sind eine Reihe verschiedener Gene zusammengefaßt, die aus Abb. 6 hervorgehen.

(1) HLA-A, B und C. Diese Genorte codieren die klassischen Transplantationsantigene, die serologisch erfaßt werden können; sie fungieren als „Selbst“- oder „Nicht-Selbst“-Kenn-System.

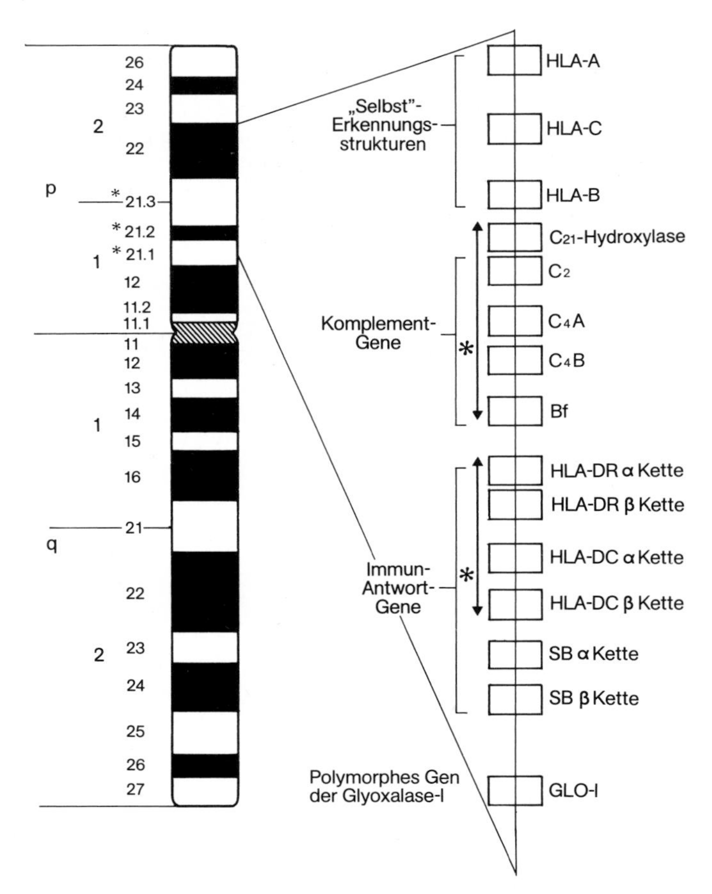

Abb. 6 Die HLA-Kopplungsgruppe mit Marker-Genarten auf Chromosom 6
(* Die Kartierung der Gene in dieser Region ist gesichert, nicht aber die Reihenfolge)

(2) HLA-D. Diese genetische Region ist verantwortlich für die Antigene, die in der gemischten Leukozytenkultur eine Stimulation erzeugen. Sie sind aller Wahrscheinlichkeit nach Bestandteile von antigenspezifischen Überträgersubstanzen bei der Zusammenarbeit von B- und T-Lymphozyten in der Immunantwort. Die Genprodukte der HLA-D-Region fungieren als Immunantwort-Gene. Sie sind an allen Interaktionen zwischen Immunzellen (Makrophagen, T- und B-Lymphozyten) beteiligt und bestimmen daher Qualität und Quantität der Regulation des Immunsystems.

(3) C_2, C_4, Bf.: Die Komplementfaktoren C_2 und C_4 gehören zum klassischen Aktivierungsweg der Komplementkaskade, während Bf als Proaktivator von C_3 am Beginn des sogenannten „zweiten Aktivierungsweges“ (engl. alternate pathway) steht.

(4) GLO, PGM_3: Diese Polymorphismen der Enzyme Glyoxalase (GLO) und Phosphoglukomutase 3 (PGM_3) sind durch Gene kodiert, die in der Nachbarschaft der HLA-Gene auf Chromosom 6 liegen und die bei der Kartierung von HLA-gekoppelten Genen als Orientierungsmarken (= Marker) verwendet werden können.

1.3.8.3 Beziehungen zwischen dem HLA-System und Erkrankungen

Nachdem schon 1964 bei der Maus die Beziehung der Empfänglichkeit für Virus-Leukämie zum H-2-Typ entdeckt wurde, ist beim Menschen seit 1972 eine große Zahl von Erkrankungen gefunden worden, die eine hochsignifikante Assoziation mit einem oder mehreren HLA-Antigenen aufweisen. Diese Assoziationen werden als Ausdruck eines mit HLA eng gekoppelten Krankheitsempfänglichkeitsgenes angesehen. In Tabelle 2 sind die wichtigsten HLA-assoziierten Erkrankungen zusammengestellt.

Tabelle 2 Liste der verschiedenen HLA-assoziierten Erkrankungen

Erkrankung	Stärkste Assoziation mit dem Genort		
	HLA-A	B	D
Akute lymphoblastische Leukämie	A 2	–	–
Idiopathische Hämochromatose	A 3	B 14	–
Ankylosierende Spondylitis	–	B 27	–
Reiter-Syndrom	–	B 27	–
Uveitis anterior	–	B 27	–
Yersinia-Arthritis	–	B 27	–
Arthritis psoriatica	–	B 27, B 13, B 17	–
Subakute Thyreoiditis	–	BW 35	–
M. Behçet	–	B 5	–
Adrenogenitales Syndrom	–	B 5 / BW 47	–
Multiple Sklerose	–	–	DR 2
Juveniler Diabetes	–	–	DR 3, DR 4
M. Addison	–	–	DR 3
Myasthenia gravis	–	–	DR 3
Chron. aggressive Hepatitis	–	–	DR 3
Thyreotoxikose	–	–	DR 3
Zöliakie	–	–	DR 3, DR 7
Dermatitis herpetiformis	–	–	DR 3, DR 7
Rheumatoide Arthritis	–	–	DR 4
Juvenile chronische Arthritis	–	–	DR 5

Bei der Betrachtung dieser Liste ergeben sich einige Besonderheiten, die fast allen diesen Krankheiten gemein sind:

(1) Familiäre Häufung bei unklarem Vererbungsmodus (am ehesten dominante Vererbung bei niedriger Penetranz).
(2) Beteiligung immunologischer Mechanismen bei der Pathogenese.
(3) Umwelteinflüsse (z. B. Infektionen) als Realisationsfaktoren.
(4) Assoziation vornehmlich mit Allelen des HLA-B- und HLA-D-Genortes.

Die Tatsache, daß so viele verschiedene Erkrankungen mit dem HLA-System assoziiert sind, legt nahe, daß es sich hier nicht um einen genetischen Zufall handelt, der die Empfänglichkeitsgene für bestimmte Erkrankungen in die Nachbarschaft des HLA-Systems gebracht hat. Die weithin akzeptierte Arbeitshypothese zur Erklärung der HLA-Krankheitsassoziationen besagt, daß es sich bei den Krankheitsempfänglichkeitsgenen um „pathologische" Immun-Antwortgene handeln könnte. Eine Erkrankung wie z. B. die ankylosierende Spondylitis (M. Bechterew) würde dann entstehen, wenn ein Individuum mit der genetischen Disposition (in diesem Fall mit HLA-B27) eine Infektion im Urogenitaltrakt erleidet, die dann eine pathologische (überschießende) Immunantwort hervorruft, die ihrerseits zu den arthritischen Veränderungen des M. Bechterew führt.

Bei einigen wenigen Krankheitsgruppen hat die Assoziation mit HLA-Antigenen eine diagnostische Bedeutung:

Die extrem hohe Assoziation von HLA-B27 mit dem M. Bechterew (95 % der Patienten sind B27-positiv) erlaubt es, aus der Anwesenheit von B27 bei Patienten mit verdächtigen rheumatischen Symptomen die Diagnose eines M. Bechterew gerade bei unklaren und abortiven Fällen zu erwägen.

Auf Grund der *Kopplung* zwischen HLA und der C_{21}-Hydroxylase können beim Adrenogenitalen Syndrom die heterozygoten Genträger in der Familie des Patienten durch HLA-Typisierung identifiziert werden (s. 2.4.4.4.1 und 4.5).

1.4 Gentechnologische Methoden in der Medizinischen Genetik

Gentechnologische Methoden werden seit einigen Jahren zur pränatalen Diagnostik von erblichen Hämoglobinopathien verwendet. Die α-Thalassämien beruhen auf Gen-Deletionen, die durch Hybridisierung der fetalen DNS mit radioaktiv markierter, globinspezifischer komplementärer DNS nachgewiesen werden können. Die Analyse der fetalen DNS mit Restriktions-Endonukleasen findet Verwendung bei der pränatalen Diagnostik von Hämoglobinopathien, z. B. der Sichelzellanämie. Die Diagnose erfolgt durch Nachweis mit dem β-Globin-Gen gekoppelter spezifischer DNS-Sequenz-Unterschiede. Voraussetzung ist, daß die Eltern beide heterozygot für ein derartiges DNS-Sequenz-Merkmal sein müssen. Weist nur ein Elternteil den DNS-Marker auf, kann nur bei der Hälfte der Feten das Vorliegen einer Sichelzellanämie ausgeschlossen werden. In der Abb. 7 wird das Prinzip der Nachweismethode vorgestellt.

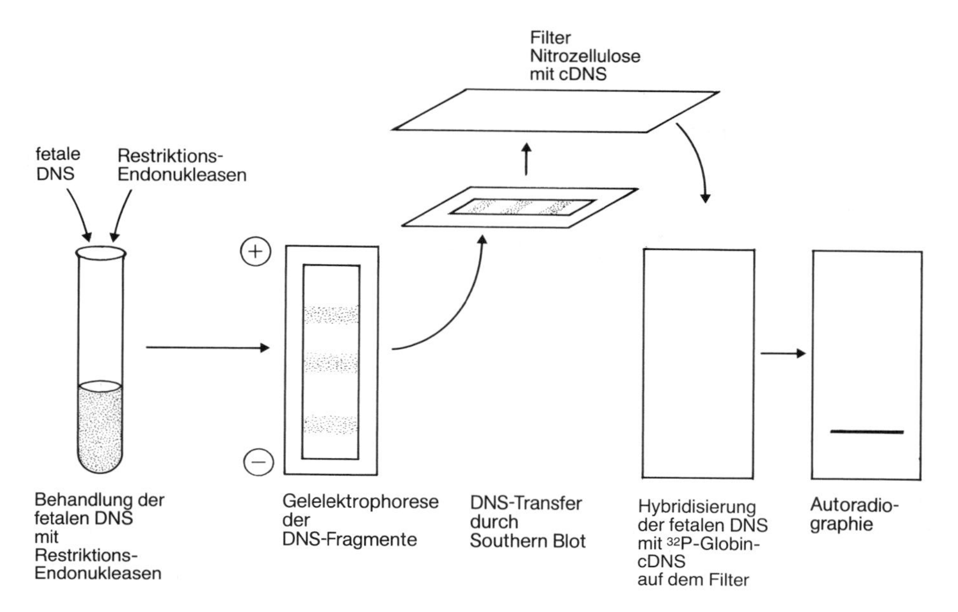

Abb. 7 Fetale DNS-Analyse mit Restriktionsendonukleasen. Prinzip der Methode

Die praktische Anwendung der gentechnologischen Methoden wird alle Bereiche der Genetik umfassen, insbesondere die direkte Analyse von Gendefekten auf DNS-Ebene wird einen breiten Raum einnehmen.

Die wichtigsten Anwendungsbereiche der Gentechnologie (nach *Sperling* 1982) werden sein:

(1) Grundlagenforschung
  a) molekulare Analyse der Erbanlagen
  b) molekulare Analyse von Erbleiden
  c) Analyse des Regulationsgeschehens bei Replikation, Transkription und Differenzierung
  d) gezielte Änderung von Erbanlagen
(2) Herstellung neuer Nutzpflanzen
(3) Herstellung von Mikroorganismen mit neuen Stoffwechseleigenschaften
(4) Herstellung von tierischen und menschlichen Proteinen in Bakterienkulturen
  a) Hormone
  b) Enzyme
  c) Interferon
  d) Impfstoffe: Antigene und Antikörper
(5) Diagnose von Viruserkrankungen
(6) pränatale Diagnose von Erbleiden
(7) Korrektur von Erbleiden

2 Chromosomen des Menschen

Menschliche Chromosomen wurden erstmals 1874 von Arnold und 1881 von Flemming beobachtet. Den Begriff „Chromosomen" prägte Waldeyer 1888. Die Erkenntnis, daß die Chromosomen die Träger der Erbanlagen sind, stammt von Sutton und Boveri (Chromosomentheorie der Vererbung, 1904). Klinische Bedeutung bekam die Chromosomenforschung erst seit 1956, nachdem Tjio und Levan neue Präparationsmethoden entwickelt hatten. Seither ist bekannt, daß die Chromosomenzahl beim Menschen 46 beträgt.

Die Entdeckung der Chromosomenbanden (Caspersson und Zech, 1970) ermöglichte erstmals die Identifizierung jedes einzelnen menschlichen Chromosoms und ebnete den Weg zu einer genauen Analyse von Strukturveränderungen menschlicher Chromosomen.

McKusick (1980) hat das Bild gebraucht, daß die Fortschritte der Chromosomendarstellung dem klinischen Genetiker sein Untersuchungsorgan zur Verfügung gestellt haben: „Heute ist der klinische Genetiker in der gleichen Lage wie der Nephrologe mit der Niere, der Kardiologe mit dem Herz usw. Wir können heute, wie das bei jedem Organ oder Organsystem möglich ist, von der pathologischen Anatomie des menschlichen Genoms sprechen".

2.1 Charakterisierung und Darstellung menschlicher Chromosomen

Man unterscheidet 22 Autosomenpaare (homologe Chromosomen) und 2 Geschlechtschromosomen: das homologe XX-Paar im weiblichen und das nicht homologe XY-Paar im männlichen Karyotyp. Eine Charakterisierung der 23 Chromosomenpaare aufgrund differentieller Färbemuster ist seit 1970 möglich, nachdem Caspersson und Mitarbeiter die Quinacrin-Bandentechnik entdeckt hatten. Homologe Chro-

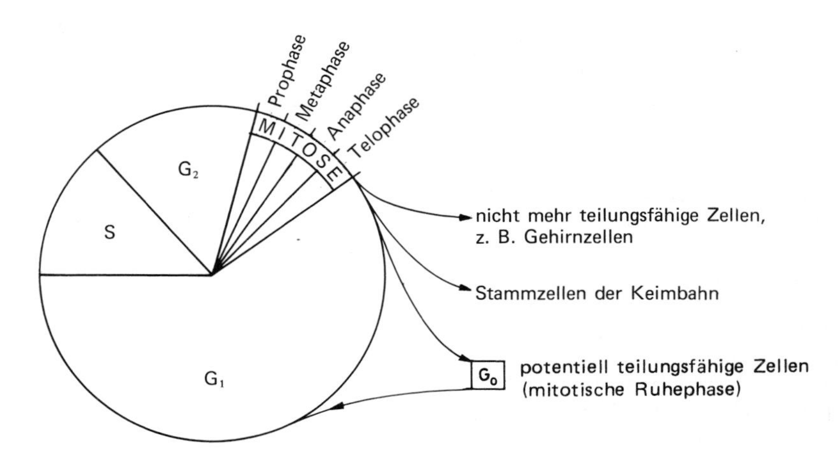

Abb. 8 Schema des mitotischen Zellzyklus

mosomen stimmen sowohl in Zahl und Anordnung ihrer Banden, als auch in Zahl und Anordnung ihrer Gene überein. In einem lichtmikroskopisch sichtbaren Metaphasechromosom liegt, in einer Chromatide, jeweils eine DNA-Doppelhelix mit ihren assoziierten Proteinen in dichten Spiral- und Faltungskomplexen vor. Die exakte Konfiguration ist noch nicht bekannt.

Zur Chromosomendarstellung für Routineuntersuchungen genügen 0,2–0,5 ml Kapillar- oder Venenblut. Die im peripheren Blut nicht proliferierenden Lymphozyten befinden sich in einer mitotischen Ruhephase (G_0). Nach Stimulation mit Phytohämagglutinin, einem spezifischen Antigen, treten sie zunächst in die präsynthetische Phase (G_1) des Zellzyklus ein, durchlaufen die DNA-Synthesephase (S) sowie die postsynthetische Phase (G_2) und führen schließlich mitotische Teilungen durch (Abb. 8).

2.1.1 Mitose

Die mitotische Teilung (Abb. 9) beginnt mit der **Prophase,** in der sich die in der S-Phase reduplizierten Chromosomen kondensieren und dadurch erstmals als Fäden mikroskopisch sichtbar werden. Die Kernmembran wird aufgelöst, die Zentriolen wandern an die beiden Zellpole und bilden zwischen sich die Spindel aus, an deren Fasern die Chromosomen mit ihren Zentromeren angeheftet werden. Die Chromosomen werden in der Äquatorialebene der Zelle, der sog. Metaphaseplatte angeordnet.

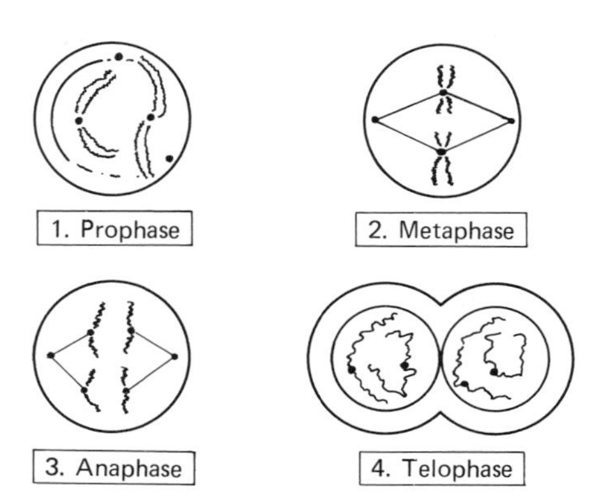

Abb. 9 Stadien der Mitose

Im Stadium der **Metaphase** sind die Chromosomen maximal kontrahiert und daher der mikroskopischen Analyse gut zugänglich. Man erkennt zwei Chromatiden die am Zentromer miteinander verbunden sind. In der folgenden **Anaphase** werden die Schwesterchromatiden jedes Chromosoms voneinander getrennt und unter dem Einfluß der Spindel an die entgegengesetzten Pole der Zelle gebracht (Karyokinese). In der **Telophase** entspiralisieren sich die Chromatiden, die jetzt auch als Tochterchromosomen bezeichnet werden. Um jeden der beiden genetisch identischen Tochterkerne wird eine neue Kernmembran gebildet. Zum Abschluß teilt sich das Zytoplasma. In der **Interphase** finden die physiologischen Arbeitsleistungen (Replikation der DNA, Proteinsynthese) statt; die zutreffende Bezeichnung für diesen Zustand ist „Arbeitskern“.

Zur Darstellung der Chromosomen wird die Mitose im Metaphasestadium angehalten. Zu diesem Zweck wird proliferierenden Lymphozytenkulturen nach 2–3 Tagen das Spindelgift Kolchizin für 2 h zugesetzt. Da nun das Auseinanderweichen der Schwesterchromatiden verhindert ist, laufen alle Zellen, die während dieser Zeit in die Mitose eintreten, im Stadium der Metaphase auf und können für die Chromosomenanalyse präpariert werden.

Prinzipiell können alle Zellen zytogenetisch untersucht werden, die sich spontan oder durch Stimulation in Teilung bringen lassen. Menschliche Fibroblasten aus einer Hautbiopsie teilen sich z. B. spontan, wenn kleine Gewebspartikel zerschnitten und auf dem Boden einer Kulturflasche ausgepflanzt werden. Die Kultur zur Gewinnung einer hinreichenden Zahl von Zellen dauert etwa 3–4 Wochen.

Eine besondere Bedeutung hat seit 1970 die Kultivierung von Fruchtwasserzellen erhalten, die durch Amniozentese gewonnen werden. Im Fruchtwasser schwimmen immer fetale Zellen, die von der Haut, den Schleimhäuten des Nasopharyngeal- und Urogenitalbereichs sowie von den Amnionhäuten abstammen. Diese fetalen Zellen vermehren sich innerhalb von 8–14 Kulturtagen zu dichten Zellkolonien (Abb. 10), die in regelmäßigen, etwa 16stündigen Abständen eine Mitose durchlaufen und durch Zugabe von Kolchizin arretiert werden können.

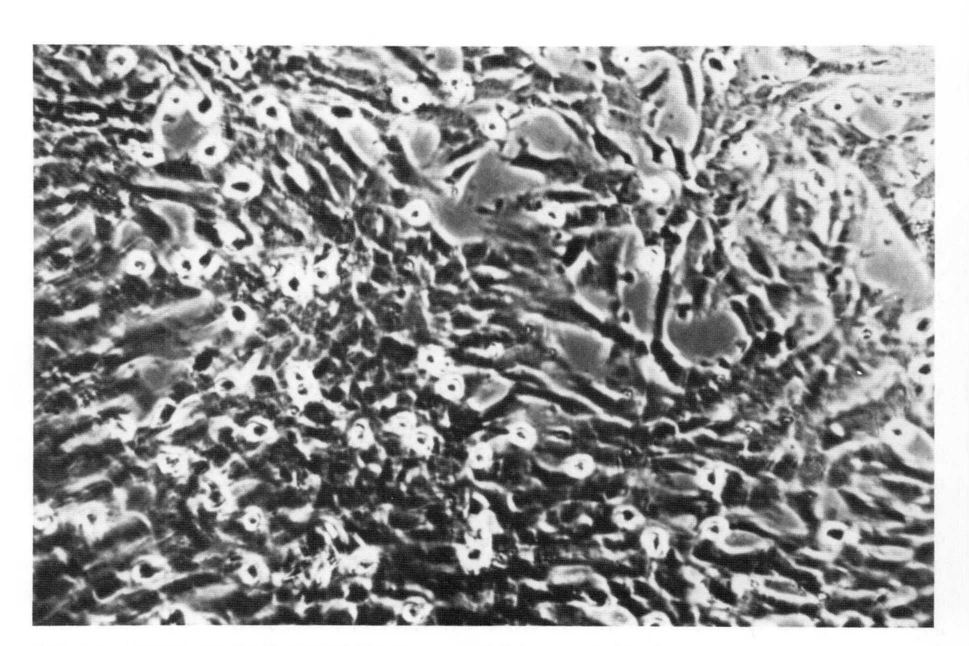

Abb. 10 Amnionzellkultur mit Mitosen nach 10 Tagen Kulturdauer

Die Chromosomenpräparation nach dem Kolchizinstop umfaßt 2 Schritte:
(1) Die hypotone Behandlung mit einer Salzlösung (z. B. 0,075 molares KCl), die das Chromatin in einen Quellungszustand bringt.

(2) Die Fixierung mit einem Gemisch aus Eisessig und Methanol (1 : 3).

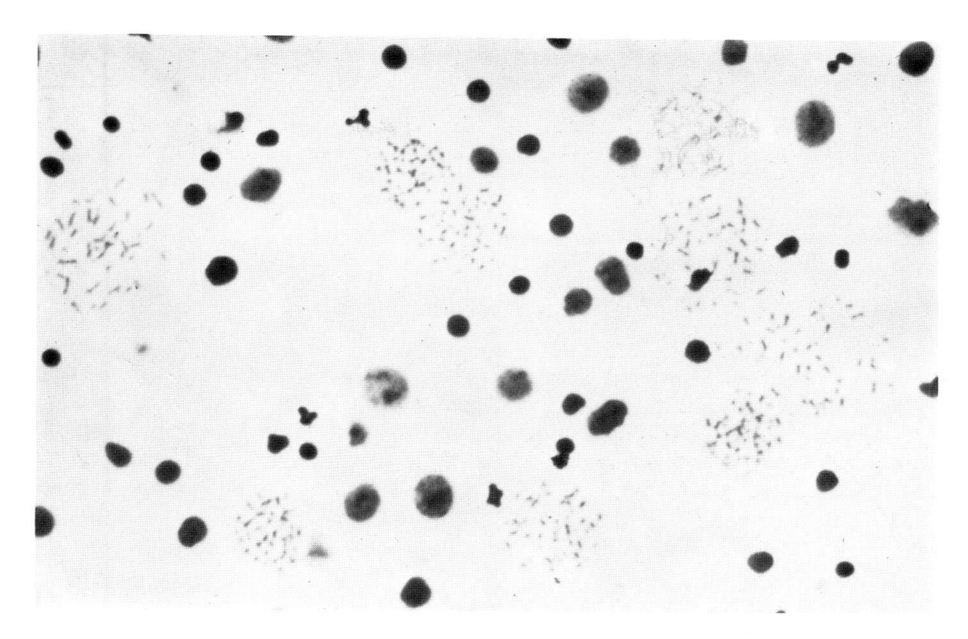

Abb. 11 Aufgetropfte Zellsuspension mit Metaphaseplatten (Giemsafärbung, Vergr. ca. 100 ×)

Die so präparierten Zellen werden auf einen Objektträger aufgetropft. Man erkennt im Mikroskop bei etwa 100facher Vergrößerung die Metaphaseplatten neben Lymphozyten, die sich in der Interphase befinden (Abb. 11).

Die Chromosomenfeinstruktur läßt sich bei etwa 1000facher Vergrößerung beobachten. Die Metaphaseplatten werden fotografiert (Abb. 12); aus den Fotos können die Chromosomen ausgeschnitten und zum Karyogramm geordnet werden (Abb. 13).

Seit der Entdeckung der Bandenfärbung menschlicher Chromosomen haben die Bemühungen nicht nachgelassen, durch Verwendung verschiedenster Farbstoffe und Vorbehandlungsmethoden eine genauere Differenzierung einzelner Chromosomensegmente zu erreichen. Die ursprüngliche Färbung mit Fluoreszenzfarbstoff (Quinacrin-Mustard = Q-Banden) (Abb. 15) wurde von der Giemsafärbung (= G-Banden) abgelöst (Abb. 12 und 13), die lichtmikroskopisch leichter darstellbar war. Stark angefärbte Chromosomenabschnitte in der G-Bandentechnik und stark fluoreszierende Abschnitte in der Q-Bandentechnik entsprechen einander.

Das Y-Chromosom zeigt bei der Q-Färbung eine besonders starke Fluoreszenz, die sogar in der Interphasezelle als hell leuchtendes Körperchen (Y-Chromatin) darzustellen ist und zur Kerngeschlechtsbestimmung herangezogen wird (s. Abb. 21b und Tab. 4).

Eine wesentliche Ergänzung der zytogenetischen Diagnostik stellt die Entwicklung der R (Reverse)-Bandentechnik dar. Die Chromosomen zeigen hier dunkle und helle Banden, deren Topographie ein Negativ der G- bzw. Q-Bandenfärbung ist (Abb. 14).

Für die Bandenmuster wurde eine internationale Standardnomenklatur (ISCN) der Chromosomen festgelegt. Die 22 Autosomenpaare werden fortlaufend numeriert. Die Chromosomen werden grundsätzlich in Kurzarm- und Langarm-Abschnitte einge-

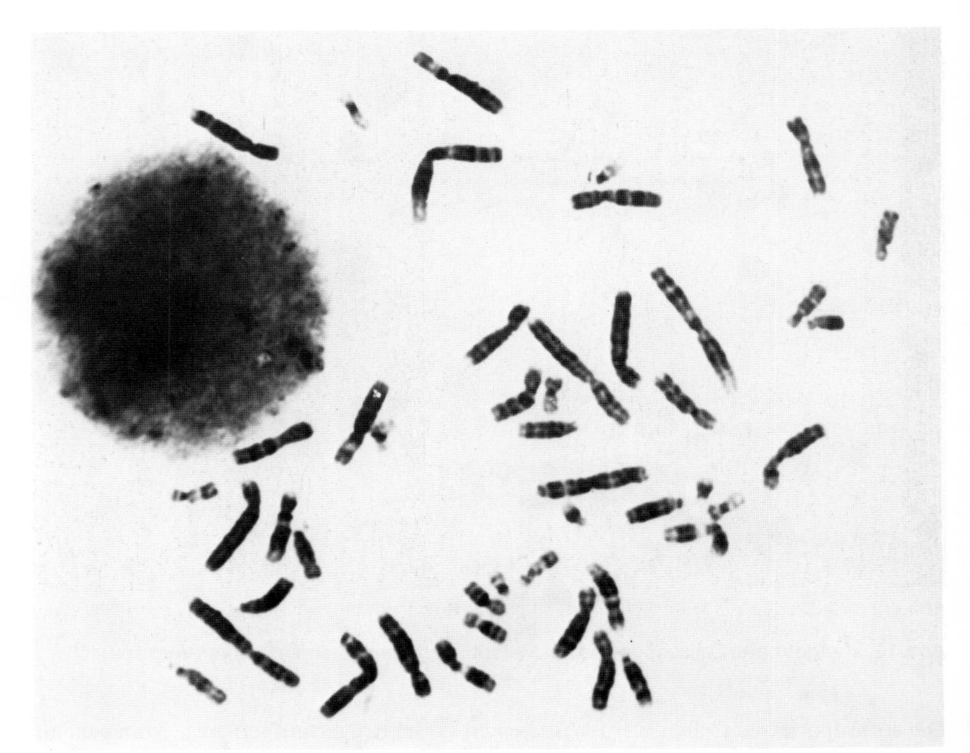

Abb. 12 Feinstruktur der Chromosomen in der Metaphaseplatte (Giemsa-Bandenfärbung, Vergr.: ≈2000×)

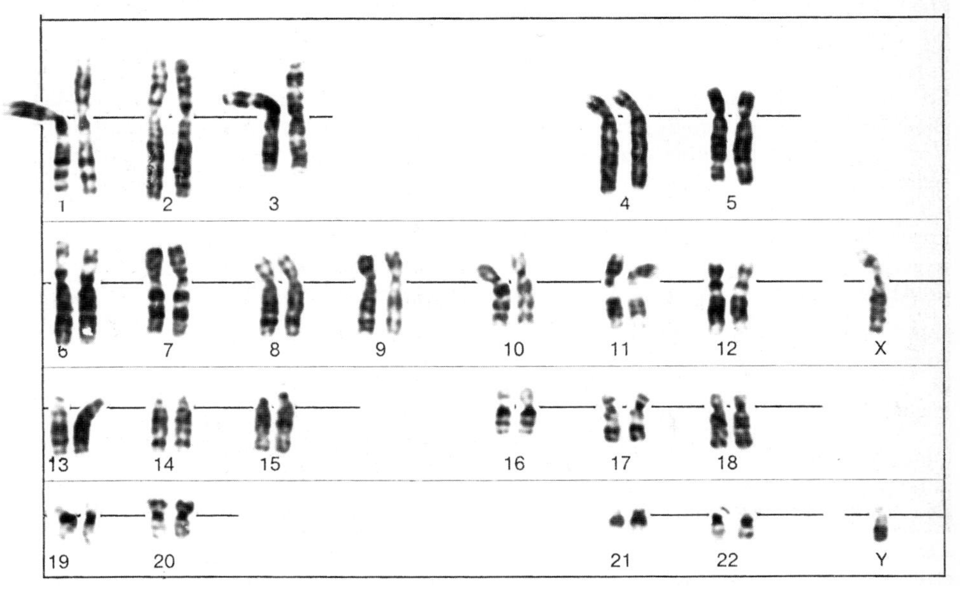

Abb. 13 Karyogramm: männlicher Karyotyp (46,XY) (Giemsa-Bandenfärbung)

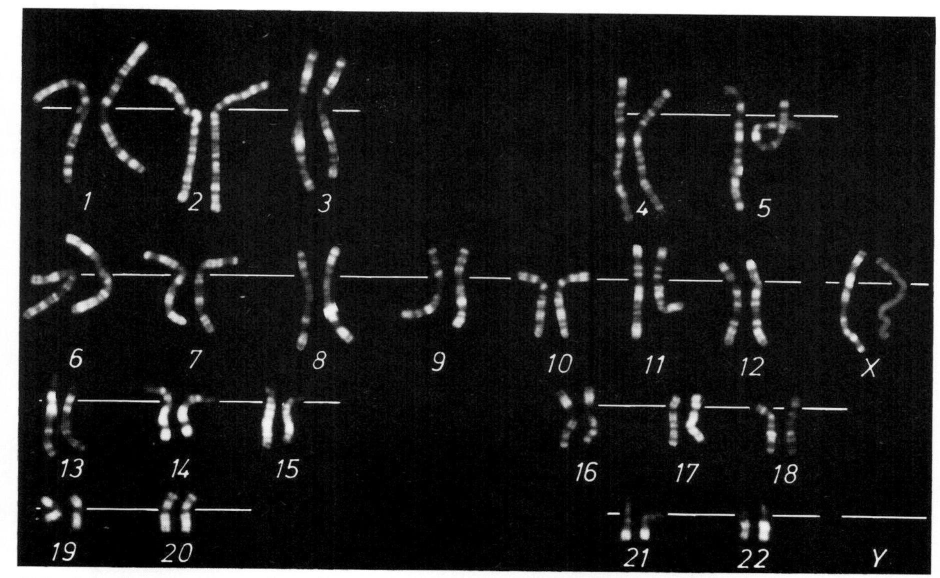

Abb. 14 Karyogramm einer Prometaphase, R-Banden-Technik, Akridin-Orange-Färbung. Unauffälliger weiblicher Chromosomensatz 46,XX. Das spätreplizierende X-Chromosom stellt sich dunkel (schwach fluoreszierend) dar (s. 2.3)

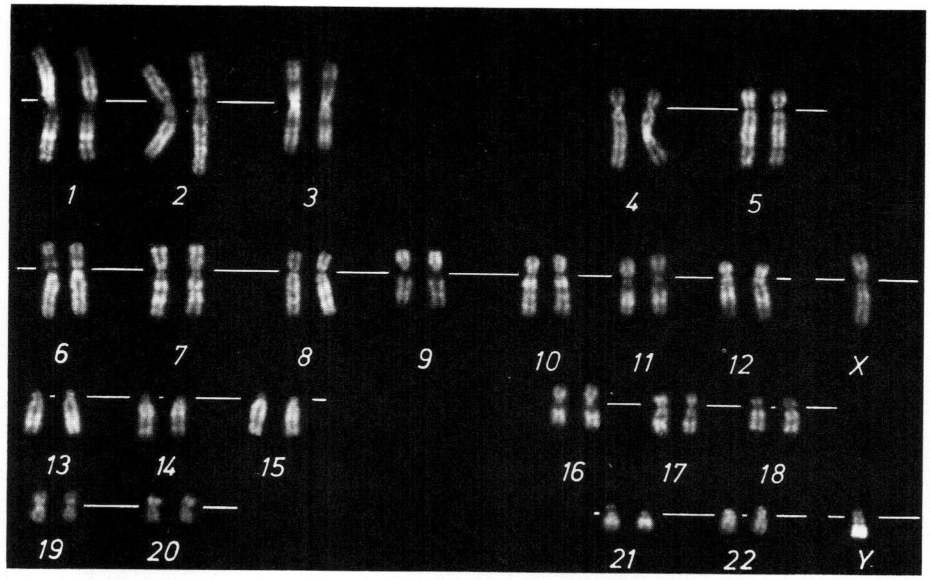

Abb. 15 Karyogramm einer Metaphase, Quinacrin-Bandenfärbung. Unauffälliger männlicher Chromosomensatz 46,XY. Stark fluoreszierendes Y-Chromosom (Foto *E. Schwinger,* Institut für Humangenetik, Medizinische Hochschule Lübeck)

teilt, die mit p und q bezeichnet werden und durch die Chromosomenenden und das Zentromer begrenzt werden. Die Chromosomenarme sind weiter durch hervorstechende Banden in Regionen unterteilt, die vom Zentromer nach distal hin fortlaufend numeriert werden. Innerhalb dieser Regionen werden die hellen und die dunklen Banden numeriert. Das Schema der Standard-Nomenklatur ist auf der Genkarte im Abschnitt Genlokalisation dargestellt (s. S. 68 f., Abb. 56).

Mit der herkömmlichen Präparationstechnik können in der Metaphase auf kondensierten Chromosomen etwa 300 Banden pro haploidem Chromosomensatz dargestellt werden.

Durch die Einführung von Synchronisationsmethoden gelingt es, die Chromosomen in der Prometaphase darzustellen und anzufärben. Diese Methode hat den Vorteil, daß bekannte Chromosomenabschnitte, die in der Metaphase als *eine* Bande erscheinen, in der Prometaphase in mehrere Banden aufgelöst werden können. Die Zahl der nachweisbaren Banden im haploiden Satz vermehrt sich so bei optimaler Präparationstechnik auf 800–1000.

2.1.2 Meiose

Als Meiose werden die beiden Reifeteilungen der ursprünglich diploiden Keimzellen (Urgeschlechtszellen) bezeichnet. Die morphologischen Prozesse der Reifeteilungen sind im männlichen und weiblichen Geschlecht sehr ähnlich (Abb. 16), allerdings bestehen beträchtliche Unterschiede im Zeitpunkt und der Dauer der Teilungsvorgänge. Die befruchtungsfähigen Keimzellen enthalten im Gegensatz zu allen anderen Zellen des Körpers nur einen einfachen (haploiden) Chromosomensatz.

Die meiotische Teilung beginnt nach einer S-Phase (Verdoppelung der Chromosomen) mit der **Prophase I.** Sie ist das längste und komplizierteste Stadium des meiotischen Prozesses und kann in 5 Abschnitte unterteilt werden:

(1) Im **Leptotän** werden die Chromosomen im Kern als feine Fäden sichtbar.

(2) Im **Zygotän** beginnen sich die homologen Chromosomen zu paaren (Bivalente) und verkürzen sich durch Spiralisation. Die nicht-homologen Geschlechtschromosomen beim Mann (XY) bilden eine End-zu-End-Assoziation und kondensieren zu einem dunkel färbbaren (heterochromatischen) Körperchen, dem „Sex-Vesicle“.

(3) Nach Abschluß der Homologen-Paarung ist das **Pachytän**-Stadium erreicht. Die Bivalente sind nun maximal kontrahiert. Man erkennt mikroskopisch 2 parallele Fäden mit heterochromatischen Verdickungen (Chromomeren), die den mitotischen G-Banden entsprechen und eine Identifizierung zulassen. Die Zahl der Bivalente entspricht der haploiden Chromosomenzahl (23). Da die homologen Chromosomen jeweils bereits aus 2 Schwester-Chromatiden bestehen, sind die Bivalente 4-strängige Strukturen (Tetraden). Im Tetradenstadium findet das „Crossing over“ statt, die Vermischung des väterlichen und mütterlichen Erbgutes durch wechselseitigen Austausch homologer Chromosomenabschnitte – eine unabdingbare Voraussetzung der Keimzellreifung.

(4) Im **Diplotän** beginnen die homologen Chromosomen auseinanderzuweichen, sie bleiben jedoch an den Stellen, an denen Crossing over stattgefunden hatte, aneinander haften (Chiasmata).

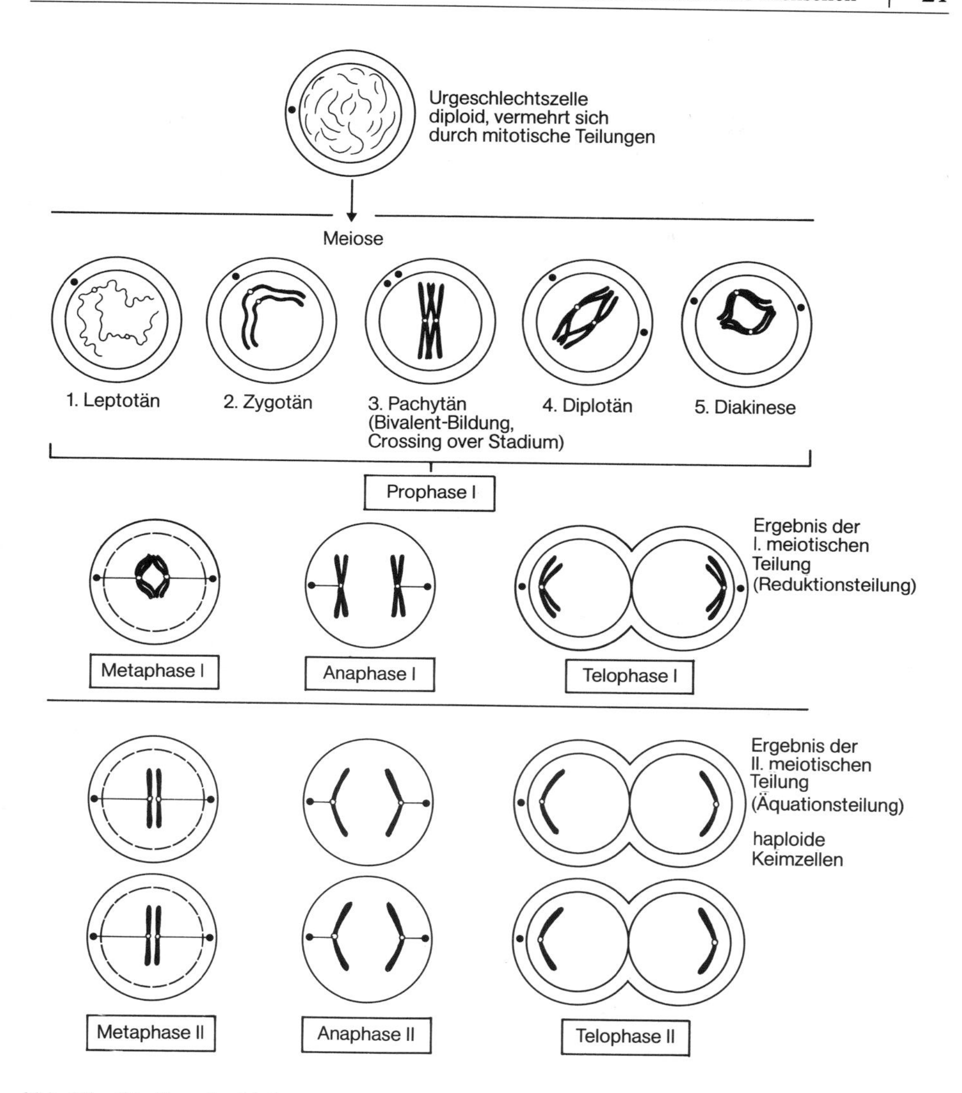

Abb. 16 Stadien der Meiose

(5) Im Stadium der **Diakinese** sind die Chromosomen maximal kontrahiert, sie haften nur noch an ihren Enden durch die chiasmatischen Verbindungen aneinander.

Nach Auflösung der Kernmembran bildet sich in der **Prometaphase I** die Spindel aus, an deren Fasern die Bivalente angeheftet werden. In der **Metaphase I** liegen die homologen Zentromere getrennt voneinander jeweils polwärts orientiert in der Äquatorialebene. In der **Anaphase I** werden nun die homologen Chromosomen voneinander getrennt und als ganze Chromosomen (2 Chromatiden) an die entgegengesetzten Zellpole transportiert. In den entstehenden Tochterkernen sind jetzt jeweils nur noch 23 ehemals väterliche oder mütterliche durch Crossing-over veränderte Chromosomen vorhanden (Reduktion der Chromosomenzahl).

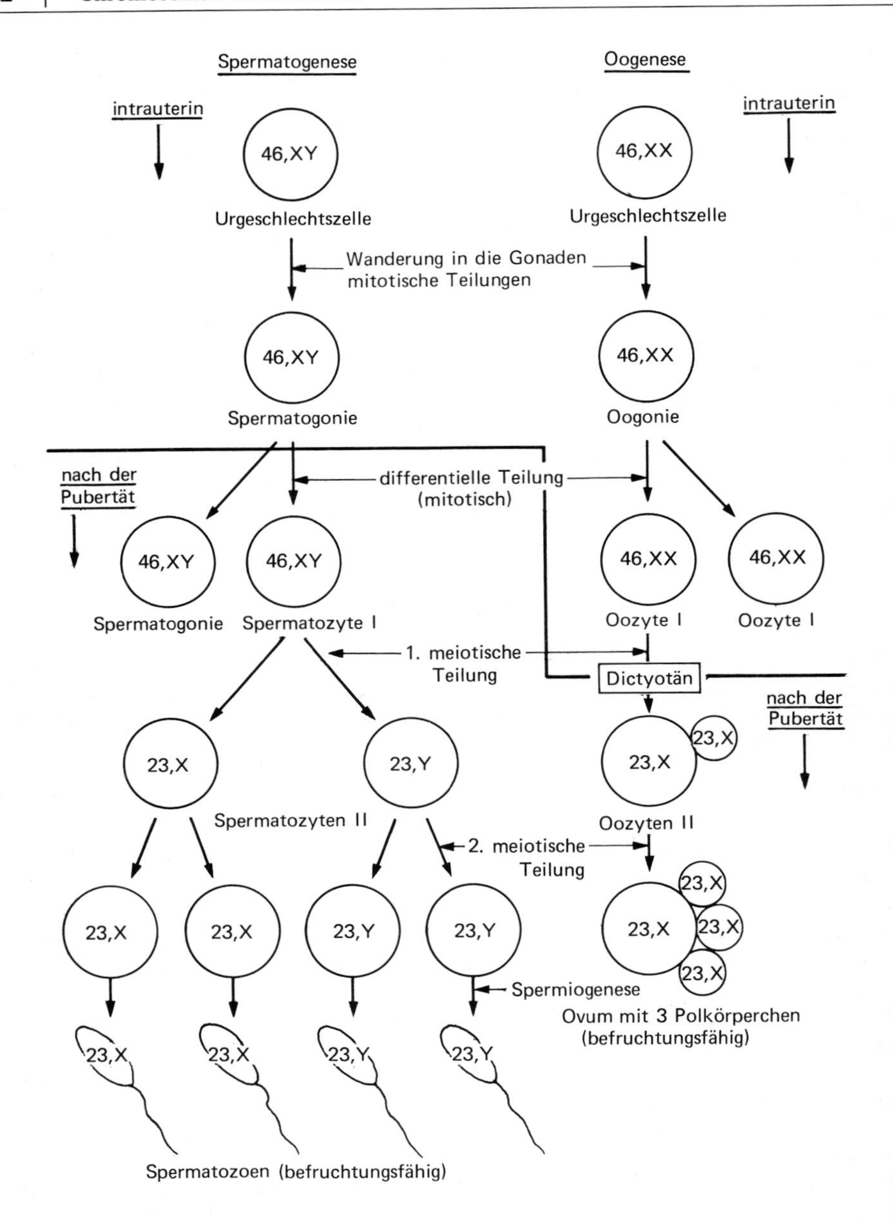

Abb. 17 Schema der Gametogenese

An die erste meiotische Teilung schließt sich ohne vorhergehende Prophase eine zweite Teilung an, die wie eine Mitose mit den Stadien **Metaphase II, Anaphase II** und **Telophase II** abläuft und bei der Schwesterchromatiden auf die Pole verteilt werden (Äquationsteilung). Nach der Zellteilung sind 4 haploide Keimzellen vorhanden.

Im **männlichen** Geschlecht beginnen die Spermatogonien ihre Reifeteilungen und ihre

Differenzierung in Spermatozyten zum Zeitpunkt der Pubertät unter dem Einfluß der gonadotropen Hormone (Abb. 17). Aus einer Spermatogonie entstehen 4 befruchtungsfähige Spermien. Im **weiblichen** Geschlecht teilen und differenzieren sich die Oogonien bereits vor der Geburt. Die erste meiotische Teilung wird jedoch nicht abgeschlossen. Im Diplotän kondensieren sich die Bivalente nicht, sondern werden länger und dünner. Die Oozyten treten in ein Ruhestadium **(Dictyotän)** ein, in dem sie bis kurz vor der Ovulation (also etwa 12–45 Jahre) verbleiben. Follikelzellen umgeben die ruhende Oozyte. Zur Pubertät vergrößert sich jeweils ein Ovarialfollikel im Monat unter dem Einfluß von Gonadotropinen. Die verlängerten Bivalente kondensieren sich, es folgt das Stadium der Diakinese und Metaphase I, in dem sich die Homologen trennen (Reduktion). Weil jedoch der Dictyotän-Kern exzentrisch liegt, erhält die eine Tochterzelle bei der Teilung fast das gesamte Zytoplasma (Oozyte II), während die andere Tochterzelle, die praktisch nur den Kernanteil enthält, zum ersten Polkörperchen wird. Zu diesem Zeitpunkt findet die Ovulation statt. Während die Oozyte II, begleitet von ihrem ersten Polkörperchen, durch die Tube wandert, machen beide Kerne die Äquationsteilung durch. Auch dabei ist die zytoplasmatische Trennung ungleich, und es wird jeweils ein weiteres Polkörperchen ausgestoßen.

2.1.3 Chromosomenstruktur und -Funktion

Mit elektronenmikroskopischen Untersuchungen konnte in den letzten Jahren die Wissenslücke zwischen der mit biochemischen Methoden aufgeklärten Chromatinstruktur und der lichtmikroskopisch beobachtbaren Chromosomenmorphologie weiter geschlossen werden.

Die Grundstruktur des Chromatins besteht aus einem Nukleoproteinfaden von ca. 100 Å Durchmesser (Abb. 18 b, e), der aus einer perlenkettenartigen Aufreihung von Nukleosomen besteht, die durch freie DNS-Stücke verbunden sind. Ein Nukleosom (Abb. 18 a) setzt sich aus 8 Histonen (basische Proteine) zusammen, wobei die Histone H2a, H2b, H3 und H4 jeweils paarweise vorhanden sind. Um diesen Proteinkern windet sich schleifenförmig der DNS-Doppelstrang. Eine weitere Kondensierung des Chromatins wird durch eine Superwendelung der 100 Å-Nukleoproteinfaser erreicht. Es entsteht eine Faser von 300 Å Durchmesser in Form einer Schraubenwendel (Abb. 18 c), deren Struktur durch das Histon H1 aufrecht erhalten wird. Die Anordnung dieser 300 Å-Fasern in Metaphasechromosomen ist bislang nicht vollständig geklärt. Vieles spricht für die Beteiligung saurer Proteine (Nicht-Histonproteine) an der Struktur der Chromosomen, möglicherweise in Form eines zentralen Gerüstes, an welches die 300 Å-Nukleoproteinfaser schleifenförmig angeheftet ist (Abb. 18 c, d). Der Mechanismus der Chromosomenkondensation im Laufe der Mitose ist noch ungeklärt. Auch konnte bislang die molekulare Grundlage für die färberische Differenzierung in helle und dunkle Chromosomenbanden noch nicht aufgeklärt werden.

2.2 Strukturelle Varianten menschlicher Chromosomen

Es gibt Variationen in der Chromosomenstruktur, die keinen Krankheitswert haben. Diese als „chromosomale Polymorphismen“ bezeichneten Strukturvarianten finden sich nur an bestimmten Chromosomenabschnitten, die vermutlich genetisch inaktive DNS enthalten oder deren Gen-Dosis kompensierbar ist. Solche DNS befindet sich in

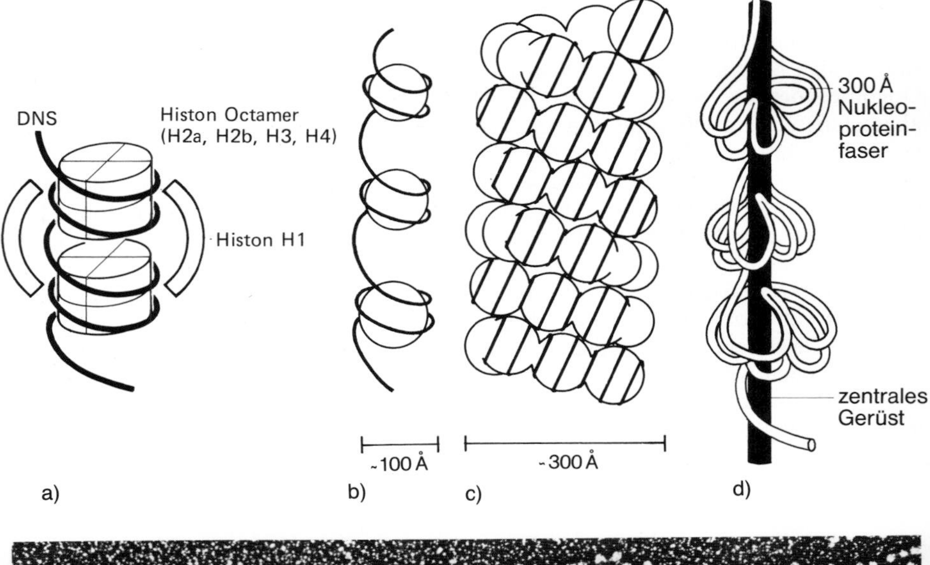

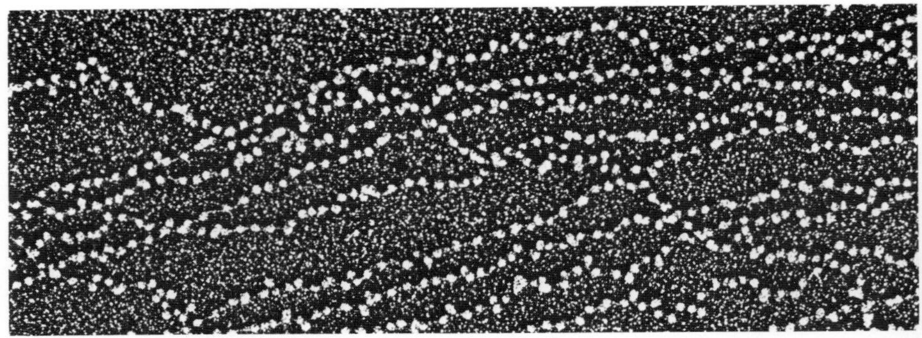

Abb. 18 Struktur des Chromatins
a) Schema des Nukleosoms — b) 100 Å-Nukleoproteinfaser — c) 300 Å-Nukleoproteinfaser — d) Modell der Chromosomenstruktur mit zentralem Gerüst und rosettenförmiger Anordnung der Nukleoproteinfaser (hypothetisch) — e) Elektronenmikroskopische Aufnahme von Chromatin (Hühner-Erythrozyten, Vergr.: 50500 : 1) mit der typischen „Perlenketten"-Anordnung der Nukleosomen (vgl. Abb. 18b) (Foto: *H.-W. Zentgraf,* Deutsches Krebsforschungszentrum Heidelberg)

der Zentromerregion aller Chromosomen und in der distalen Langarmbande des Y-Chromosoms. Auch die Kurzarm-Region der akrozentrischen Chromosomen (13, 14, 15, 21 und 22) enthält DNS, die keine Auswirkung auf den Phänotyp hat (Nukleolusorganisatoren). Mit speziellen Färbeverfahren lassen sich diese Abschnitte auf den Chromosomen nachweisen. Die **C-(Centromer-)Banden**-Technik (Abb. 19a) färbt speziell die zentromernahe Chromatinfraktion und das Langarmende des Y-Chromosoms an. Die variable Kurzarmregion der akrozentrischen Chromosomen kann mit Hilfe der Quinacrin-Fluoreszenz und der **NOR-(N**ukleolus **o**rganisierende **R**egion)-Färbung (Abb. 19b) speziell nachgewiesen werden.

Varianten in diesen Regionen entstehen durch Duplikation (Triplikation etc.), Defizienz oder perizentrische Inversion. Sie treten meist heterozygot (nur eines der homo-

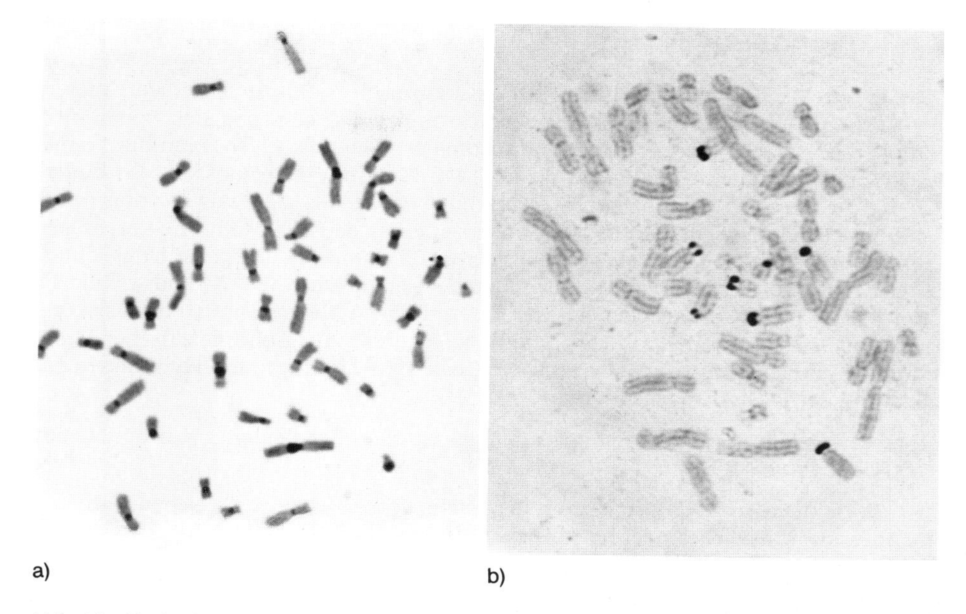

Abb. 19 Färberischer Nachweis von inaktivem Chromatin
a) C-Banden — b) NOR-Färbung

logen Chromosomen betroffen), seltener homozygot (beide Homologen betroffen) auf und werden bevorzugt am Chromosom 1, 9, 16 und Y (Abb. 20) sowie an den akrozentrischen Chromosomen beobachtet. Sie lassen sich als „Marker“ unter Umständen durch Generationen hindurch verfolgen und werden gelegentlich zum Abstammungsnachweis bei genetischen Gutachten verwendet, da sie wie die *Mendel*schen Merkmale von den Eltern auf die Kinder weitervererbt werden. Sie können auch Aufschluß über die Herkunft eines überzähligen Chromosoms bei bestimmten Trisomien geben.

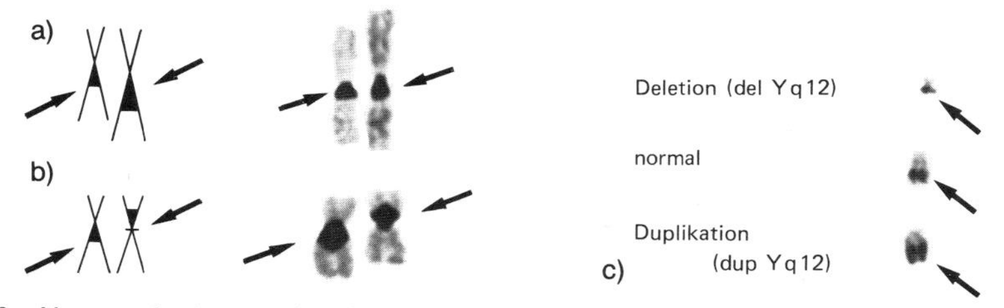

Abb. 20 Normvarianten an den Chromosomen 1, 9 und Y (C-Bandenfärbung)
a) Duplikation (dup 1q12) — b) Inversion (inv 9q12) — c) variable Länge des Y-Chromosoms bei drei verschiedenen Männern

2.3 Lyon-Hypothese

Die Geschlechtschromosomen haben sich im Laufe der Evolution aus einem Autosomenpaar entwickelt. Eines dieser beiden Chromosomen sonderte sich von seinem homologen Partner durch Verlust autosomaler Gene und Ansammlung reiner geschlechtsbestimmender Faktoren ab und wurde zum Y-Chromosom, das andere (das X-Chromosom) blieb in seiner ursprünglichen Gestalt erhalten. Es trägt neben Faktoren zur Geschlechtsbestimmung noch seine aus der „autosomalen Vergangenheit" stammenden, sog. geschlechtsgebundenen Gene (s. 4.4). Da keine Ungleichheit in der X-chromosomalen Gendosis zwischen dem männlichen (ein X) und weiblichen (zwei X) Geschlecht festzustellen ist, war theoretisch ein Mechanismus zur Dosiskompensation X-chromosomaler Genprodukte zu fordern. Aufgrund genetischer Beobachtungen an der Maus formulierte *Mary Lyon* 1961 die folgenden Hypothesen zur Erklärung der Dosiskompensation:

(1) In den Zellen normaler weiblicher Säuger ist eines der beiden X-Chromosomen genetisch inaktiviert.

(2) Das inaktive X-Chromosom kann in verschiedenen Zellen des gleichen Individuums entweder väterlicher oder mütterlicher Herkunft sein.

(3) Die Inaktivierung eines X-Chromosoms tritt früh in der embryonalen Entwicklung auf und bleibt für das betreffende X-Chromosom (väterlich oder mütterlich) in allen von dieser Zelle abstammenden Tochterzellen bestehen (klonale Inaktivierung).

Das inaktivierte X-Chromosom ist in etwa 40 % der weiblichen Somazellen als randständiges, dunkel anfärbbares, kondensiertes Chromatinkörperchen nachweisbar **(Heterochromasie)**. Nach dem kanadischen Anatomen Barr (1949) wird dieses Kernchromatin als Barr-body (Sex-Chromatin, X-Chromatin) bezeichnet (Abb. 21).

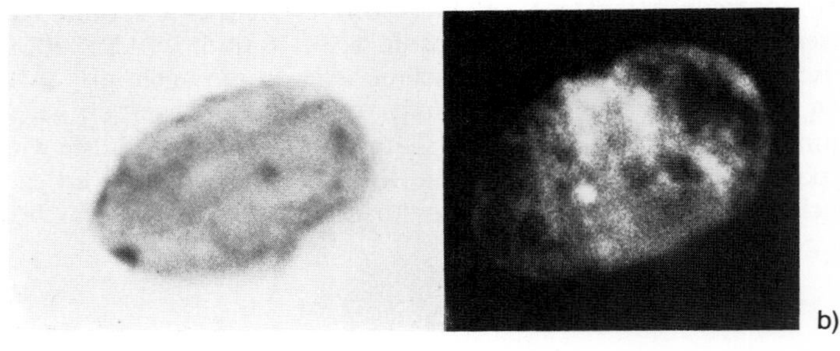

Abb. 21 Kerngeschlechtsbestimmung in Interphasenzellen: a) X-Chromatin (Barr-body) in Zellen weiblicher Individuen, b) Y-Chromatin in Zellen männlicher Individuen

Das inaktive X-Chromosom läßt sich ferner durch einen anderen Kondensationszustand in der mitotischen Prophase **(Heteropyknose)** und durch den späten Replikationszeitpunkt in der S-Phase **(Heterozyklie)** von den Autosomen und dem aktiven X-Chromosom unterscheiden. Das spätreplizierende X-Chromosom kann in Metaphasepräparationen nach Tritium-Markierung während der S-Phase mit Hilfe der Autoradiographie an der sehr starken Beladung mit Silberkörnern (Abb. 22) oder, nach spezieller Vorbehandlung mit Bromdesoxyuridin (BrdU) in der S-Phase, an der schwachen Fluoreszenz (Abb. 14) erkannt werden.

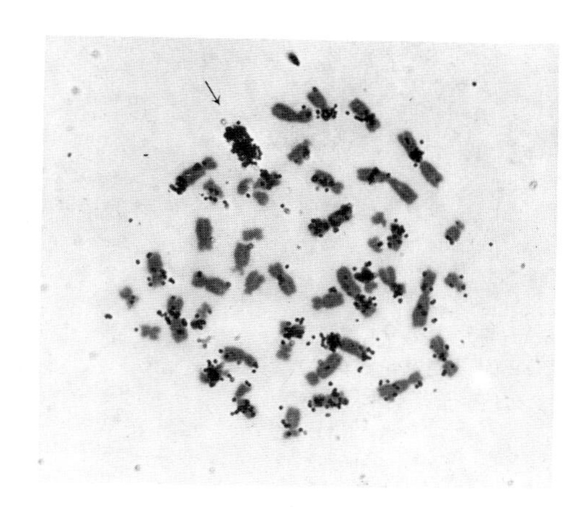

Abb. 22 Darstellung des spät replizierenden X-Chromosoms durch Autoradiographie

Wäre die Inaktivierung eines X-Chromosoms vollständig und fände sie in jeder Zelle statt, müßte ein Individuum mit Verlust eines X-Chromosoms unauffällig sein. Wir wissen vom Ullrich-Turner-Syndrom (s. S. 47), daß dies nicht der Fall ist. Die Aktivität beider X-Chromosomen im weiblichen Embryo bis zum Zeitpunkt der Inaktivierung (12. bis 18. Tag nach der Befruchtung) kann eine Erklärung dafür sein, daß sich das Fehlen eines X-Chromosoms sowie pathologische Genkombinationen auf strukturell aberranten X-Chromosomen phänotypisch auswirken. Wir wissen auch, daß in weiblichen Keimzellen immer beide X-Chromosomen aktiv sind (Reaktivierung während der Oogenese), so daß sich X-chromosomale Aberrationen hier auswirken (Stranggonaden). Andererseits muß noch offenbleiben, ob in den Somazellen **alle** X-chromosomalen Genorte **immer** der Inaktivierung unterliegen oder ob auch hier eine bestimmte genetische Aktivität beider normaler X-Chromosomen während bestimmter Entwicklungsphasen für einen normalen weiblichen Phänotyp notwendig ist. Für den distal am kurzen Arm des X-Chromosoms liegenden Ichthyosis-Locus (Steroidsulfatase) und für die Xg-Blutgruppe nimmt man z. B. an, daß sie der Inaktivierung entkommen.

Die Inaktivierung aller X-Chromosomen bis auf eines wird als Erklärung dafür angesehen, daß X-chromosomale Polysomien (z. B. Triplo-X-Syndrom, s. S. 50; Klinefelter-Syndrom, s. S. 48) nur zu geringen körperlichen Auffälligkeiten führen, während eine Vermehrung autosomalen Genmaterials immer mit schweren körperlichen Schäden einhergeht. Die Gen-Imbalance durch überzählige X-Chromosomen wirkt sich vor allem auf die geistige Entwicklung aus: je mehr überzählige X-Chromosomen, um so stärker ist im Durchschnitt der Intelligenzquotient herabgesetzt.

Bei einer Konduktorin für eine X-chromosomal rezessive Krankheit (s. S. 86), ist nach der Lyon-Hypothese statistisch gesehen in der Hälfte aller Körperzellen das X-Chromosom mit dem normalen Gen, in der anderen Hälfte das X-Chromosom mit dem mutierten Gen inaktiviert. Die Somazellen der Frau sind also ein Mosaik für solche X-gebundenen Merkmale. Dies kann an klinischen Beispielen nachgewiesen werden: Konduktorinnen mit hereditärem Mangel an Glukose-6-phosphat-Dehydrogenase (Favismus) haben zu gleichen Teilen Erythrozyten mit normalem Enzymspiegel und Erythrozyten, in denen das Enzym fehlt. Bei der X-chromosomal rezessiv vererbten Muskeldystrophie (Typ Duchenne) finden sich bei histologischer Untersuchung der Muskulatur der Überträgerinnen gleichfalls dystrophische Muskelbezirke („krankes" X aktiv, „gesundes" X inaktiviert) neben normal ausgebildeten Muskelzellen („gesundes" X aktiv, „krankes" X inaktiviert) (Abb. 23).

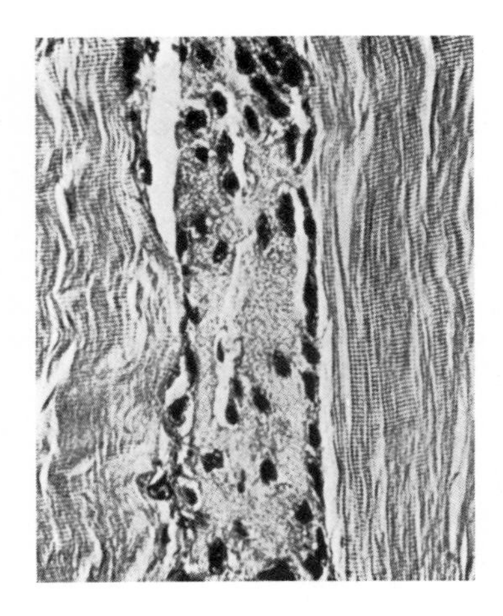

Abb. 23 Dystrophe und normal ausgeprägte Muskelzellen bei einer Konduktorin für Muskeldystrophie Duchenne als Beispiel für die zufällige (klonale) Inaktivierung des „kranken“ bzw. „gesunden“ X-Chromosoms im Muskelgewebe

Bei X-chromosomalen Strukturaberrationen ist im allgemeinen das pathologisch veränderte X-Chromosom genetisch inaktiviert, bei X-autosomalen Translokationen ist im allgemeinen das normale X-Chromosom inaktiviert. Dies sind wichtige Ausnahmen von der sonst allgemein gültigen Regel der zufälligen Inaktivierung.

2.4 Störungen der Geschlechtsentwicklung

2.4.1 Geschlechtsbestimmung und Geschlechtsdifferenzierung

Das Gonadengeschlecht wird durch die Geschlechtschromosomen bestimmt. Bei der Reifeteilung bildet die Frau nur eine Sorte von Eizellen mit jeweils einem X-Chromosom, der Mann zwei Sorten von Spermien, eine mit dem X- und eine mit dem Y-Chromosom. Bei der Befruchtung entstehen zwei Sorten von Zygoten: 46,XX-Zygoten

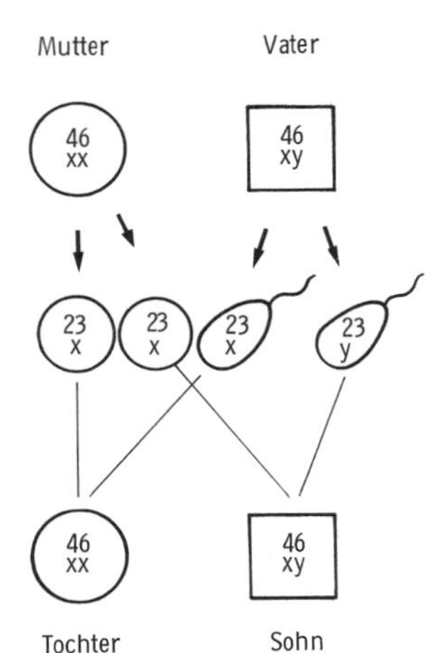

Abb. 24 Vererbung des Geschlechts

führen zur Entwicklung eines Mädchens, 46,XY-Zygoten zur Entwicklung eines Knaben (Abb. 24).

Bereits in der 4. Woche der embryonalen Entwicklung ist die undifferenzierte Gonadenanlage in Form von beidseitigen Epithelverdickungen in der Genitalleiste erkennbar (Abb. 25).Die Urkeimzellen wandern von ihrem Ursprungsort aus dem Dottersack in diese primordiale Gonade ein, bei weiblichen Individuen in die Rinde, bei männlichen Individuen in das Mark der Gonade. Die Aktivität eines **Y-chromosomalen Gens,** welches die Synthese des für die männliche Entwicklung notwendigen HY-Antigens kontrolliert, ist der wichtigste Schritt für die Entwicklung der undifferenzierten Gonade zum Hoden. In Abwesenheit des HY-Antigens entwickelt sich die Gonade zum Ovar. Für die endgültige Ausdifferenzierung der Ovarien werden zwei X-Chromosomen benötigt. Ist nur ein X-Chromosom vorhanden (Ullrich-Turner-Syndrom, s. S. 47), bildet sich das Ovar zu einem fibrösen Strang zurück. Bei der Y-chromosomal gesteuerten Entwicklung der Gonade zum Hoden bildet sich die Rinde zurück. Bei der Differenzierung des Ovars proliferieren die Rindenanteile und das Mark bildet sich zurück.

Die inneren Genitalien entwickeln sich beim Mann aus den *Wolff*schen, bei der Frau aus den *Müller*schen Gängen. Ein Anlagedefekt der *Müller*schen Gänge führt bei weiblichen Patienten mit normalen Ovarien und normalen sekundären Geschlechtsmerkmalen zu vollständigem Fehlen von Vagina und/oder Uterus. Dieses wahrscheinlich autosomal rezessiv vererbte Krankheitsbild ist als **Rokitansky-Meyer-Küster-Hauser-Syndrom** beschrieben.

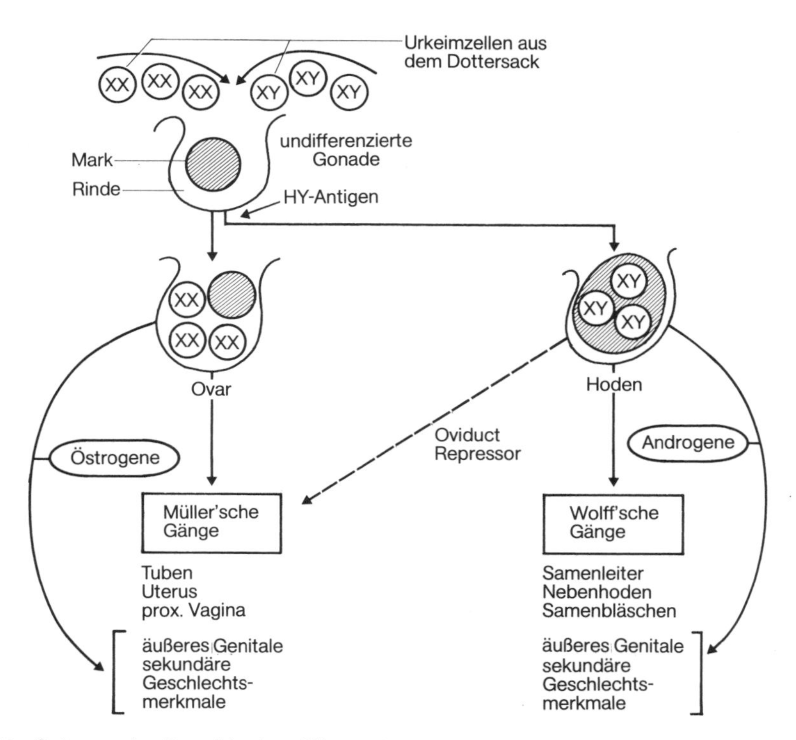

Abb. 25 Schema der Geschlechtsdifferenzierung

Das im Hoden gebildete Testosteron stimuliert die *Wolff*schen Gänge zur Ausbildung von Nebenhoden, Samenleiter und Samenbläschen. Der Oviduct-Repressor hindert die weitere Entwicklung der *Müller*schen Gänge. Eine Störung der Sekretion des Oviduct-Repressors führt zur Persistenz der *Müller*schen Gänge beim Mann. Auch die sekundären Geschlechtsmerkmale (Körperbau, Haarwuchs, psychosexuelle Prägung) beim Mann werden über das Testosteron induziert. Für die Testosteronwirkung ist die Aktivität eines wahrscheinlich **X-gebundenen Gens** notwendig, das die Körperzellen (von Mann und Frau) mit einem Androgenrezeptor ausstattet. Bei der Frau findet normalerweise wegen des Fehlens von Testosteron keine Virilisierung statt; bei endo- oder exogener Testosteronzufuhr bildet jedoch auch die Frau wegen der Empfänglichkeit ihrer Zellen für Testosteron männliche Geschlechtsmerkmale aus. Ist dieser Rezeptorlocus mutiert, entwickelt sich auch bei männlichem Kern- und Gonadengeschlecht ein weiblicher Phänotyp, weil das vorhandene Testosteron nicht wirken kann. Es resultiert das Krankheitsbild der **testikulären Feminisierung** (s. S. 34). Nach dieser Genmutation wird der Rezeptorlocus auch Tfm-Locus (**T**esticular **f**eminization **m**utation) genannt (s. 2.4.4.3.3 und Abb. 27 u. 28).

Die Differenzierung des äußeren männlichen Genitales ist ein aktiver Prozeß, der vom Dihydrotestosteron abhängig ist, die weiblichen Differenzierungsschritte verlaufen dagegen hormonunabhängig. Das äußere Genitale entwickelt sich bei beiden Geschlechtern aus einer gemeinsamen Anlage. Der Genitalhöcker wird beim Mann zum Penis, bei der Frau zur Klitoris. Die Genitalfalten fusionieren beim Mann zur ventralen Raphe der Penisurethra, sie bleiben bei der Frau als Labia minora getrennt. Die Labioskrotalfalten fusionieren beim Mann zum Skrotum; sie bleiben bei der Frau als Labia majora getrennt.

Die psychosexuelle Geschlechtsbestimmung hängt sowohl von Erb- sowie von Umweltfaktoren ab. Das Ausmaß der genetischen Beteiligung an z. B. Homosexualität oder Transsexualität muß derzeit noch offen bleiben.

Tabelle 3 Schema der normalen und gestörten Geschlechtsentwicklung

Karyotyp \ Äußeres Genitale	weiblich	männlich	intersexuell
46, XX	Normales Mädchen	AGS mit kompletter Virilisierung	Unkomplettes AGS Adrenogenitales Salzverlust-Syndrom Virilisierende NNR- und Ovarialtumoren Exogene Virilisierung
46, XY	Testikuläre Feminisierung Kompl. Testosteronsynthesestörungen Swyer-Syndrom	Normaler Junge	Testosteron-Synthese störungen Testikuläre Feminisierung inkomplette Form
Patholog. Gonosomensatz	Ullrich-Turner-Syndrom Ullrich-Turner-Mosaik X-Polysomie	Klinefelter-Syndrom XYY-Syndrom	X/XY-Mosaik XX/XY-Mosaik u. a. Mosaike und Polysomieformen der Gonosomen

Zusammenfassend läßt sich sagen, daß bei jedem Individuum primär, unabhängig vom genetischen Geschlecht, eine Tendenz zur weiblichen Differenzierung besteht. Man wird an Religionen erinnert, welche die Entstehung des Menschengeschlechts von einer Ur-Mutter ableiten. *Jost* hat den Weg der Geschlechtsdifferenzierung so zusammengefaßt: "Becoming a male is a prolonged, uneasy, and risky venture, it is a kind of struggle against inherent trends towards femaleness." Schematisch sind die normale und die gestörte Geschlechtsentwicklung in Tabelle 3 wiedergegeben.

2.4.2 Bedeutung der Chromosomenaberrationen für die Differenzierung und Entwicklung des Geschlechts

Zygoten, die nach Verlust eines X-Chromosoms während der Oogenese bzw. eines X- oder Y-Chromosoms während der Spermatogenese entstehen, entwickeln sich zum Ullrich-Turner-Syndrom (45,X), einem klinisch und zytogenetisch definierten Krankheitsbild innerhalb der Gruppe der **Gonadendysgenesien** (s. S. 47). Die 45,Y-Konstitution scheint dagegen letal zu sein.

Die Entstehung von Zygoten mit **überzähligen** X- oder Y-Chromosomen führt zu Krankheitsbildern, die beim Mann dem Formenkreis des Klinefelter-Syndroms (Karyotyp 47,XXY) bzw. der XYY-Konstitution (Karyotyp 47,XYY) zuzuordnen sind. Überzählige X-Chromosomen beim Mann stören die Keimzellenreifung und die Entwicklung der Leydigzellen (s. S. 48 f.). Bei Männern mit überzähligem Y-Chromosom resultiert in einem Teil der Fälle Hypogonadismus mit herabgesetzter Fertilität; die XYY-Konstitution ist jedoch auch mit normaler Hodendifferenzierung vereinbar.

Bei Frauen mit überzähligem X-Chromosom (in Abwesenheit eines Y-Chromosoms) resultiert keine schwere organische Störung.

Auch **strukturelle** Aberrationen des X- oder Y-Chromosoms treten auf. Frauen mit Bruchstückverlusten am kurzen Arm des X-Chromosoms können im Phänotyp Übergänge vom Normalen zum Ullrich-Turner-Syndrom aufweisen. Y-chromosomale Strukturaberrationen, welche die Kurzarm- und die proximale Langarmregion betreffen, zeigen, daß sowohl Hodendifferenzierung (HY-Antigen) als auch Spermatogenese und Körperwachstum in unterschiedlicher Weise und in Abhängigkeit vom Ausmaß der Deletion oder Duplikation verändert sind. Eine genaue Lokalisation der für die normale Geschlechtsentwicklung notwendigen Gene ist bisher noch nicht möglich. Die klinische Beschreibung von X- bzw. Y-chromosomalen Segmentdeletionen kann jedoch ein „mapping" ermöglichen.

Bei gonosomalen **Mosaiken** (s. S. 47 ff.) mit 2 oder mehreren Zellinien kann der Phänotyp unauffällig sein oder Abweichungen unterschiedlichen Ausmaßes in der Geschlechtsdifferenzierung zeigen, die vom Zeitpunkt der Mosaikentstehung, der Verteilung der Mosaikzellinien im Körper sowie dem Typ der Aberration abhängig sind. Eines der häufigsten Chromosomen-Mosaike ist die Kombination einer 45,X-Linie mit einer 46,XX-Zellinie (Tab. 6, S. 47).

2.4.3 Nachweis von X- bzw. Y-Chromatin in der Diagnostik von Störungen der Verteilung der Geschlechtschromosomen

Kerngeschlechtsdiagnostik mit Hilfe des X-Chromatin (s. Abb. 21 a) bzw. Y-Chromatin (s. Abb. 21 b) wird am einfachsten an Interphasezellen der Haarwurzeln durchgeführt. Im Gegensatz zur Zahl der X-Chromatinkörperchen, die immer die X-Chromosomenzahl −1 anzeigt, ist die Zahl der Y-Chromatinkörperchen gleich der Zahl der Y-Chromosomen. Normale Frauen (46,XX) haben folglich 1 X-Chromatinkörperchen, 47,XYY-Männer 2 Y-Chromatinkörperchen in Interphasekernen (Tab. 4).

Tabelle 4 Anzahl der X- bzw. Y-Chromatinkörperchen bei den verschiedenen gonosomalen Chromosomenkonstellationen

Zytogenetische Diagnose X-Chromatin	Y-Chromatin	Gonosomenbefund	Klinische Diagnose
−	−	X0	Ullrich-Turner-Syndrom
+	−	XX	weiblich, normal
−	+	XY	männlich, normal
−	+ +	XYY	Diplo-Y-Syndrom und Variante
+	+ +	XXYY	
+	+	XXY	Klinefelter-Syndrom und Varianten
+ +	+	XXXY	
+ + +	+	XXXXY	
+ +	−	XXX	Poly-X-Syndrome
+ + +	−	XXXX	
+ + + +	−	XXXXX	

Die Kerngeschlechtsdiagnostik hat ihre Bedeutung als Screening-Methode zur Erfassung von Gonosomenaberrationen z. B. bei Anstaltsinsassen, Großwüchsigen etc. Eine besondere Anwendung hat sie bei der Geschlechtsbestimmung im Rahmen des Hochleistungssports. Um als Frau starten zu können, muß sowohl der Nachweis eines X-Chromatins als auch der Nachweis eines fehlenden Y-Chromatins erbracht werden. Im einzelnen Fall, wenn klinisch der Verdacht auf eine Gonosomenaberration besteht, kann die Kerngeschlechtsdiagnostik jedoch die Chromosomenanalyse *nicht* ersetzen, da gonosomale Strukturaberrationen oder Mosaike nur im Karyogramm sicher erkannt werden können.

2.4.4 Monogen erbliche Syndrome mit Störung der Geschlechtsentwicklung

2.4.4.1 Echter Hermaphroditismus und XX-Männer

Bei echtem Hermaphroditismus liegen gleichzeitig Hoden- und Ovarialgewebe vor. Es gibt Fälle mit Hoden auf der einen und Ovar auf der anderen Seite oder solche, in denen uni- oder bilateral Ovotestes vorhanden sind. Die beiden Gonaden liegen meist intraabdominal, auch ein Uterus ist meist vorhanden. Der äußere Phänotyp kann ganz männlich oder ganz weiblich sein, ist jedoch in den meisten Fällen intersexuell. Zur Zeit der Pubertät tritt eine Gynäkomastie auf, die Patienten haben Menstruationen, die bei männlichem Phänotyp als zyklische Hämaturie bemerkbar werden. Nach der Pubertät degenerieren die Hodenelemente wie beim Klinefelter-Syndrom. Die Ursache des echten Hermaphroditismus ist nicht sicher bekannt. In einigen Fällen findet man Mosaike XX/XY. Die meisten Patienten haben jedoch einen unauffälligen weiblichen Karyotyp.

Bei XX-Männern nimmt man eine Transposition des männlich-determinierenden Lokus vom Y-Chromosom auf ein anderes Chromosom an. Gestützt wird diese Hypothese durch den Nachweis des Genprodukts (HY-Antigen) in Abwesenheit des Y-Chromosoms bei XX-Männern. In diesen Fällen muß mit Erblichkeit der gestörten Geschlechtsentwicklung innerhalb einer Familie gerechnet werden.

2.4.4.2 Reine Gonadendysgenesie

Das Krankheitsbild der reinen Gonadendysgenesie liegt bei **phänotypisch weiblichen Patienten** vor, die neben normalen inneren und äußeren weiblichen Genitalien Stranggonaden und daraus resultierende Amenorrhoe und mangelhafte Entwicklung der sekundären Geschlechtsmerkmale aufweisen. Im Gegensatz zum Ullrich-Turner-Syndrom ist das Größenwachstum jedoch nicht betroffen, es finden sich auch keine anderen somatischen Aberrationen. Der Chromosomensatz kann 46,XX, aber auch 46,XY sein, letztere Kombination wird auch als **Swyer-Syndrom** bezeichnet und kann Folge einer Gen-Transposition beim Vater sein.

Generell gilt, daß eine dysgenetische Gonadenanlage bei einem Karyotyp mit Y-Chromosom zu maligner Entartung neigt, so daß eine Gonadektomie und anschließend hormonelle Substitution erfolgen sollte.

2.4.4.3 Pseudo-Hermaphroditismus masculinus

Beim Pseudo-Hermaphroditismus masculinus stimmt das chromosomale Geschlecht (46,XY) nicht mit den äußeren Geschlechtsmerkmalen überein. Karyotyp und Gonaden sind männlich, die äußeren Genitalien sind jedoch durch eine embryonale Störung der Virilisierung intersexuell bis weiblich. Eine Hypospadie kann als mildeste

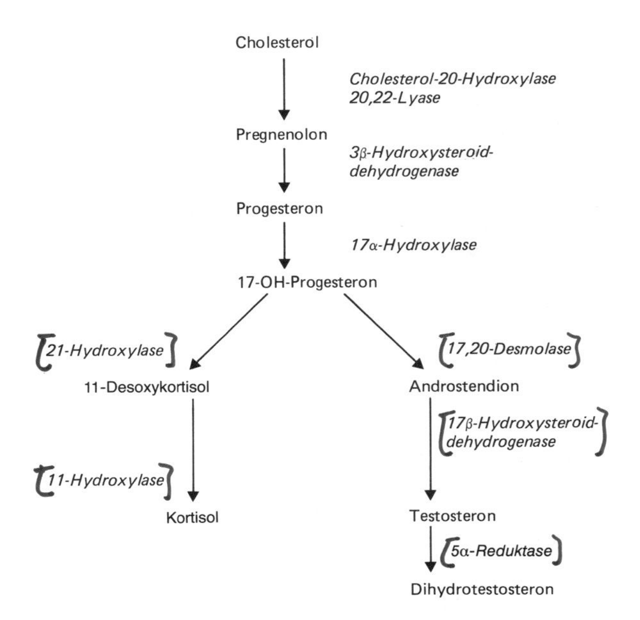

Abb. 26 Die wichtigsten Schritte der Androgen-Biosynthese

Form eines Pseudo-Hermaphroditismus beim Mann angesehen werden. Als Ursache für dieses Krankheitsbild kommen 3 Typen von Störungen in Frage:

2.4.4.3.1 Testikuläre Störungen: Bei der Hoden-Agenesie hat sich embryonal die primär vorhandene Hodenanlage zurückgebildet. Die Entwicklung der *Müller*schen Gänge wurde noch unterdrückt, zur Differenzierung der *Wolff*schen Gänge reichte die frühembryonale Testosteronproduktion jedoch nicht aus. Das Krankheitsbild ist daher gekennzeichnet durch weibliches oder intersexuelles äußeres Genitale, fehlende Vagina, eunuchoiden Körperbau und fehlende Pubertät. Bei Laparotomie kann man Reste einer Gonaden- und Genitalanlage finden.

2.4.4.3.2 Störungen der Androgenbiosynthese: Die Androgenbiosynthese verläuft in enzymatischen Schritten vom Cholesterol bis zum Dihydrotestosteron (Abb. 26). Zu allen aufgezeigten Enzymen sind klinisch die Enzymdefekte als autosomal rezessive Erbleiden bekannt. Alle Enzymdefekte der Androgenbiosynthese sind selten (seltener als 1 : 30 000).

2.4.4.3.3 Störungen in der Androgenwirkung: Die **testikuläre Feminisierung** ist das klassische Beispiel (Abb. 27). Die Patienten werden immer als weibliche Individuen

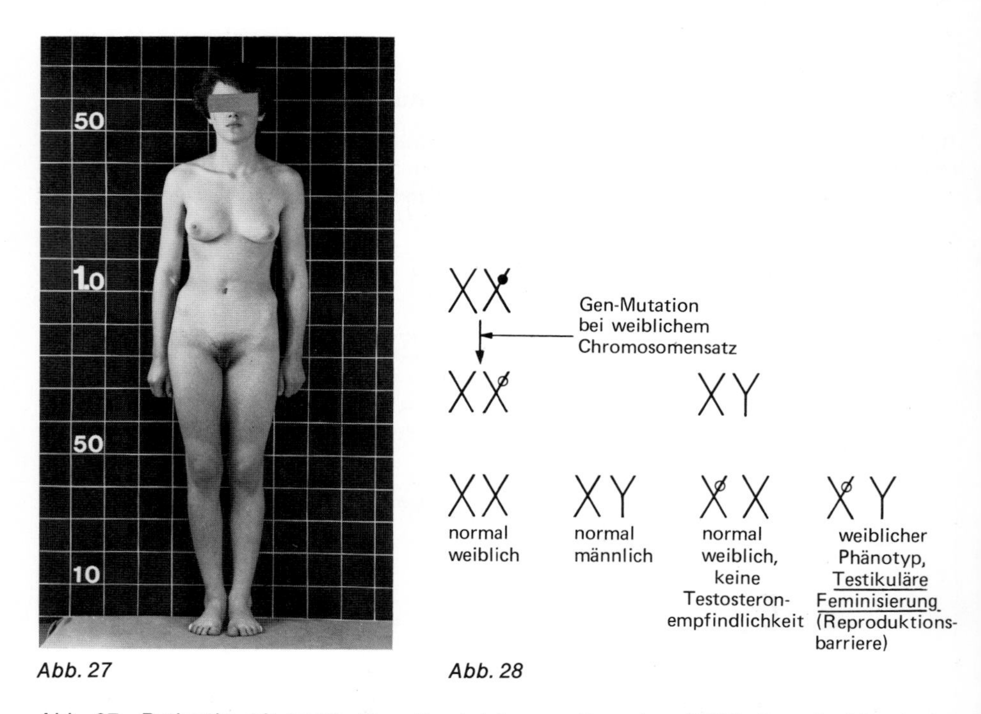

Abb. 27 *Abb. 28*

Abb. 27 Patientin mit testikulärer Feminisierung, Karyotyp 46,XY. Gonadenhistologie: Hoden. Bürgerliches Geschlecht: weiblich. Klinik: Scheidenlänge 2 cm, fast fehlende Pubes. Plasma-Testosteron auf 1200 ng/dl erhöht (Norm: Mann 300—900, Frau 30—50 ng/dl)

Abb. 28 Erbliche Störung der Geschlechtsentwicklung durch Mutation des intranukleären Androgen-Rezeptor-Locus. Überträger sind unauffällige Frauen (die auch „hairless" sein können) (X = X-Chromosom oder Autosom)

aufgezogen. Zur Zeit der Pubertät tritt eine normale weibliche Brustentwicklung ein. Die Sexual-Behaarung ist jedoch spärlich oder fehlt („hairless women"). Die Vagina endet blind, die Gonaden sind rein männlich. Der Krankheit liegt eine Mutation des Androgen-Rezeptor-Locus zugrunde, welche die Zielgewebe unempfänglich für Testosteron macht (s. S. 30). Der Plasmatestosteronspiegel liegt bei diesen Frauen über dem männlichen Normalwert. Das Krankheitsbild kann durch Frauen mit unauffälligem Phänotyp und weiblichem Karyotyp übertragen werden (Abb. 28). Der Erbgang ist entweder X-chromosomal rezessiv oder autosomal dominant mit Geschlechtsbegrenzung.

2.4.4.4 Pseudo-Hermaphroditismus femininus

Frauen mit Pseudo-Hermaphroditismus können fertil sein, falls die Störung der Genitalentwicklung nicht zu stark ist. Insgesamt gibt es wenige Ursachen für weibliche Intersexualität. Sie ist in den meisten Fällen auf überschüssige Androgenzufuhr bei weiblichen Embryonen zurückzuführen. Der Grund kann exogen sein, z. B. die Gabe androgenhaltiger Medikamente, oder unmittelbar endogen, z. B. ein androgenproduzierender Nebennierentumor. Karyotyp, Gonaden und innere Genitalien entsprechen dem weiblichen Geschlecht.

Die klinisch bedeutsamsten Ursachen liegen in den autosomal rezessiv vererbten Störungen der Kortisolbiosyntheses, die wie die Androgensynthese über definierte enzymatische Schritte verläuft (Abb. 26).

2.4.4.4.1 Adrenogenitales Syndrom: Beim **21-Hydroxylasemangel** resultiert das klassische Krankheitsbild des adrenogenitalen Syndroms (AGS). Die Häufigkeit des AGS vom Typ des 21-Hydroxylasedefektes beträgt in unserer Population etwa 1 : 7000, daraus errechnet sich eine Heterozygotenfrequenz um 1 : 40. Der Genort für das Enzym liegt auf dem kurzen Arm des Chromosoms Nr. 6 in unmittelbarer Nähe der HLA-Loci (s. Abb. 6). AGS-kranke Geschwister einer Familie sind HLA-identisch (Abb. 29).

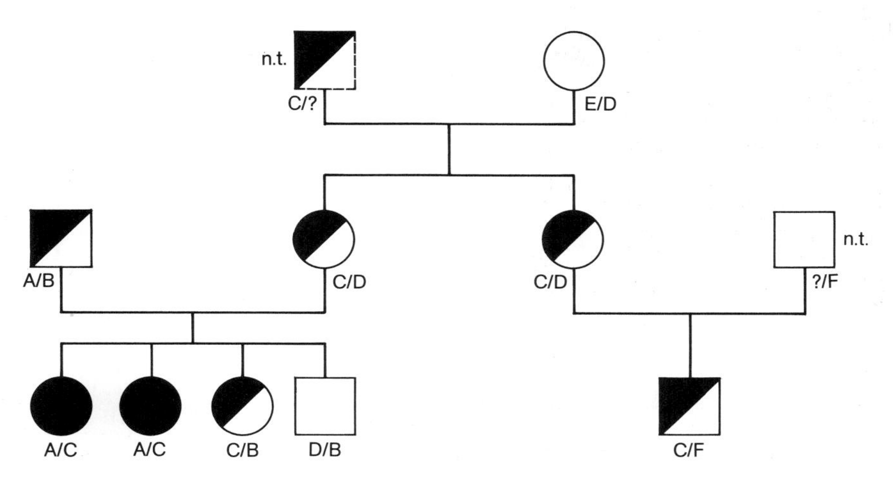

Abb. 29 HLA-Haplotypen in einer Familie mit AGS. Die Haplotypen A und C sind in dieser Familie gekoppelt mit dem mutierten Gen für die 21-Hydroxylase (n.t. = nicht getestet)
A = A2, B_w44 C = A3, B5 E = A_w30, B7
B = A3, B40 D = A_w24, B5 F = A1, B8

Klinisch tritt der 21-Hydroxylasemangel in 3 genetisch unterscheidbaren Formen auf:

1. *Unkompliziertes AGS:* 21-Hydroxylasedefekt ohne Defekt der Mineralokortikoidsynthese. Die Aldosteronsynthese ist ungestört und der Elektrolytstoffwechsel normal. Betroffene Mädchen zeigen aufgrund vermehrter adrenaler Androgenproduktion Virilisierungserscheinungen, die von der einfachen Klitorishypertrophie bis zur kompletten Fusion der Labioskrotalfalten mit phallischer Urethra reichen können (Abb. 30). Bleibt die Krankheit unerkannt, so schreitet die Virilisierung nach der Neugeborenenperiode fort. Befallene Knaben entwickeln im Kleinkindesalter eine Pseudopubertas praecox mit zunächst beschleunigtem Längenwachstum aber sehr frühem Epiphysenschluß.

Als Therapie wird bei unkompliziertem AGS nur Kortisol substituiert. Die Behandlung ist lebenslang weiterzuführen.

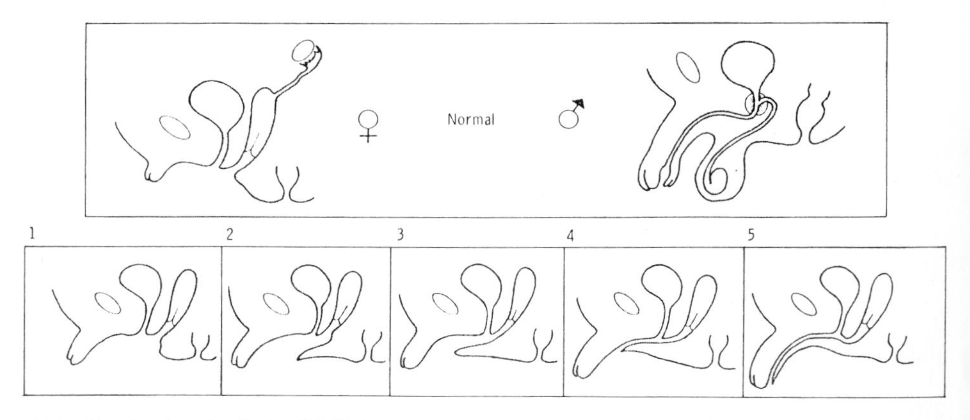

Abb. 30 Stufen 1—5 der Virilisierung der weiblichen Genitale durch pränatalen Androgeneinfluß (nach *Prader*)

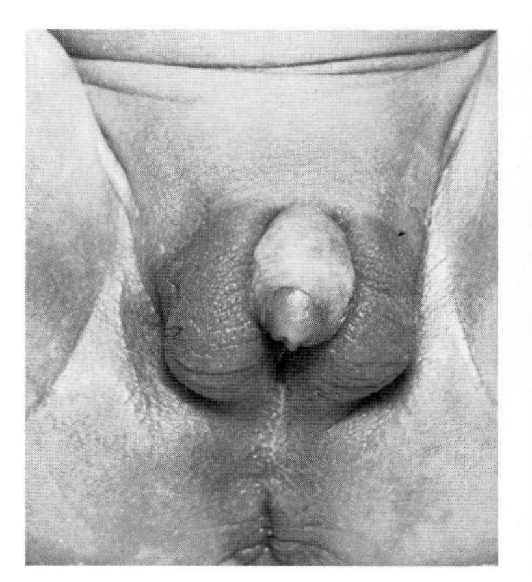

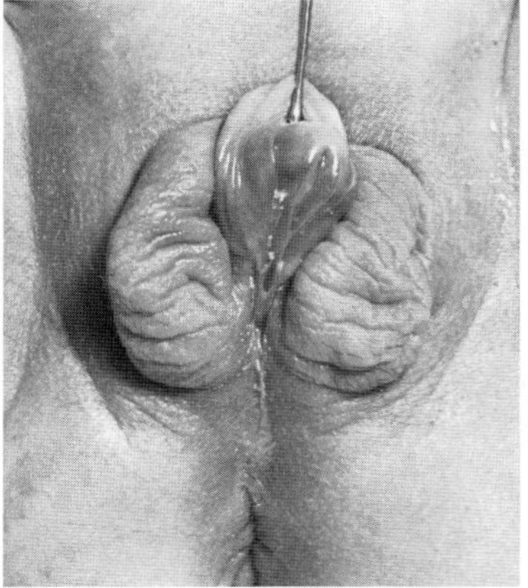

Abb. 31 1 Mon. altes Mädchen mit adrenogenitalem Salzverlust-Syndrom (AGS)

2. *Adrenogenitales Salzverlustsyndrom:* 21-Hydroxylasemangel mit defekter Mineralokortikoidsynthese. Kinder mit gleichzeitig gestörter Aldosteronsekretion entwickeln ohne Behandlung ein Salzverlustsyndrom mit Hyponatriämie und schwerer Hyperkaliämie. Die Mädchen sind immer stark virilisiert (Abb. 31). Die Kinder sterben in den ersten Lebenswochen, wenn nicht sofort mit der lebenslang durchzuführenden Substitution mit Kortisol und Mineralokortikoiden begonnen wird.

3. Die *Late-onset-Form* stellt eine besonders leichte Form des 21-Hydroxylasedefektes dar, welche sich klinisch meist erst im Schulalter oder später manifestiert.

Die Diagnose des AGS wird gestellt durch den Nachweis der extrem erhöhten Plasmaspiegel von 17-OH Progesteron (500–70 000 ng/dl) (Norm um 100 ng/dl) oder durch den Nachweis der stark erhöhten Ausscheidung von Pregnan-3α, 17α, 20α-triol sowie von Pregnantriolon im Harn.

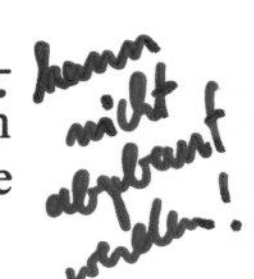

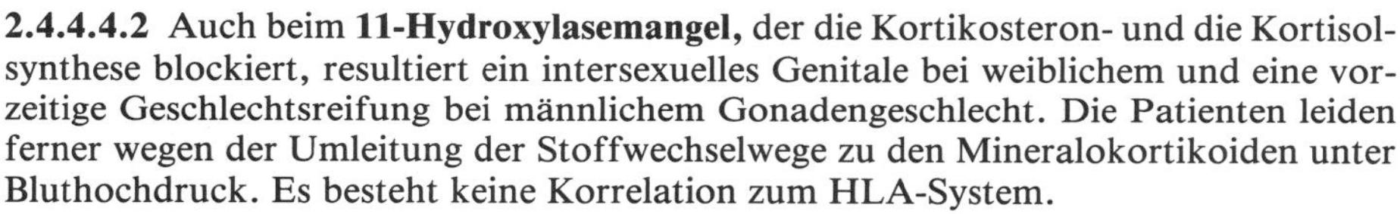

2.4.4.4.2 Auch beim **11-Hydroxylasemangel,** der die Kortikosteron- und die Kortisolsynthese blockiert, resultiert ein intersexuelles Genitale bei weiblichem und eine vorzeitige Geschlechtsreifung bei männlichem Gonadengeschlecht. Die Patienten leiden ferner wegen der Umleitung der Stoffwechselwege zu den Mineralokortikoiden unter Bluthochdruck. Es besteht keine Korrelation zum HLA-System.

2.4.5 Kriterien für die Geschlechtszuordnung und standesamtliche Eintragung des Geschlechts

Nach § 21, Abs. 1, Nr. 3 des Personenstandsgesetzes ist das Geschlecht des Kindes in das Geburtenbuch einzutragen. Das Kind darf nur als Knabe oder Mädchen bezeichnet werden, keinesfalls als Zwitter, da das deutsche Recht den Begriff des Zwitters nicht kennt. Im Zweifelsfall soll die Eintragung des Geschlechts bis zur medizinischen Klärung aufgeschoben werden. Ausschlaggebend ist das praktikable Geschlecht, d. h. jene Geschlechtsrolle, in welcher das Kind später voraussichtlich sozial und sexuell am besten eingeordnet ist.

Das praktikable Geschlecht hängt weitgehend von der Ausbildung des äußeren Genitale ab. Bei guter Scheidenanlage (Zystogenitographie) und rudimentärer Penisanlage ist das weibliche bürgerliche Geschlecht vorzuziehen, unabhängig vom gonadalen und chromosomalen Geschlecht. Kinder mit testikulärer Feminisierung sind trotz Hoden und männlichen Karyotyps immer als Mädchen einzutragen. Nach dem 3. bis 4. Lebensjahr soll aus psychologischen Gründen, wenn irgend möglich, keine Änderung des bürgerlichen Geschlechts mehr vorgenommen werden.

Bei Transsexualität ist durch das Gesetz über die Änderung der Vornamen und die Feststellung der Geschlechtszugehörigkeit in besonderen Fällen (Transsexuellengesetz TSG vom 10. Sept. 1980) die Änderung des standesamtlichen Geschlechts möglich.

3. Chromosomenaberrationen

Bereits 1932 hatte Waardenburg als Ursache des Mongolismus eine Chromosomenaberration vermutet. 1959 entdeckte Lejeune die Trisomie 21. Seit dieser Zeit sind die Chromosomenanalysen ein fester Bestandteil der klinischen Diagnostik.

Grundsätzlich unterscheidet man **numerische** und **strukturelle** Chromosomenaberrationen. Treten sie in den Keimzellen oder ihren Vorläufern auf und werden an die Nachkommen weitergegeben, bezeichnet man sie als **konstitutionelle** Chromosomenaberrationen. Sie stellen eine wesentliche Ursache kongenitaler Anomalien und Erbkrankheiten dar. Als Faustregel für ihre Häufigkeit können folgende Zahlen dienen:
bei Spontanaborten: 1 von 2 (~ 50 %),
bei Totgeburten: 1 von 20 (~ 5 %),
bei Lebendgeburten: 1 von 200 (~ 0,5 %).

Ihnen gegenübergestellt werden die **erworbenen** Chromosomenveränderungen, die in Somazellen auftreten und nicht an die Nachkommen weiter vererbt werden. Sie können zum Zelltod, zu Fehl- oder Minderfunktion von Zellpopulationen führen oder zur malignen Transformation beitragen (3.8). Die Entstehungsmechanismen für numerische und strukturelle Chromosomenaberrationen sind unterschiedlich.

3.1 Numerische Chromosomenaberrationen

Numerische Chromosomenaberrationen entstehen meist als Neumutation durch Fehlverteilung einzelner Chromosomen (Non-disjunction) in der Meiose oder Mitose. Durch die Non-disjunction in der ersten, der zweiten oder in beiden Reifeteilungen kann es zur Bildung aneuploider (normal euploid) Keimzellen und nach der Befruchtung zu aneuploiden Zygoten kommen. Bei überzähligen Chromosomen spricht man von Hyperploidie (z. B. Trisomie, Tetrasomie, ..., Polysomie). Der Verlust von einzelnen Chromosomen wird als Hypoploidie (Monosomie im Gegensatz zum normalen Zustand mit 2 homologen Chromosomen = Disomie) bezeichnet. Überzahl oder Verlust eines Chromosoms werden mit + oder − vor der Nummer des betreffenden Chromosoms angegeben (z. B. 47,XX, +21).

Bei polyploiden Zellen ist die normale diploide Chromosomenzahl um ganze Chromosomensätze vermehrt (z. B. Triploidie = 69 Chromosomen, Tetraploidie = 92 Chromosomen).

3.1.1 Faktoren, die die Häufigkeit meiotischer Non-disjunction beeinflussen

Bei Patienten mit verschiedenartigen Trisomien besteht ein erhöhtes mittleres Alter der Mutter zum Zeitpunkt der Konzeption. Non-disjunction-Prozesse erfolgen anscheinend mit zunehmendem Alter der Mütter häufiger. Auch ist möglicherweise die Selektion gegen chromosomal unbalancierte Feten durch Abort bei älteren Müttern weniger effizient.

Neuere Untersuchungen zur Herkunft des überzähligen Chromosoms 21 beim Down-Syndrom zeigen, daß Non-disjunction auch in der väterlichen Meiose stattfindet

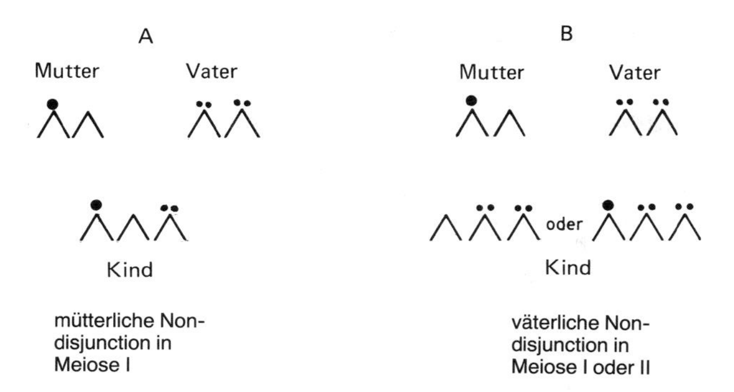

Abb. 32 Marker-Analyse zur Bestimmung der Herkunft des überzähligen Chromosoms 21 beim Down-Syndrom

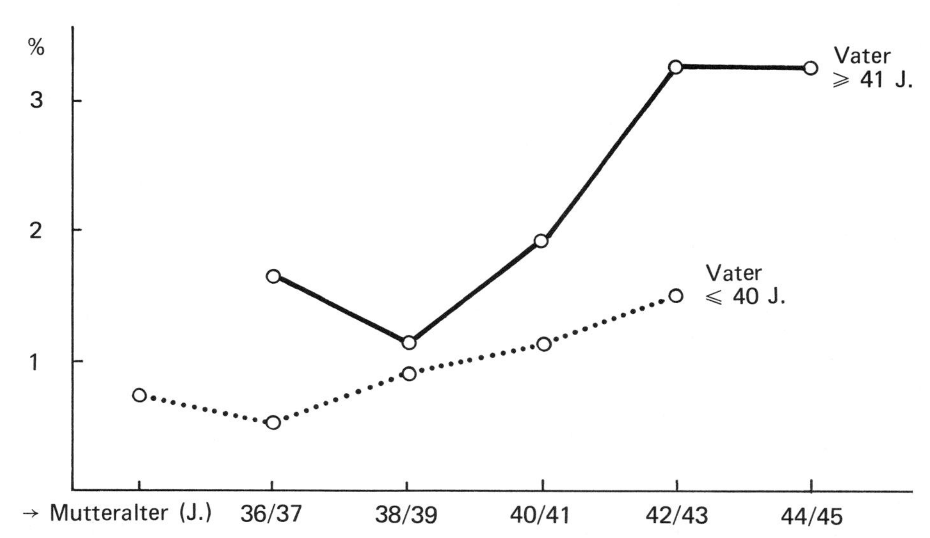

Abb. 33 Häufigkeit in Prozent von Trisomie-21-Feten unter pränatalen Diagnosen bei erhöhtem Mutteralter für zwei Vateraltersklassen (Väter ≧ 41 Jahre und Väter ≦ 40 Jahre)

(Abb. 32). Statistische Befunde an 8800 pränatalen Diagnostikdaten aus der Bundesrepublik (DFG-Daten) zeigten einen signifikanten Einfluß des höheren Vateralters auf die Trisomie 21-Häufigkeit innerhalb der Gruppe der älteren Mütter (Abb. 33). Die für die genetische Beratung wichtigsten Risikozahlen sind auf S. 141 dargestellt.

3.1.2 Mitotische Non-disjunction und deren Folgen

Fehlverteilungen einzelner Chromosomen in somatischen Zellen können grundsätzlich während des ganzen Lebens entstehen. Ist die Aneuploidie mit dem Überleben der Zellen zu vereinbaren, so können sich bei Zellproliferation aberrante Zellklone bilden. Aneuploide Zellklone, die einen Nachteil gegenüber euploiden Zellen in einem Gewebe haben, können sekundär durch Zelluntergang wieder verschwinden.

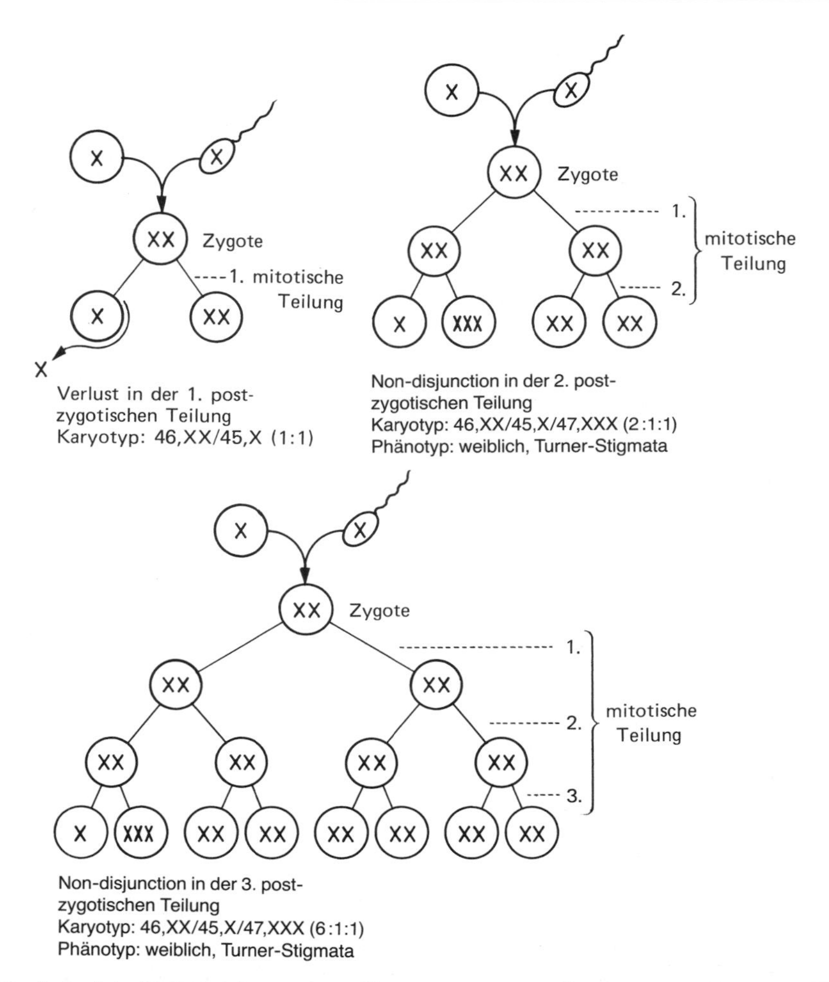

Abb. 34 Beispiele für Entstehung eines Chromosomenmosaiks durch mitotische (postzygotische) Teilungsstörung

Tritt Non-disjunction schon in frühen Mitosen nach der Zygotenbildung ein, so können sich, bei Überleben der aneuploiden Zellen, Individuen entwickeln, in denen aneuploide Zell-Linien neben euploiden Zell-Linien vorliegen (Abb. 34). Je später in der Enwicklung eine solche Mosaik-Bildung auftritt, um so geringer ist der Anteil des aberranten Zellklons und damit um so geringer die Ausprägung des pathologischen Phänotyps.

3.2 Strukturelle Chromosomenaberrationen

Strukturelle Chromosomenaberrationen entstehen durch Bruchstückverluste und Strukturumbauten. Letztere können innerhalb eines Chromosoms (intrachromosomal) oder zwischen verschiedenen Chromosomen (interchromosomal) erfolgen. Ver-

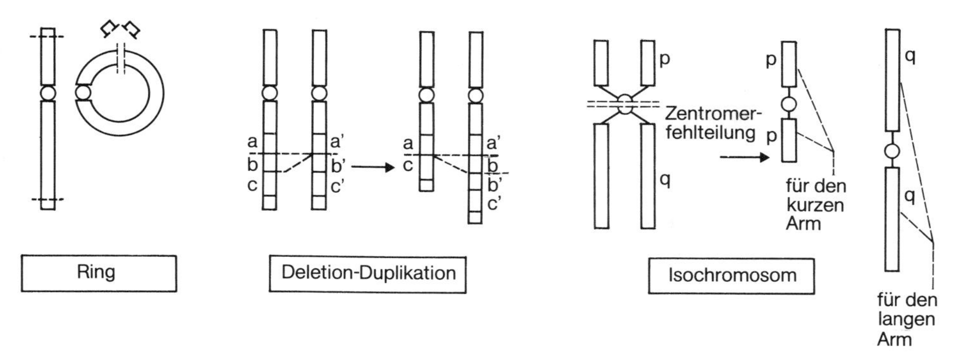

Abb. 35 Strukturelle Chromosomenaberrationen (meist Neumutationen)

lust oder Zugewinn von Chromosomensegmenten innerhalb eines Karyotyps führt zu unbalancierten Genverhältnissen.

Strukturumbauten ohne Verlust oder Zugewinn chromosomalen Materials stellen balancierte Strukturaberrationen dar und können über mehrere Generationen vererbt werden.

Abb. 35–38 zeigen die Entstehungsweise der wichtigsten klinisch relevanten strukturellen Chromosomenaberrationen. Für ihre Bezeichnung sind folgende Kurzschreibweisen eingeführt:

t = Translokation	inv = Inversion	r = Ring
i = Isochromosom	dup = Duplikation	del = Deletion

Für die Beratung ist die Unterscheidung zwischen **neuentstandenen** (elterlicher Chromosomensatz normal) und **ererbten** (elterlicher Chromosomensatz balanciert) Strukturaberrationen wichtig.

Unbalancierte Strukturaberrationen (Abb. 35), die zu Monosomien und Trisomien kleinerer Chromosomensegmente führen, sind von fast allen Autosomen bekannt. Die Patienten haben Fehlbildungs-Retardierungssyndrome und sind durch einen charakteristischen, chromosomensegment-spezifischen Phänotyp erkennbar (Dysmorphiesyndrome, s. 3.7). Kinder mit der Trisomie oder Monosomie des gleichen Segments sehen einander ähnlicher als ihren chromosomal gesunden Geschwistern. Generell gilt, daß Monosomien ein schwereres Krankheitsbild zur Folge haben als Trisomien des gleichen Segments.

Chromosomenarm- oder Segmenttrisomien entstehen etwa in der Hälfte der beobachteten Fälle spontan (Neumutation) während der Gametogenese eines Elternteils. Bei jeder Strukturaberration *muß* jedoch der Karyotyp der Eltern untersucht werden. Liegt eine elterliche balancierte Strukturaberration vor, so muß zwingend eine umfangreiche Familienuntersuchung und Familienberatung im Hinblick auf zukünftige Schwangerschaftsplanungen (s. 10.7) unternommen werden.

3.2.1 Elterliche Robertsonsche Translokation

Bei einer *Robertson*schen Translokation (Abb. 36) vereinigen sich zwei akrozentrische Chromosomen (Nr. 13, 14, 15, 21 oder 22) nach Brüchen im oder unmittelbar

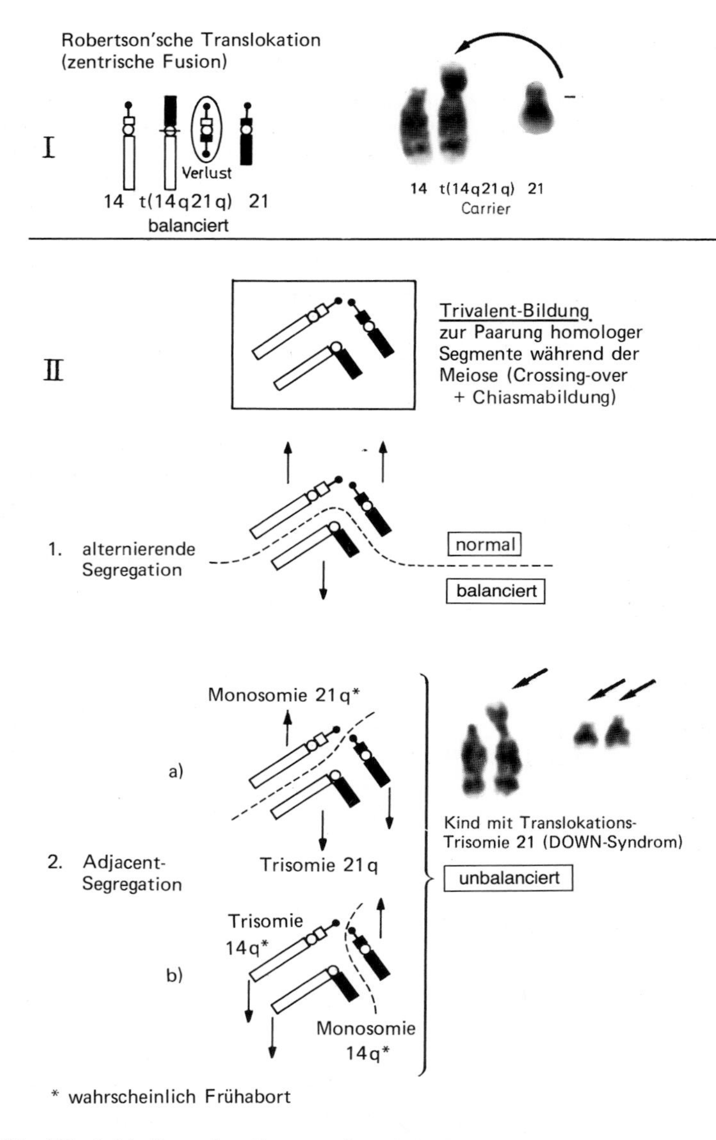

Abb. 36 Möglichkeiten der Segregation bei *Robertson*scher Translokation (* wahrscheinlich Frühabort)

neben dem Zentromer. Ihre kurzen Arme, deren genetischer Gehalt phänotypisch unwirksam bzw. kompensierbar ist, gehen verloren (s. S. 24). Die Chromosomenzahl reduziert sich um 1. Der Karyotyp einer Translokationsträgerin kann beispielsweise lauten: 45,XX,−14,−21, + t(14q21q).

Träger einer balancierten *Robertson*schen Translokation sind phänotypisch unauffällig und werden meist erst dann erkannt, wenn z. B. ein Kind mit Down-Syndrom zur Welt kommt (bevorzugt bei mütterlichen Überträgern), bzw. wenn eine Sterilität vorliegt (bevorzugt bei väterlichen Überträgern). Während die mitotischen Teilungen bei solchen Strukturumbauten offensichtlich nicht beeinflußt werden (keine Neigung zu Mosaikentstehung), kommt es bei den meiotischen Teilungen während der Keimzellenreifung zu Komplikationen, da die Paarung der Homologen erschwert ist. Anstelle der üblichen Bivalente (Abb. 16) müssen sich bei *Robertson*scher Translokation **Trivalente** zur Paarung der homologen Abschnitte bilden. Dadurch kann es zu Komplikationen beim Auseinanderweichen in der Metaphase I kommen. Zwei verschiedene Grundtypen der Chromosomenkombination werden unterschieden:

(1) **Alternierende Segregation** (Abb. 36-II.1): Die beiden nicht veränderten Homologen wandern in die eine Keimzelle, das Translokationsprodukt in die andere. Nach Befruchtung mit einer normalen Keimzelle können chromosomal normale (50 %) und chromosomal balancierte Nachkommen (50 %) entstehen. In beiden Fällen resultiert ein unauffälliger Phänotyp.

(2) **Adjacent-Segregation:** Hier wandert das Translokationschromosom zusammen mit dem einen (Abb. 36-II.2 a) bzw. dem anderen (Abb. 36-II.2 b) von der Translokation nicht betroffenen anliegenden Homologen in die Keimzelle. Es resultieren Chromosomenarm-Trisomien bzw. Monosomien. Die Translokationstrisomie 21q führt zum Vollbild des Down-Syndroms, das mit einem postnatalen Leben vereinbar ist. Im Gegensatz dazu ist die Monosomie 21q oder die Monosomie 14q nicht mit einem postnatalen Leben vereinbar; die Entstehung solcher Zygoten wird allenfalls als Abort bemerkt oder kann als Frühabort unerkannt bleiben.

Die Erfahrung hat gezeigt, daß bei elterlicher *Robertson*scher Translokation das Risiko für ein mongoloides Kind etwa 4 % beträgt, wenn der Vater und etwa 10 %, wenn die Mutter Translokationsträger ist (s. 10.6.1). Auffallend ist die überproportionale Häufung *balancierter Nachkommen* bei mütterlicher und väterlicher *Robertson*scher Translokation, die auf einen Evolutionstrend hinzuweisen scheint. Diese Reduktion der Chromosomenzahl durch Bildung *eines* metazentrischen aus zwei akrozentrischen Chromosomen ist ein aus der Karyotypevolution in der Phylogenese bekannter Entwicklungsschritt.

3.2.2 Elterliche reziproke Translokation

Reziproke Translokationen entstehen durch wechselseitigen Austausch von Chromosomensegmenten ohne Materialverlust. Sie treten häufiger auf als früher angenommen wurde (etwa 1 auf 1000 Neugeborene) und können jedes beliebige Segment betreffen. Auch hier sind die Träger der balancierten Aberration phänotypisch unauffällig. Sie werden entdeckt, nachdem multiple Aborte aufgetreten sind oder fehlgebildete Kinder mit Dysmorphiesyndrom (s. 3.7) zur Welt gekommen sind. Da in diesen Fällen neben zwei normalen Homologen zwei durch Segmentaustausch strukturell veränderte Homologe vorliegen, bilden sich während der meiotischen Homologenpaarung **Quadrivalente** (Abb. 37). Wiederum können durch Crossing-over-Vorgänge unbalancierte Chromosomenkombinationen, die mit dem Überleben der Keimzelle bzw. der Zygote nicht vereinbar sind, entstehen. Ist das nicht der Fall, so sind beim Auseinanderweichen zwei Segregationsweisen möglich: Bei **alternierender Segregation** entstehen phänotypisch unauffällige Nachkommen mit normalem (50 %) oder balanciertem (50 %) Karyotyp, bei **Adjacent-1-Segregation** (gleiche Zentromere werden getrennt) und **Adjacent-2-Segregation** (gleiche Zentromere wandern zusammen) entstehen unbalancierte Keimzellen, die zu partiellen Trisomien oder Monosomien für die betreffenden Segmente führen. Je nach der Größe des Segments und dem geneti-

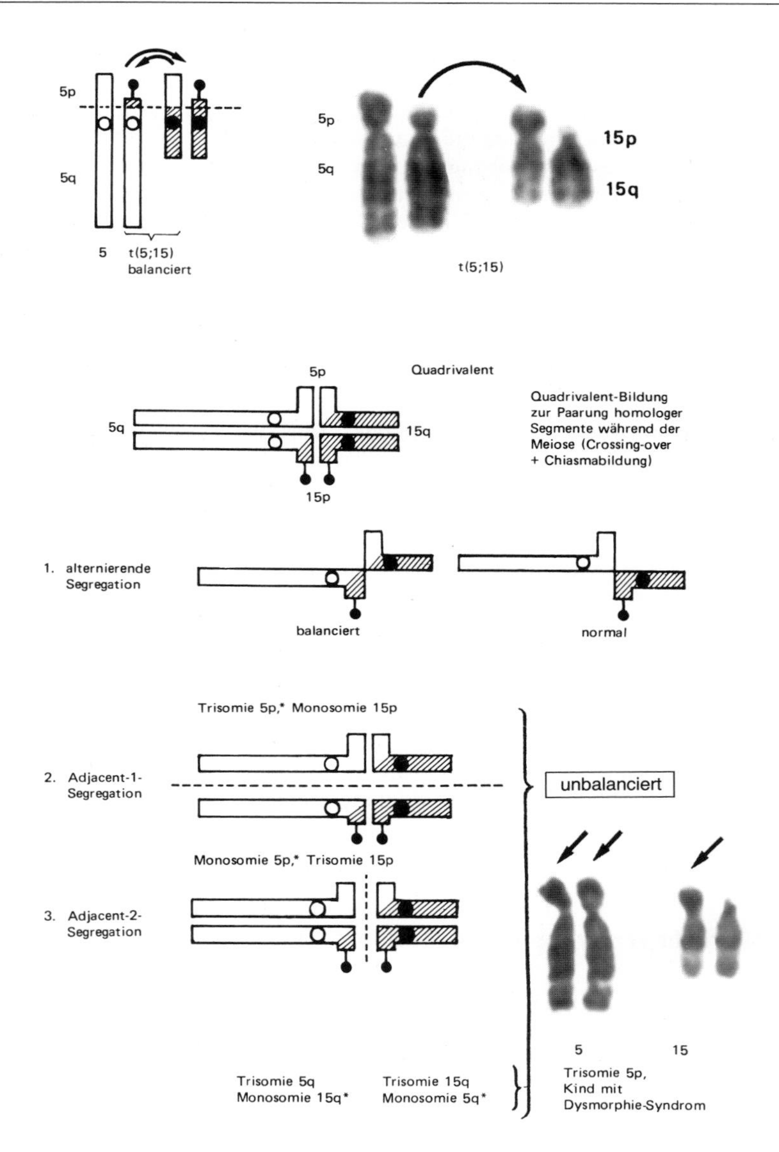

Abb. 37 Möglichkeiten der Segregation bei reziproker Translokation (* Abort oder Fehlbildungs-Dysmorphie-Syndrom)

schen Gehalt resultieren Frühaborte, Spätaborte, Totgeburten oder fehlgebildete Kinder.

Das Risiko für die Entstehung fehlbalancierter Feten ist unterschiedlich hoch, je nach der Art der beteiligten Chromosomen und der Lage der Bruchpunkte. Die Größenordnung für das Risiko liegt zwischen 5 % und 30 %.

3.2.3 Sonstige elterliche Strukturaberrationen

Inversionen entstehen, wenn 2 Brüche an einem Chromosom stattfinden und das Segment zwischen den Bruchstücken um 180° gedreht wird. Man unterscheidet perizentrische von parazentrischen Inversionen.

Bei **perizentrischen** Inversionen (Abb. 38) liegen die Bruchpunkte zu beiden Seiten des Zentromers. Wenn die Abstände vom Zentromer zu den Bruchstellen ungleich sind, resultieren durch die Inversion morphologisch veränderte Chromosomen (Zentromerposition verändert). Sind die Abstände vom Zentromer zur Bruchstelle gleich, so bleibt die Morphologie gleich, die Inversion ist dann nur durch ein geändertes Bandenmuster zu erkennen. Um eine Paarung der homologen Segmente während der Meiose durchführen zu können, bilden Inversionschromosomen **Schleifen.** Un-gleiche Crossing-over-Vorgänge in der Inversionsschleife führen zu strukturell veränderten Chromosomen (Duplikations-Defizienzen), die je nach Lage der Bruchpunkte mit einem postnatalen Leben vereinbar sein können.

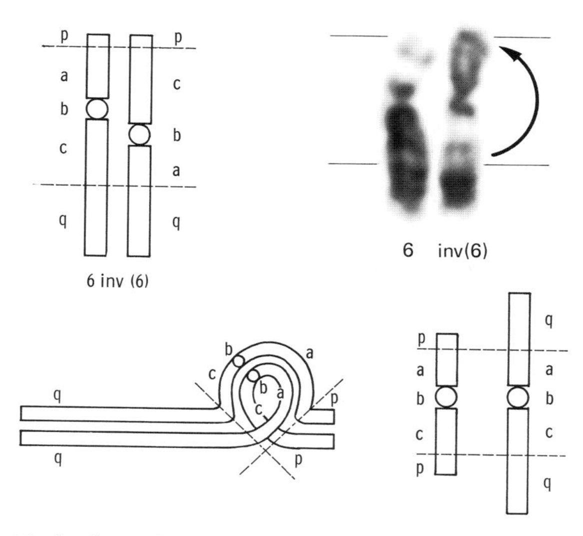

Abb. 38 Perizentrische Inversion. Schleifenbildung zur Paarung homologer Segmente während der Meiose und Duplikations-Defizienzen nach ungleichem Crossing-over

Bei **parazentrischen** Inversionen liegen beide Bruchstellen auf dem gleichen Chromosomen-Arm. Man kann parazentrische Inversionen nur an der Änderung der Bandenfolge erkennen. Ist nur eine einzige Bande invertiert, bleibt die parazentrische Inversion unerkannt. Bei ungleichem Crossing-over in der Inversionsschleife entstehen dizentrische oder azentrische Chromosomen, die keine Befruchtungschance haben und daher praktisch kein Risiko für unbalancierte Nachkommen bedeuten. **Translokationen** von Chromosomensegmenten innerhalb eines Chromosoms **(Shift)** können entstehen, wenn es zu mindestens 3 Bruchereignissen auf dem gleichen Chromosom kommt. **Insertionen** sind interchromosomale Translokationen, bei denen Chromosomenstücke in ein anderes Chromosom eingefügt werden.

3.3 Fehlverteilung von Gonosomen

Gonosomale Aberrationen bewirken, verglichen mit autosomalen Aberrationen, eine geringere Störung des Phänotyps. Geschlechtsentwicklung, Körperbau und geistige Entwicklung können unauffällig oder leicht gestört sein. Schwerwiegende körperliche oder geistige Störungen gehören bei gonosomalen Aberrationen zur Ausnahme. Die relative und absolute Häufigkeit der vier wichtigsten numerischen Gonosomen-Aberrationen in der Bundesrepublik zeigt die Tabelle 5.

Tabelle 5 Häufigkeit numerischer Geschlechtschromosomen-Aberrationen

Krankheitsbild	Vorkommen* auf 1000 lebend geborene		Geschätzte absolute Häufigkeit** in der Bundesrepublik
	Knaben	Mädchen	
Ullrich-Turner-Syndrom	–	0,39	12500
Triplo-X-Syndrom	–	1,18	38000
Klinefelter-Syndrom	1,13	–	33300
XYY-Syndrom	1,02	–	30000
Gesamt	2,15	1,57	113800

* Berechnet aufgrund der Chromosomenuntersuchung von 20370 bzw. 34379 nichtselektierten lebend geborenen Mädchen und Knaben in Schottland, Kanada, USA, der Sowjetunion und Dänemark (nach *Nielsen* 1979).

** Berechnet auf der Grundlage der Bevölkerung der Bundesrepublik Deutschland 1982: 29483300 Männer und 32154600 Frauen.

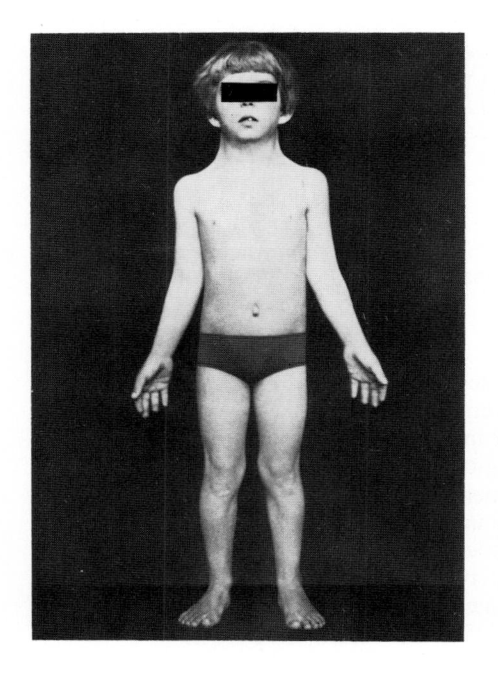

Abb. 39 Ullrich-Turner-Syndrom (X-Monosomie). Leitsymptome: Minderwuchs, sexuelle Unreife, Stranggonaden, somatische Fehlbildungen. (Dies ist die von *Ullrich* 1929 beschriebene Patientin, bei welcher der Fehlbildungskomplex Zwergwuchs, Pterygium colli, cubiti valgi und Fußödeme erstmals erkannt wurde. Der Karyotyp 45,X wurde bei der 1922 geborenen Patientin 1977 nachträglich bestätigt)

3.3.1 Ullrich-Turner-Syndrom

Ullrich beschrieb 1929 „ein typisches Mißbildungssyndrom mit Pterygium colli, Zwergwuchs, Cubiti valgi und typischer Fazies" (Abb. 39). 1938 folgte eine weitere Beschreibung von *Turner,* welcher zusätzlich die fehlende Pubertät mit primärer Amenorrhoe und Infertilität feststellte. Da *Ullrichs* Kind präpubertär war, blieb die Gonadendysgenesie bei dieser Beschreibung unentdeckt. 1959 wiesen *Ford* und Mitarb. den Karyotyp 45,X als Ursache dieses Krankheitsbildes nach.

Phänotyp. Das Ullrich-Turner-Syndrom ist charakterisiert durch eine starke, bereits intrauterin vorhandene Wachstumsretardierung. Die Körpergröße bei erwachsenen Patientinnen liegt zwischen 114 und 147 cm. Weitere Symptome sind: sexueller Infantilismus, Strang-Gonaden, primäre Amenorrhoe, erhöhte Gonadotropinausscheidung und typische Dysmorphiezeichen wie: Flügelfellbildung (Pterygium) im Halsbereich, Schildthorax, tiefer Haaransatz im Nacken mit reversem Haarstrich, Verkürzung des 4. Mittelhandknochens, hypoplastische Nägel. Pathognomonisch bei der Geburt sind Lymphödeme an Hand- und Fußrücken. Cubitus valgus und Osteoporose sind typische Auffälligkeiten im Skelettsystem. Das Ausbleiben der Pubertät und die primäre Amenorrhoe sind auf die Gonadendysgenesie zurückzuführen.

Unter den Fehlbildungen der inneren Organe stehen die angeborenen Herz- und Aortenfehler im Vordergrund: Coarctatio aortae, Pulmonalstenose, idiopathische Medianekrose und Aneurysmen. Nierenfehlbildungen sind häufig (Hufeisennieren, Agenesie, Duplikations- oder Spaltbildungen, Rotationsanomalien).

Prognose: Auffallend ist, daß über 95 % der 45,X-Feten in utero sterben; etwa 1–2 % der 45,X-Kinder sterben in der Neugeborenenperiode oder frühen Kindheit. Bei den überlebenden Patientinnen stehen die somatischen Fehlbildungen im Hintergrund, die Lebenserwartung ist nicht eingeschränkt. Die Intelligenzentwicklung ist im allgemeinen unauffällig; ältere Patientinnen können leichte Störungen der Perzeption, der Handhabung von Zahlen sowie des Sprachflusses haben. Die Diagnose wird häufig erst zur Zeit der Pubertät gestellt.

Tabelle 6 Beobachtete Karyotypen beim Ullrich-Turner-Syndrom

Karyotyp	Häufigkeit
1. Monosomie X 45,X	55 %
2. Mosaike 46,XX/45,X 47,XXX/45,X 47,XXX/46,XX/45,X	45 % (Nr. 2–5)
3. Isochromosom X 46,X,i(Xq)	
4. Deletion X 46,X,del(Xp)	
5. Ring X 46,X,r(X)	

Therapie: Zur Verstärkung des präpuberalen Wachstumschubes ist zwischen dem 8. und 10. Lebensjahr (Knochenalter ca. 9 Jahre) eine Androgenbehandlung mit 0,1 mg/kg/Tag Oxandrolon zu empfehlen. Mit einem Knochenalter von 12–13 Jahren wird dann eine hormonelle Substitutionsbehandlung mit einem Sequenz-Präparat durchgeführt.

Zytogenetik. Nur bei etwa der Hälfte aller Patienten mit Ullrich-Turner-Phänotyp findet man die reine 45,X-Konstitution. Daneben gibt es eine große Variabilität von Anomalien der Zahl und Struktur von X-Chromosomen (Tab. 6). Bei Mosaiken mit normaler 46,XX-Zellinie wird die Störung, die die Zellinie mit numerischer oder struktureller Gonosomenaberration bewirkt, abgemildert.

Das Alter der Mütter von Kindern mit Ullrich-Turner-Syndrom ist im Gegensatz zu den Krankheitsbildern mit freier Trisomie nicht erhöht. Es wird daher angenommen, daß sich der Chromosomenverlust nach Abschluß der meiotischen Teilung in der Oo- oder Spermatogenese vor der Befruchtung oder in der frühen Zygote (Mosaik) ereignet.

Bisweilen findet man Mädchen oder Knaben, die bei normalem weiblichen oder normalem männlichen Karyotyp Turner-Stigmata aufweisen. Diese Konstitution nennt man **Noonan-Syndrom**. Die Funktion der Gonaden ist variabel (Gonadenagenesie bis normale Fertilität).

3.3.2 Klinefelter-Syndrom

1942 beschrieben *Klinefelter* und Mitarb. ein Syndrom bei männlichen Patienten, das durch Gynäkomastie, Hodenatrophie, Azoospermie und Leydigzellhyperplasie sowie erhöhte FSH-Produktion gekennzeichnet war. 1959 wurde von *Jacobs* und *Strong* der Chromosomensatz 47,XXY als Grundlage für dieses Krankheitsbild festgestellt.

Phänotyp. Außer den erwähnten zeigen die Patienten keine größeren somatischen Störungen (Abb. 40). An kleineren Anomalien kann man Brachyzephalie, niedrigen Haaransatz, Ohrmuschelanomalien und Klinodaktylie finden. Die Differenzierung des Genitales verläuft unauffällig, Penis und Hoden bleiben jedoch klein. Der Körperbau ist variabel: er kann eunuchoid (kurzer Rumpf, lange Extremitäten), gynäkoid oder normal sein. Die Körperlänge ist gegenüber der Norm durchschnittlich um etwa 10 cm erhöht. Man findet fast konstant eine vorzeitige Osteoporose.

Prognose. Die geistige Entwicklung kann unauffällig sein, man findet jedoch meist geringe bis schwere geistige Retardierung oder psychische Auffälligkeiten. Der IQ liegt insgesamt am unteren Rand der Norm (≦90). Es besteht eine Affektlabilität mit Schwierigkeiten bei der sozialen Adaptation. Dies wird auch als Erklärung dafür angesehen, daß Klinefelter-Patienten vermehrt wegen krimineller Delikte oder abnormen Sexualverhaltens straffällig werden. Im allgemeinen sind Libido und sexuelle Aktivität vermindert. Vor allem bei Jugendlichen ist eine psychagogische Betreuung indiziert.

Zytogenetik. In 80 % der Fälle liegt die 47,XXY-Konstitution vor, in 20 % findet man weitere Abweichungen der Zahl der X-Chromosomen und Mosaike (Tab. 7). Das durchschnittliche Alter der Eltern ist erhöht, so daß wie bei den autosomalen Trisomien eine altersabhängige Störung während der Meiose (Non-disjunction) als Entstehungsursache angenommen wird.

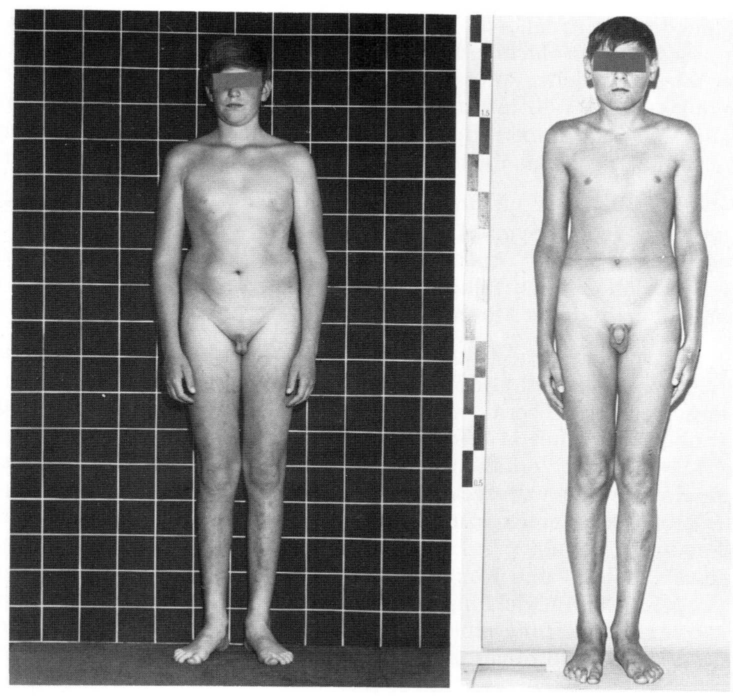

Abb. 40 *Abb. 41*

Abb. 40 14jähriger Knabe mit Klinefelter-Syndrom, 47,XXY. Körperlänge 169 cm, Gynäkomastie, breites Becken, kleines Genitale

Abb. 41 14jähriger Knabe mit 47,XYY-Syndrom. Körperlänge 181 cm, unauffälliges Genitale

Klinodaktylie – Schiefstellung von Fingerendgliedern (meist angeboren = kongenital)

Tabelle 7 Beobachtete Karyotypen beim Klinefelter-Syndrom.

Karyotyp	Häufigkeit
1. 47,XXY	80 %
2. 48,XXXY 49,XXXXY	20 %
3. Mosaike 47,XXY/46,XY 47,XXY/46,XX 47,XXY/46,XY/45,X 47,XXY/46,XY/46,XX	

3.3.3 XYY-Syndrom

Die 47,XYY-Konstitution wurde 1961 erstmals von *Sandberg* und Mitarb. bei einem unauffälligen Mann entdeckt, unter dessen Kindern mehrere Auffälligkeiten bestanden: ein Mädchen mit Amenorrhoe, eine Trisomie 21, ein Zwillingspaar und 2 Spontanaborte. 1965 fanden *Jacobs* und Mitarb. bei 197 Anstaltsinsassen, die wegen aggressiver oder krimineller Akte interniert waren, 7 Männer mit 47,XYY-Konstitution, einen mit 48,XXYY-Konstitution, ein Mosaik 47,XYY/46,XY sowie 3 Patienten mit autosomaler Strukturaberration. Es wurde der Schluß gezogen, daß eine Beziehung zwischen überzähligem Y-Chromosom und aggressivem Verhalten bestehe.

Der **Phänotyp** (Abb. 41) ist unauffällig männlich. Die Körpergröße ist jedoch im allgemeinen erhöht (180–186 cm). Die Häufigkeit der 47,XYY-Konstitution steigt in Kollektiven mit steigender Körpergröße (5 % bei Männern über 2 m). Endokrinologisch sind diese Männer unauffällig, insbesondere ist die Testosteronproduktion nicht erhöht. Die Mehrzahl dieser Männer ist fertil.

Prognose. Die psychiatrische Untersuchung von 47,XYY-Männern zeigte auffällige Charaktereigenschaften und kriminelle Tendenzen, die sich im guten sozialen Milieu mildern, im schlechten steigern. In Sicherheitsverwahranstalten für geistig Behinderte findet man die Aberration in 2 % der Fälle. Es ist heute noch nicht möglich, den Anteil von Männern mit Verhaltensauffälligkeiten unter allen 47,XYY-Probanden zu bestimmen, da zuwenig unausgelesene Daten bekannt sind. Insgesamt ergibt sich jedoch kein Hinweis auf eine speziell gesteigerte Aggressivität; im Vordergrund stehen vielmehr Passivität, verminderte Frustrationstoleranz, Haltlosigkeit, Verführbarkeit, Gefühlsarmut, Labilität und Kontaktschwäche. Der IQ scheint im unteren Bereich der Norm zu sein. Die Entwicklung der sprachlichen Ausdrucksfähigkeit kann gegenüber der Normalbevölkerung retardiert sein, ebenso wie die Entwicklung der grob- und feinmotorischen Koordinationsfähigkeit.

Zytogenetik. Neben der reinen 47,XYY-Konstitution treten Y-Polysomien auch zusammen mit X-Polysomien auf (z. B. 48,XXYY). Der Phänotyp entspricht dann eher dem Klinefelter-Syndrom.

Bei Meiose-Untersuchungen an XYY-Männern findet man ein normales XY-Bivalent. Das überzählige Y wird in der Spermatogenese anscheinend durch selektive Non-disjunction entfernt. Nur selten wird die Konstitution weiter vererbt, genaue Zahlen über das Wiederholungsrisiko liegen jedoch nicht vor.

Das Alter des Vaters bei Geburt von 47,XYY-Kindern scheint nicht erhöht zu sein.

3.3.4 XXX-Syndrom

Der Karyotyp 47,XXX wurde 1959 von *Jacobs* und Mitarb. erstmals beschrieben. Der Befund ist nicht mit einem echten klinischen Syndrom assoziiert.

Phänotyp und Prognose. Bei der Mehrzahl der Frauen sind Phänotyp, Pubertät und Fertilität unauffällig.

Die intellektuelle Entwicklung kann gestört sein, so daß diese Patientinnen vermehrt in psychiatrischen Anstalten diagnostiziert werden. Doch sollte bei der Diagnose eines XXX-Syndroms vor allem im Kindesalter größte Zurückhaltung bezüglich der Prognose gewahrt bleiben, um nicht eine vielleicht unauffällige Entwicklung ungünstig zu beeinflussen.

XXX-Mädchen werden in ihrem Verhalten im allgemeinen als ruhig, passiv, leicht erziehbar beschrieben. Die Abweichungen der Intelligenzentwicklung von Normalkollektiven sind im wesentlichen auf Sprachentwicklungsstörungen zurückzuführen.

Die ersten verständlichen Worte werden im Durchschnitt erst mit 22 Monaten gebraucht. Besonders erschwert ist die expressive Verwendung der Sprache. Die Schwierigkeit, eigene Empfindungen und Erfahrungen in Worte zu fassen, kann später zu einer generellen Verzögerung der emotionalen Reifungsprozesse führen und Schwierigkeiten in Schulsituationen zur Folge haben. Die Entwicklung der XXX-Mädchen kann durch soziale Stimulation (Kindergarten), durch sprachliche, emotionale und auch körperliche Förderung sehr positiv beeinflußt werden. In wenigen Fällen liegen sekundäre Amenorrhoe oder vorzeitige Menopause vor, doch ist mit einer Einschränkung der Fertilität im allgemeinen nicht zu rechnen. Wenn die Kinder im fortpflanzungsfähigen Alter sind, sollten sie über ihre gonosomale Konstitution aufgeklärt werden, da das Risiko, das überzählige X weiterzugeben, erhöht ist.

Zytogenetik. Neben den reinen 47,XXX-Fällen wurden auch Mosaike mit normaler Zellinie sowie X-Tetrasomien (48,XXXX) oder X-Pentasomien (49,XXXXX) gelegentlich beobachtet. Hier findet man gehäuft kraniofaziale Dysmorphien (die sogar den Eindruck eines Down-Syndroms erwecken können), Anomalien im Skelettsystem und geistige Retardierung. Die Nachkommen von 47,XXX-Frauen sind überwiegend normal, in Einzelfällen werden 47,XXX-Mädchen oder 47,XXY-Knaben geboren.

Das durchschnittliche Alter der Eltern bei Geburt von 47,XXX-Kindern ist erhöht, so daß meiotische Non-disjunction als Ursache angenommen wird.

3.4 Fehlverteilung von Autosomen

Fehlverteilungen von Autosomen haben immer eine schwere Beeinträchtigung der geistigen und körperlichen Entwicklung der Patienten zur Folge. Die Behinderungen beim Down-Syndrom sind dabei unter den autosomalen Störungen vergleichsweise

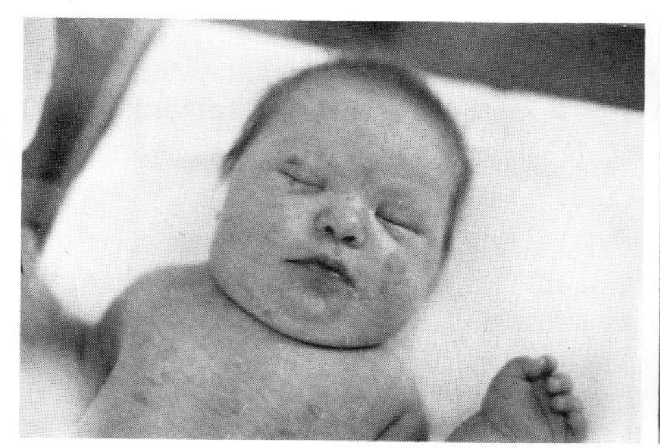

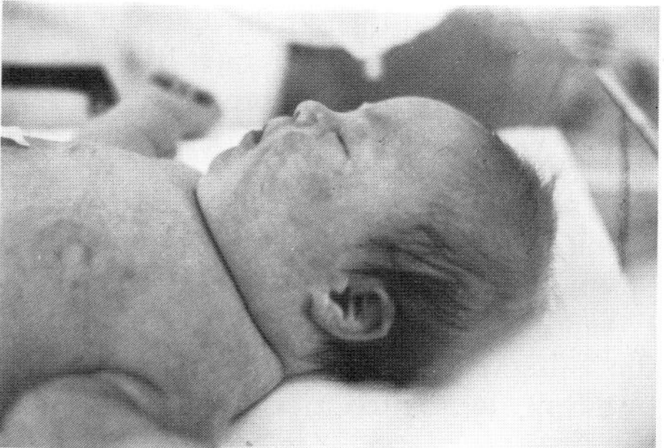

Abb. 42 Down-Syndrom (Trisomie 21) bei 7 Tage altem Mädchen. Leitsymptome: Hypotonie, rundes, flaches Gesicht, nach außen oben abweichende Lidspaltenachsen, Brushfieldflecken auf der Iris, kleine Ohren, kurzer Hals, Vierfingerfurche

gering. Dies dürfte die Erklärung dafür sein, daß das Down-Syndrom die häufigste Autosomenaberration unter Lebendgeborenen darstellt.

3.4.1 Down-Syndrom (Trisomie 21)

Der englische Kinderarzt *Down* beschrieb 1866 erstmals das Krankheitsbild unter dem Namen „mongoloide Idiotie“. Die 1959 von *Lejeune* bei diesem Syndrom beschriebene Trisomie 21 war die erste nachgewiesene Chromosomenaberration beim Menschen. Sie wird mit einer Frequenz von 1,5 ‰ beobachtet.

Der **Phänotyp** der Trisomie 21 ist gut bekannt (Abb. 42). Neugeborene Kinder sind hypoton und zeigen eine Überstreckbarkeit der Gelenke. Die kraniofaziale Dysmorphie umfaßt: kleinen, runden Schädel mit flachem Okziput; kurzen, breiten Hals mit überschüssiger Haut; rundes Gesicht mit flachem Profil; vorgewölbte Stirn; schräg nach außen oben verlaufende Lidachsen; weiten Augenabstand (Hypertelorismus); Epikanthus; spärliche und kurze Augenwimpern; weiße Flecken auf der Iris (Brushfieldspots); flache Nasenwurzel durch Hypoplasie des Nasenbeins; kurze Nase; kleinen Mund; dicke, evertierte Lippen; große, vorstehende, stark gefurchte Zunge; kleine, runde Ohren; horizontal verlaufenden oberen Helixrand; transversal durch die ganze Koncha verlaufende Helixwurzel; kleinen Gehörgang; kleines adhärentes Ohrläppchen.

Die Hände sind patschenartig, die Finger kurz. Es besteht am 5. Finger eine stark ausgeprägte Brachymesophalangie und Klinodaktylie; oft findet man nur eine einzige Beugefurche. Auch die Füße sind klein, die Zehen kurz. Der Abstand zwischen der 1. und 2. Zehe ist vergrößert (Sandalenlücke). Die charakteristischen Hautleistenveränderungen haben große diagnostische Bedeutung, typisch ist die Vierfingerfurche (s. 3.7.3).

Organfehlbildungen sind insgesamt häufig. In 40 % bestehen Herzfehler (atrioventrikuläre oder interventrikuläre Septumdefekte).Unter den Intestinalfehlbildungen findet man am häufigsten die Duodenalstenose. Außerdem werden Pankreas anulare, Analatresie, Megakolon oder Rektumprolaps beobachtet. Im Skelettsystem findet man am häufigsten Anomalien des Beckens (Azetabulum- und Ileumwinkel sind immer verkleinert), das Knochenalter ist meist leicht retardiert.

Prognose. Die geistige Retardierung bei Trisomie 21 kann stark variieren. Durchschnittlich liegt der IQ im Alter von 5 J. bei 50. Er fällt dann bis auf Mittelwerte von 38 im Alter von 15 J. ab. Man findet jedoch auch Mongoloide mit relativ hohem IQ (70–80) oder andere, die lediglich zu einem vegetativen Leben fähig sind. Generell ist die Fähigkeit zum abstrakten Denken am stärksten betroffen, während Gefühlsleben und Sozialverhalten meist ausgeprägt und förderbar sind.

Bei beiden Geschlechtern tritt eine normale Pubertät ein. Mädchen sind fertil und haben zur Hälfte normale, zur Hälfte wiederum mongoloide Kinder. Mongoloide Väter sind bisher nicht bekannt. Man beobachtet nach der Pubertät meist einen vorzeitigen Alterungsprozeß. Zahlreiche Patienten sterben an Leukämie.

Zytogenetik. Dem Down-Syndrom liegt zytogenetisch in etwa 92 % der Fälle eine freie Trisomie 21 zugrunde, die am häufigsten auf Non-disjunction in der 1. mütterlichen, aber auch in der 1. oder 2. väterlichen Reifeteilung zurückzuführen ist (Abb. 32). Das durchschnittliche Alter der Mütter von Kindern mit Down-Syndrom ist erhöht (34,4 Jahre).

In etwa 5 % der Fälle muß mit Translokationen gerechnet werden (s. 3.5). In etwa 3 % der Fälle werden Mosaike mit normalen Zellinien beobachtet. Hier kann angenommen werden, daß der Schweregrad der Erkrankung durch die normale Zellinie abgemildert wird.

Entscheidend für die Ausprägung des Down-Syndroms ist die Trisomie eines relativ kleinen Chromosomensegmentes innerhalb der distalen Bande 21q22, auf dem das Enzym Superoxyddismutase (SOD-I) lokalisiert ist (s. Abb. 55). Bei Trisomie 21 beträgt der Enzymspiegel das 1,5fache des Normalwertes (Gen-Dosis-Effekt).

3.4.2 Edwards-Syndrom (Trisomie 18)

Der erste Patient mit Trisomie 18 wurde 1960 von *Edwards* und Mitarb. beschrieben. Das Krankheitsbild tritt bei 1 von 3000 Neugeborenen auf, wobei mehr Mädchen als Knaben betroffen sind (4 : 1). Die klinischen Symptome zeigt die Abb. 43.

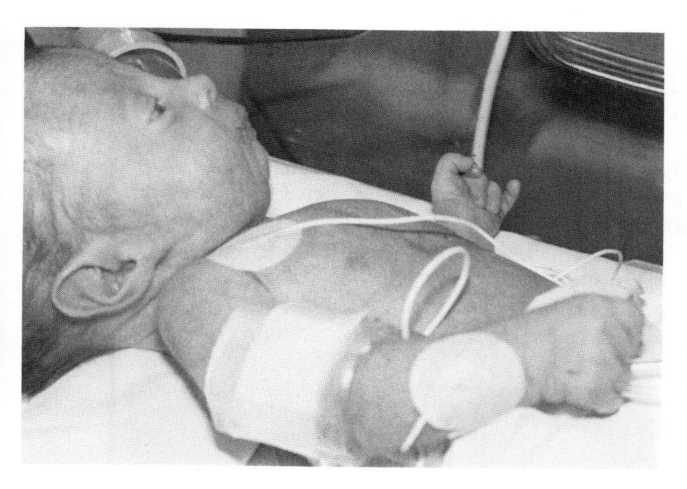

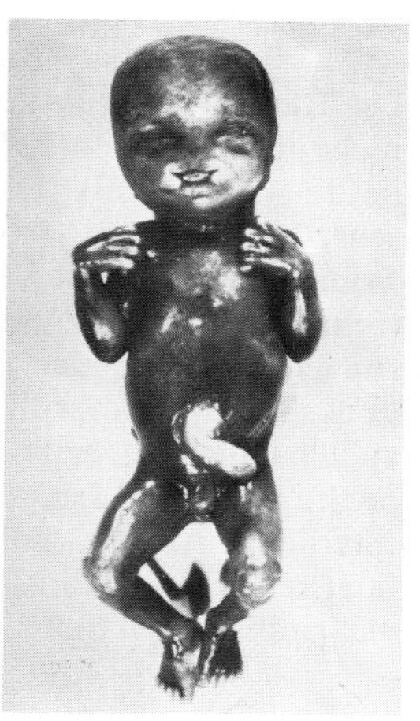

18

Abb. 43

13

Abb. 44

Abb. 43 Edwards-Syndrom (Trisomie 18) bei neugeborenem Mädchen. Leitsymptome: „Faunenohren", Mikrognathie, prominentes Okziput, Beugekontraktur, Überlagerung der Finger, gehäuft Bögen auf den Fingerbeeren, enges Becken, Wiegenkufenfüße, Untergewicht

Abb. 44 Pätau-Syndrom (Trisomie 13) bei männlichem Fet in der 22. Schwangerschaftswoche. Pränatale Diagnostik wegen erhöhtem Alter der Mutter (42 J.). Leitsymptome: Lippen-Kiefer-Gaumenspalte, Mikrophthalmie, Hexadaktylie

Es ist anzunehmen, daß die Kinder eine schwere Enzephalopathie haben. Das mittlere Lebensalter beträgt bei Knaben 2–3 Monate, bei Mädchen etwa 10 Monate.

In 80 % der Fälle liegt eine freie Trisomie 18 vor, in 20 % Mosaike.

3.4.3 Pätau-Syndrom (Trisomie 13)

Der erste Fall von Trisomie 13 wurde von *Pätau* und Mitarb. 1960 berichtet. Die Häufigkeitsangaben sind ungenau (1 : 4000–1 : 10000 Neugeborene).

Es besteht eine starke geistige Retardierung, häufig sind Krampfanfälle und Herzfehler. Die mittlere Lebensdauer beträgt nur etwa 4 Monate und ist bei beiden Geschlechtern gleich (Abb. 44).

In 80 % der Fälle liegt eine freie Trisomie 13 vor, in 20 % Mosaikkonstitutionen oder Translokationstrisomien.

3.5 Strukturelle Autosomenaberrationen

Die Häufigkeit struktureller im Vergleich zu numerischen Autosomenaberrationen ist nicht genau bekannt. Noch vor wenigen Jahren kannte man in der klinisch-zytogenetischen Diagnostik nur vereinzelt strukturelle Autosomenaberrationen (Katzenschrei-, 18p-, 18q-, 4p-Syndrom und balancierte oder unbalancierte *Robertson*sche Translokationen mit Beteiligung des Chromosoms 21). Seit Einführung der Bandentechniken wird in zunehmendem Maße bekannt, daß kleinste strukturelle Veränderungen (Monosomien oder Trisomien) Ursache für chromosomal bedingte Fehlbildungs- oder Dysmorphiesyndrome sein können. Häufiger als bisher vermutet werden auch balancierte reziproke Austauschprozesse größerer oder kleinerer Autosomensegmente bei Eltern fehlgebildeter Kinder oder bei Eltern mit Reproduktionsproblemen (Sterilität, Aborte, Totgeburten) entdeckt. Die Folgen balancierter *Robertson*scher oder reziproker Translokationen sowie perizentrischer und parazentrischer Inversionen sind auf den Seiten 41–45 dargestellt.

3.5.1 Katzenschreisyndrom (Partielle Monosomie 5p)

Das Katzenschreisyndrom wurde 1963 von *Lejeune* und Mitarb. als erste partielle autosomale Monosomie beim Menschen beschrieben. Dieser Aberrationstyp war bis dahin als Letalfaktor angesehen worden. Die Häufigkeit ist nicht genau bekannt (etwa 1 : 50000 Lebendgeburten).

Phänotyp (Abb. 45). Das auffälligste Merkmal der Chromosomenstörung liegt jedoch nicht in der Morphologie. Es ist der hohe, monotone Schrei, der an das Schreien junger Kätzchen erinnert. Bei Neugeborenen kann allein aufgrund des Schreis die Diagnose gestellt werden. Er ist etwa eine Oktave höher (880 Hz) als der um den Kammerton a (440 Hz) liegende normale Säuglingsschrei.

Es besteht eine geringe Letalität. Viele Erkrankte erreichen das Erwachsenenalter. Im frühen Kindesalter fallen eine Hypotonie und Persistenz archaischer Reflexe auf. Die körperlichen Entwicklungsschritte sind stark verzögert, einige Patienten bleiben bettlägerig. Die geistige Retardierung ist stark ausgeprägt (IQ < 20). Die Sprachentwicklung bleibt oft aus oder besteht nur aus wenigen Worten.

Dem Krankheitsbild liegt eine Monosomie des kurzen Arms von Chromosom 5 zugrunde. Das Ausmaß der Segmentdeletion kann variieren, ohne daß der Phänotyp stark verändert ist. Die Hauptsymptome scheinen jedoch mit dem Verlust eines sehr kleinen Segmentes im Abschnitt 5p14 bzw. 5p15 verbunden zu sein. In etwa 20 % der bekannten Fälle leitet sich die partielle Monosomie von einer elterlichen balancierten Translokation ab, bei der der distale Kurzarmabschnitt von Chromosom 5 auf irgendein anderes Chromosom transloziert ist.

3.5.2 Wolf-Syndrom (Partielle Monosomie 4p)

Das Krankheitsbild wurde 1965 erstmals von *Wolf* und Mitarb. dargestellt. Die Häufigkeit ist nicht genau bekannt, ca. 160 Fälle sind bisher beschrieben.

Phänotyp (Abb. 46): Dolichozephaler Schädel mit hoher Stirn, Hypertelorismus, Lidfaltenanomalien, antimongoloide Lidachsenstellung, Iriskolobom, Strabismus, breite prominente Nasenwurzel, die sich in die Augenbrauen fortsetzt, breiter Nasenrücken, herabgezogene Mundwinkel, oft LKG-Spalten, dysplastische Ohrmuscheln, Mikroretrognathie, Hypospadie bei Knaben, Herzfehler, Nierenfehlbildungen, Grübchen an Ellbogen und Knien, lange spitz zulaufende Finger, auffällige Dermatoglyphen, schwere körperliche und geistige Entwicklungsretardierung (IQ meist <20). In ca. 40 % Übertragung, aber small for date.

Prognose nicht genau bekannt; viele Kinder sterben aufgrund der Begleitmißbildungen im Kindesalter, häufig Krampfleiden. Es sind doppelt so häufig Mädchen wie Knaben betroffen.

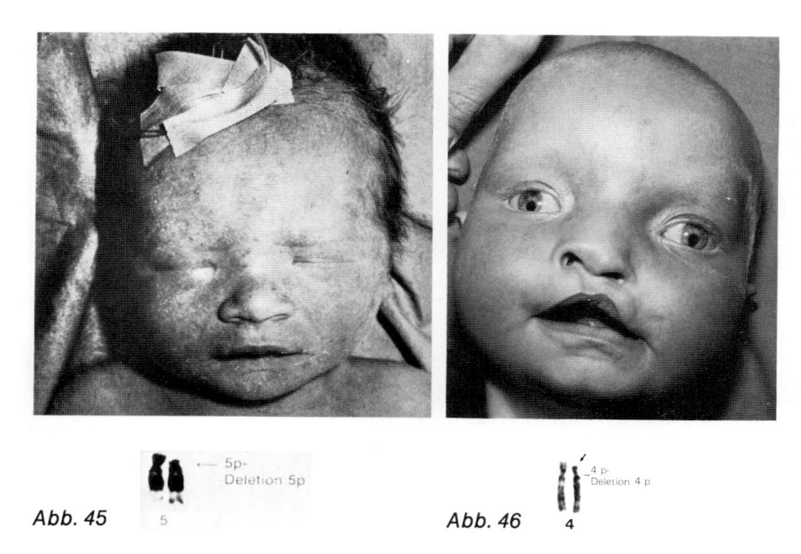

Abb. 45

Abb. 46

Abb. 45 Katzenschrei-Syndrom (partielle Monosomie 5p) bei neugeborenem Mädchen. Leitsymptome: charakteristischer Schrei, Mikrozephalie, „Mondgesicht", Hypertelorismus, mandibuläre Mikrognathie

Abb. 46 Wolf-Syndrom (partielle Monosomie 4p): antimongoloide Lidachsenstellung, Iriskolobom, breite Nasenwurzel, Lippen-Kiefer-Gaumenspalte

Zytogenetik: Deletion des kurzen Arms von Chromosom 4, die in ca. 90 % der Fälle de novo entstanden ist. In ca. 10 % liegt bei einem Elternteil eine Translokation oder ein Mosaik vor.

3.5.3 Autosomale Strukturaberrationen und Syndrome

Durch die hohen Auflösungen der differentiellen Bandenfärbetechniken gelang es, mikroskopisch nachweisbare Chromosomendeletionen mit bestimmten Leiden in Verbindung zu bringen: Die erste Brücke zwischen Veränderung der Chromosomenstruktur und umschriebenen Krankheitsbildern wird damit geschlagen, die Lücke unserer Kenntnis zwischen Chromosomenaberration und Genmutation wird kleiner.

Klinische Beispiele für den Zusammenhang von Chromosomenaberration und Syndrom sind:

Die chromosomale Defizienz

- auf dem langen Arm des Chromosoms Nr. 8 beim **Langer-Giedion-Syndrom,**
- auf dem kurzen Arm des Chromosoms Nr. 11 beim **Wilmstumor-Aniridie-Syndrom,**
- auf dem langen Arm des Chromosoms Nr. 13 beim **Retinoblastom,**
- im parazentrischen Bereich auf dem langen Arm des Chromosoms Nr. 15 beim **Prader-Willi-Syndrom.**

Nicht immer sind diese kleinen Veränderungen zu erkennen. Das mag daran liegen, daß zuweilen die zugrundeliegende Deletion so klein ist, daß sie durch die mikroskopische Technik nicht entdeckt werden kann.

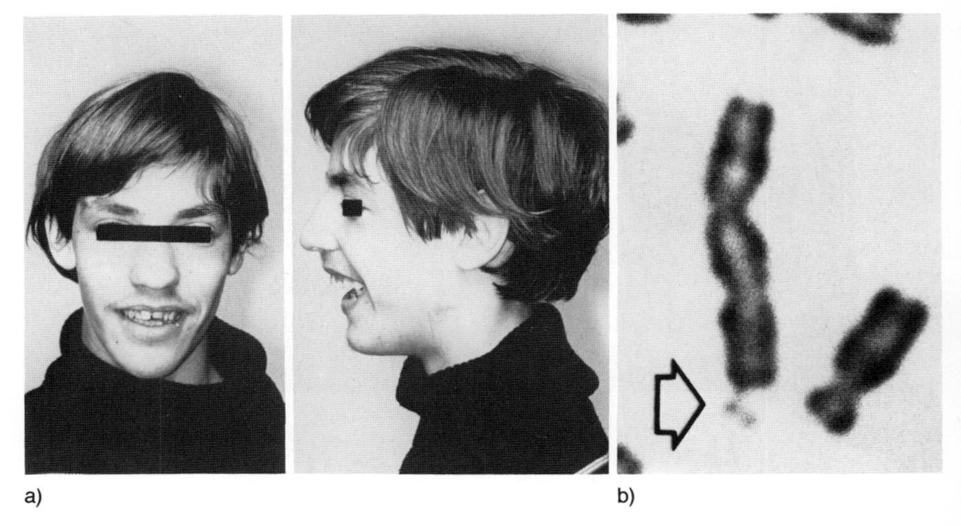

a) b)

Abb. 47a Patient mit X-chromosomaler geistiger Retardierung. Typisch für dieses Krankheitsbild sind die akromegalen Gesichtszüge mit großen, teilweise abstehenden Ohren

Abb. 47b Ausschnitt aus der Metaphaseplatte eines Patienten mit Marker-X-Syndrom. Die brüchige Stelle am terminalen Ende des X-Chromosoms ist durch einen Pfeil markiert (Fotos *E. Schwinger,* Institut für Humangenetik, Med. Hochschule Lübeck)

Die Abgrenzung neuer chromosomaler Syndrome wurde durch die Bandentechnik wesentlich vorangebracht. In bestimmten Fällen kann eine Auffälligkeit in einem bestimmten Chromosomenbereich aufgrund des klinischen Phänotyps allein bereits vermutet werden. Als Beispiel seien die Befunde beim **Cat-Eye-Syndrom** genannt: Bei diesem Krankheitsbild wurde ein zusätzliches Chromosomenfragment gefunden, das wahrscheinlich aufgrund einer terminalen Duplikation des kurzen Arms von Chromosom 22 entstanden ist. Wesentliche Merkmale des Syndroms sind: Iriskolobom, präaurikuläre Anhänge, Ohrdysplasie, Analatresie sowie Nierendysplasie oder -agenesie. Diese Befunde legen es nahe, zu überlegen, ob ein ähnliches Leiden, das autosomal dominante Branchio-Oto-Renale Syndrom, durch Gene in dieser Chromosomenregion bewirkt wird (*McKusick,* 1982).

Ein völlig neuer Typ von Chromosomenaberration, auf den 1969 erstmals hingewiesen worden war, wurde 1977 mit dem Nachweis einer spezifischen Chromosomenbrüchigkeit am X-Chromosom (fragiles X) bei einer bestimmten Schwachsinnsform im männlichen Geschlecht gefunden (**Marker-X-Syndrom**). Die betroffenen Männer zeigen eine Akromegalie, eine Testesvergrößerung bis zu 60 ml (obere Normgrenze bis 30 ml) und mittlere bis schwere geistige Retardierung (Abb. 47 a). Das typische Chromosomenbild zeigt die Abb. 47 b. In folsäurefreiem Medium kommt es zur umschriebenen Unterbrechung der Chromatidstruktur an spezifischer Stelle. Soweit nachweisbar, liegt kein Verlust von genetischem Material vor – die Frage nach der Ätiologie des Krankheitsbildes muß noch offen bleiben.

3.6 Chromosomenaberrationen bei Spontanaborten

Untersuchungen an frühen Spontanaborten haben ergeben, daß in 50–60 % eine Chromosomenaberration vorliegt. Die Hälfte dieser Aberrationen sind autosomale Trisomien. Besonders häufig wird die Trisomie 16 beobachtet, die unter Lebendge-

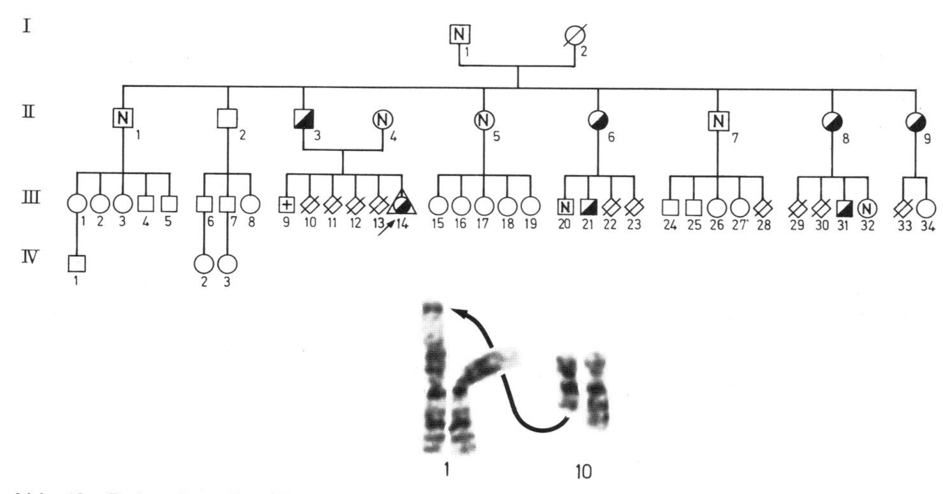

Abb. 48 Balancierte familiäre Translokation t (1; 10) in einer Familie, die durch den balancierten Fet III/14 entdeckt wurde (pränatale Diagnose wegen Abortanamnese und erhöhtem Alter der Mutter, ◇ = Abort, Erklärung der weiteren Symbole des Stammbaums s. S. 130)

burten nicht auftritt. An zweiter Stelle liegt die 45,X-Konstitution. Andere geschlechtschromosomale Aberrationen sind in Abortmaterial selten. Triploidien treten in 10–15 % auf, der Rest verteilt sich auf Tetraploidien, unbalancierte Translokationen, doppelte Trisomien, Mosaike etc.

Habituelle Aborte sind eine zwingende Indikation zur Chromosomenanalyse der Eltern. Sie können ihre Ursache in einer balancierten Translokation bei Vater oder Mutter haben, durch die unbalancierte Feten entstehen (Abb. 48).

3.7 Häufigste gemeinsame Symptome bei autosomalen Chromosomenaberrationen

Der klinische Verdacht auf eine Autosomenaberration stützt sich auf 4 Hauptkriterien:

- körperliche und geistige Entwicklungsretardierung,
- Dysmorphiezeichen, insbesondere am Kopf, an Händen und Füßen,
- Auffälligkeiten der Hautleisten,
- Fehlbildungen der inneren Organe.

3.7.1 Entwicklungsretardierung

Die Wachstumsretardierung kann häufig bereits pränatal durch Ultraschalldiagnostik festgestellt werden. Postnatal sind Minderwuchs und Untergewicht, verspätete Zahnbildung und retardiertes Knochenalter bei Autosomenaberrationen häufig, jedoch nicht obligat. Immer sind die statomotorischen Entwicklungsschritte im ersten Lebensjahr verzögert (erstes Kopfheben, Sitzen, Stehen, Laufen).

Die geistige Retardierung zeigt sich durch fehlende Reaktion auf Zuwendung, fehlende Greifbewegungen und fehlende oder verzögerte Sprachentwicklung. Normale Intelligenz ist bei Autosomenaberrationen nicht bekannt. Die geistige Retardierung kann so schwer sein, daß die Patienten nur ein vegetatives Leben führen. Die Intelligenz kann aber auch in Bereichen sein, die eine Sonderschulförderung der Kinder ermöglichen. Der Grad der körperlichen und geistigen Entwicklungsretardierung scheint für die einzelnen Aberrationen charakteristisch zu sein, obwohl, wie vom Down-Syndrom bekannt, weite Schwankungsbreiten zu erwarten sind.

3.7.2 Dysmorphiezeichen

Dysmorphiezeichen sind kleinere Abweichungen vom normalen Erscheinungsbild, denen *einzeln kein pathologischer* Wert zukommt. Die Kombination z. B. bestimmter kraniofazialer Dysmorphien führt jedoch zum charakteristischen abnormen Aussehen der befallenen Patienten.

Um Dysmorphiezeichen beschreiben zu können, ist die Kenntnis der normalen Morphe der einzelnen Körperregionen erforderlich. Neben der reinen Deskription sind Messungen und fotografische Dokumentation erforderlich. Um einen Einblick in das Vorgehen des genetischen Beraters auf dem Wege zur Erfassung und Abgrenzung eines bestimmten Dysmorphie-Syndroms zu zeigen, sind die Untersuchungsschritte in den topographischen Regionen und die möglichen Abweichungen im folgenden dargestellt.

Am **Schädel** beurteilt man die Kopfform, die am besten anhand einer Röntgenaufnahme in zwei Ebenen dokumentiert wird. Abweichende Schädelformen sind: Brachyzephalie, Dolichozephalie, Turrizephalie etc. Die **Fontanellen** und **Nähte** können frühzeitig oder verspätet geschlossen sein, ihre Ränder können unregelmäßig begrenzt sein. Die **Stirn** kann abnorm hoch, abnorm niedrig oder fliehend sein, die Tubera frontalia können prominent oder hypoplastisch sein, die Sutura metopica kann keilförmig in der Mitte der Stirn vorstehen.

In der **Augenregion** beurteilt man zunächst die Ausprägung der **Orbitae,** die sehr flach oder sehr tief sein können. Der obere Orbitalrand ist häufig hyperplastisch oder hypoplastisch. Der **Augenabstand** sollte, wenn möglich, gemessen werden. Am genauesten ist die Messung am Röntgenbild (Interorbitalabstand). Man findet häufig den zu weiten (Hypertelorismus) bzw. den zu engen (Hypotelorismus) Augenabstand. Die **Augenbrauen** können besonders stark oder schwach ausgeprägt sein. Sie können einen abnormen Verlauf einnehmen. Die Behaarung der Augenbrauen kann diffus sein; häufig setzen sie sich bis in die Nasenwurzel hinein fort. Orbitatiefe und **Bulbusgröße** sollen getrennt beurteilt werden, man unterscheidet Mikrophthalmie und Makrophthalmie, Exophthalmus und Enophthalmus. Eine Summe von Dysmorphiezeichen findet man an den **Augenlidern.** Häufig liegt eine Verengung (Blepharophimose) oder Verkürzung der Lidspalten vor. Die **Lidspaltenachse** kann nach außen oben (mongoloid) oder nach außen unten (antimongoloid) abweichen. Das bekannteste Dysmorphiezeichen an den Augen ist der **Epikanthus,** eine den inneren Lidwinkel überdeckende Hautfalte. Die **Wimpern** können abnorm stark oder spärlich ausgeprägt sein bzw. ganz fehlen. Dysmorphiezeichen findet man ferner an der **Iris** (Falten- und Kryptenanomalien, Brushfieldspots) sowie am **Augenhintergrund.**

Die Beurteilung der **Nase** beginnt mit der **Nasenwurzel,** die durch Hypoplasie oder Hyperplasie der Nasenbeine auffallend flach oder prominent erscheinen kann. Der Nasenrücken kann besonders lang (gebogen) oder verkürzt sein. Die **Nasenkuppe** und die **Nasenflügel** können charakteristische Form- und Stellungsanomalien (evertiert, invertiert) aufweisen.

Ober- und **Unterkiefer** können hypoplastisch, prominent oder retrahiert sein. Ein charakteristisches Dysmorphiezeichen ist der verlängerte, oft gebogene Verlauf der **Integumentaloberlippe,** der durch Verkürzung der Nase und Oberkieferprognathie bedingt ist. Die **Nasenlippenrinne** (Philtrum) kann abnorm tief oder abnorm verstrichen sein, die Philtrumsäulen können einen charakteristischen Verlauf einnehmen. Die **Lippen** sind häufig nach außen gestülpt (evertiert) und erscheinen wulstig oder nach innen gewendet (invertiert) und erscheinen schmal. Die **Mundöffnung** kann „zu klein“ oder „zu groß“ sein. Die **Mundwinkel** hängen oft in charakteristischer Weise nach unten. Im Inneren des Mundes beurteilt man die **Zähne,** die häufig Stellungs- und Formanomalien aufweisen, sowie die **Zunge** (Makroglossie, abnorme Furchung), den harten **Gaumen** (oft schmal, gotisch), die **Zahnleisten** sowie die **Uvula** (Spaltbildung).

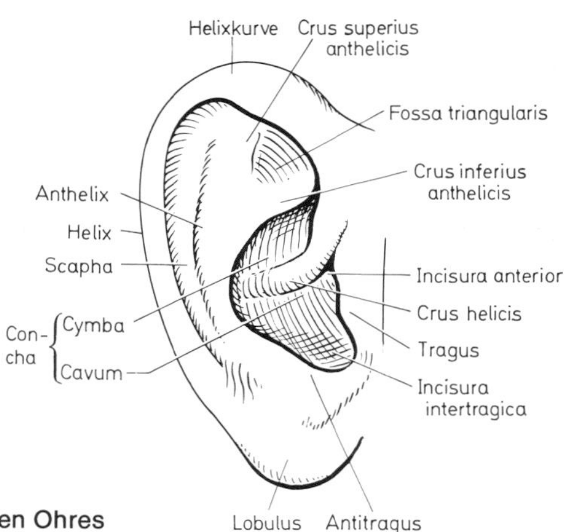

Abb. 49 Topographie des normalen äußeren Ohres

Ein Hauptsitz für Dysmorphien bei Autosomenaberrationen sind schließlich die **Ohren** (Abb. 49), die Abweichungen in Form, Stellung und Insertionsachse aufweisen können. Häufig findet man den **Ohrmuschelansatz** tief am Ramus mandibulae, selten findet man hochsitzende Ohren. Die **Ohrachse** fällt gelegentlich nach hinten ab. An der **Ohrmuschel** findet man abnorme **Ausprägung** des Helixrandes (z. B. schwache Rollung, *Darwin*scher Zipfel), abnorm verlaufende Helixwurzel (z. B. transversaler Verlauf durch die Koncha), Auffälligkeiten an der Anthelix (prominent, hypoplastisch, zusätzliches oder fehlendes Crus anthelicis), verbreiterter, prominenter oder hypoplastischer Tragus und Antitragus, stark bzw. schwach ausgeprägtes Ohrläppchen. Häufig entdeckt man an den Ohren auch **Grübchen** (obliterierte Fisteln), **Kerben** oder präaurikuläre **Hautanhangsgebilde.**

Der **Hals** ist häufig kurz und zeigt überschüssige Haut- oder Fettfalten, die in Extremfällen zum Pterygium colli führen. Auch abnorm lange Hälse kommen bei autosomalen Dysmorphiesyndromen vor.

Wenig Dysmorphiezeichen findet man im allgemeinen an **Thorax** und Abdomen. Zu beurteilen sind **Sternum** (Verknöcherungsanomalien, Trichterbrust, Hühnerbrust), Form und Position der **Mamillen** (häufig weiter Mamillenabstand, überzählige Mamillen) und röntgenologisch zu beurteilende **Rippen-** oder **Wirbelkörper**anomalien. Am **Abdomen** findet man gehäuft Hernien bzw. Rektusdiastasen, die im allgemeinen auf eine Hypotonie bzw. mangelhafte Ausbildung des Muskel- und Bindegewebes zurückzuführen sind. Das **Genitale** ist oft dysmorph. Bei Knaben mit Autosomenaberrationen findet man fast regelmäßig einen Kryptorchismus, seltener Spaltbildungen. Bei Mädchen kann man Hyperplasie oder Hypoplasie der Labien und Klitoris feststellen.

Die **Extremitäten** werden auf **Länge, Gelenkstellung, Form** und **Struktur** der Knochen (Röntgenaufnahmen) hin beurteilt. Die **Hände** sind häufig abnorm breit und kurz (Tatzenhände). Man findet Flexionsdeformitäten von **Fingern** und **Zehen**, Verkürzungen einzelner Phalangen und Abweichungen nach ulnar und radial. Am häufigsten ist die radiale Deviation des kleinen Fingers (Klinodaktylie), die in der Regel auf eine Verkürzung der Mittelphalanx (Brachymesophalangie) zurückzuführen ist. Kleine **Nägel** deuten ferner häufig auf Fehlanlagen der terminalen Phalangen hin. An den **Füßen** fällt neben Stellungsanomalien der Zehen (unregelmäßiger Zehenansatz, Sandalenlücke, Syndaktylie) eine Häufung von Fußfehlstellungen auf. Am Röntgenhand- und -fußskelett ist darüber hinaus das Knochenalter zu bestimmen (s. S. 98).

3.7.3 Auffälligkeiten der Hautleisten

Zusätzlichen diagnostischen Wert hat die Untersuchung der Hautleisten und -furchen an Handflächen und Fußsohlen (Abb. 50). Sie zeigen bei Patienten mit Chromosomenstörungen Abweichungen von der normalen Variabilität und weisen für die einzelnen Aberrationen typische Musterkombinationen auf. So kann das Down-Syndrom beispielsweise nicht nur durch die Vierfingerfurche (Zusammentreffen von proximaler und distaler Handfurche), sondern auch durch eine Häufung von Ulnarschleifen und Radialschleifen auf dem 4. Finger, hochsitzenden axialen Triradius, Hypothenarbemusterung und Fehlen einer Beugefurche auf dem kleinen Finger diagnostiziert werden. – Handabdrücke sind einfach herzustellen und geben daher dem klinisch tätigen Arzt wertvolle Hilfen bei der Diagnosefindung.

3.7.4 Fehlbildungen

Patienten mit autosomalen Aberrationen können verschiedene Organfehlbildungen aufweisen. Sie betreffen in erster Linie das **Gehirn** (partielle Agenesien, Zysten etc.), die **Lungen** (abnorme Lappung), das **Herz-** und **Gefäßsystem** (Septumdefekte), die **Nieren** (Hufeisenniere, Zysten, Aplasien etc.) und den **Genitaltrakt** (z. B. Uterus

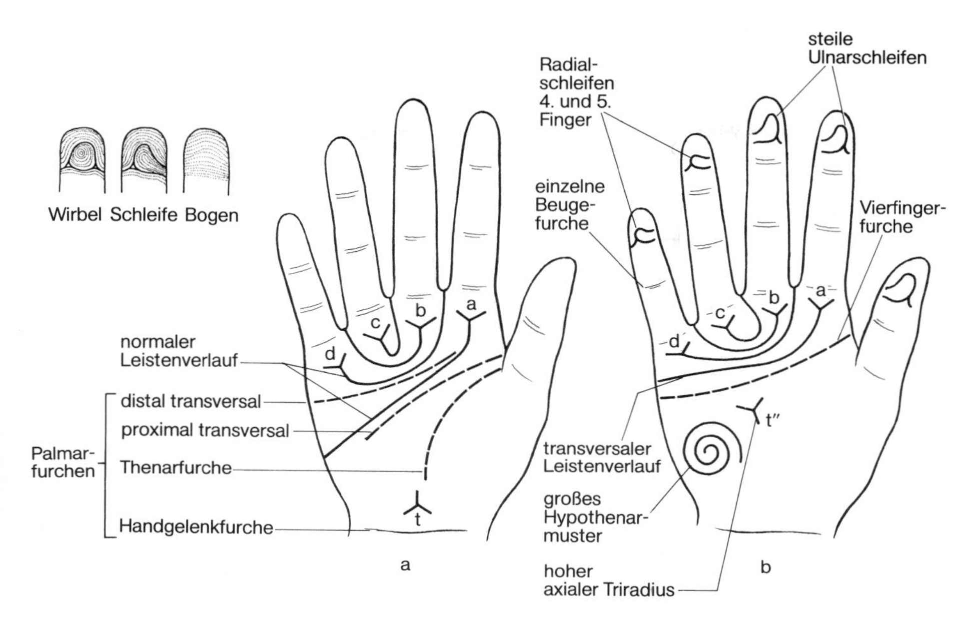

Abb. 50 Hautleistenmuster und Topographie a) der normalen Hand und b) der Hand eines Patienten mit Down-Syndrom

bicornis, intersexuelles Genitale). Schwere **Spaltfehlbildungen** (Lippen-Kiefer-Gaumen-Spalte, Meningomyelozele etc.) können ganz im Vordergrund der klinischen Symptomatik stehen. Obwohl es syndromspezifische Häufungen von Fehlbildungen gibt, ist das Vorhandensein oder Fehlen einer Fehlbildung meist weniger charakteristisch für das Erscheinungsbild der autosomalen Aberration als die Kombination von Dysmorphiezeichen.

3.8 Somatische Chromosomenaberrationen

Während Chromosomenaberrationen in Keimzellen auf die Nachkommen übertragen werden, bleiben somatische Chromosomenaberrationen auf das Einzelindividuum beschränkt.

Auf Grund von Tierexperimenten wurden diese chromosomalen Veränderungen in einen gewissen Zusammenhang z. B. mit Stoffwechselstörungen, Zelltod und Alterungsprozessen gebracht. Eine erhöhte Chromosomenbrüchigkeit wird bei einigen autosomal rezessiven Erbkrankheiten beobachtet. In Verbindung mit *Boveri*s somatischer Mutationstheorie des Krebses sieht man vor allen Dingen auch eine Verbindung zwischen Chromosomenaberrationen und der Karzinogenese. Obwohl aber bei nahezu allen malignen menschlichen Tumoren strukturelle und/oder numerische Chromosomendefekte auftreten, kann noch nicht eindeutig gesagt werden, ob sie in kausalem Zusammenhang mit der Transformation einer normalen Zelle in eine Krebszelle stehen oder deren Folge sind.

Die Chromosomendefekte können durch die Einwirkung exogener Noxen (ionisierende Strahlen, chemische Substanzen und Viren) hervorgerufen werden. Da eine hohe Korrelation zwischen strukturellen Chromosomenaberrationen und Gen-Mutationen besteht, können somatische Chromosomenaberrationen als Indikator für einen genetischen Schaden gewertet werden und sind somit für die angewandte Mutagenitätsforschung von Bedeutung (s. 7.3).

Die Chromosomendefekte lassen sich prinzipiell in jedem Körpergewebe nachweisen, aus praktischen Gründen ist die Analyse jedoch meist auf Knochenmark, Fibroblasten und insbesondere auf kleine Lymphozyten beschränkt. Für Routineuntersuchungen im Rahmen der Mutagenitätstestung ist die Lymphozytenkultur die Methode der Wahl. Mit ihr ist es möglich, zytogenetische Analysen sowohl bei belasteten Personen als auch zu Vergleichszwecken nach in vitro-Experimenten durchzuführen (s. 3.8.1).

Es kann eine Vielzahl von strukturellen Chromosomendefekten beobachtet werden, die auf zwei Grundmechanismen, den einfachen Bruchstückverlust und den strukturellen Umbau zurückzuführen sind. Nach dem Zeitpunkt ihrer Entstehung im Verlauf des Zellzyklus unterscheidet man **Aberrationen vom Chromatidtyp** (Entstehung nach der identischen Reduplikation der Chromosomenstrukturen in der späten S- und G_2-Phase) und **Aberrationen vom Chromosomentyp** (Entstehung in der G_0-bzw. G_1-Phase vor der DNA-Reduplikation). Eine in den letzten Jahren eingeführte spezielle Färbetechnik gestattet die Analyse von Schwesterchromatid-Austauschprozessen (SCE-Analyse, sister-chromatid-exchange). Dabei wird den Zellen in der Kultur Bromdesoxyuridin (BrdU) angeboten, das bei der DNA-Synthese anstelle von Thymi-

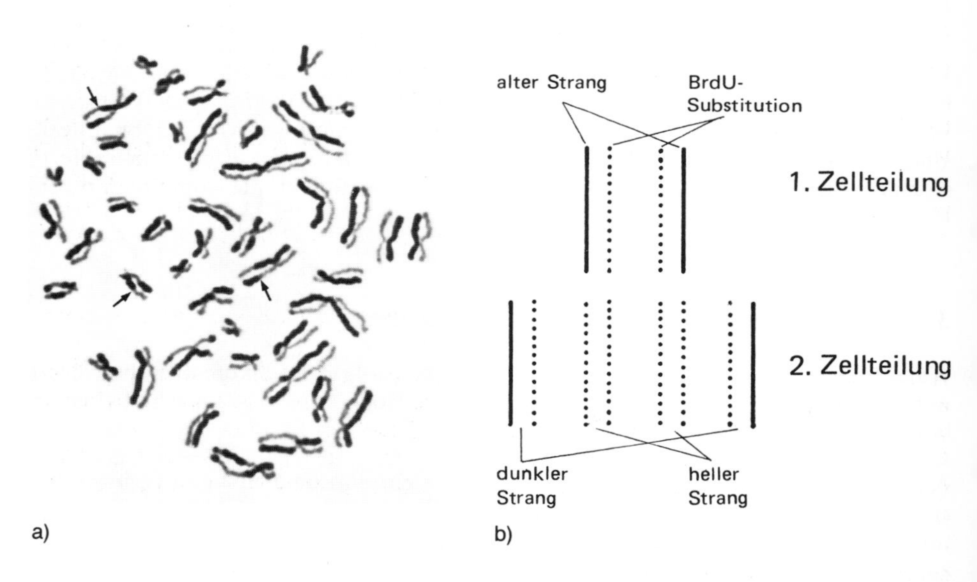

Abb. 51a Metaphase einer zweiten Zellteilung eines menschlichen Lymphozyten mit „Harlekin-Chromosomen". Differentielle Anfärbung der einfach (dunkel) und zweifach (hell) substituierten Chromatiden (semikonservative Replikation). Bei den Farbsprüngen (an drei Chromosomen mit Pfeilen bezeichnet) handelt es sich um Schwesterchromatid-Austauschprozesse (SCE)

Abb. 51b Schema der semikonservativen Replikation

din eingebaut wird. Nach dem Durchlaufen von zwei Replikationszyklen können die beiden Chromatiden eines Chromosoms mit **F**luoreszenzfarbstoffen **p**lus **G**iemsa (FPG-Färbung) differentiell angefärbt werden (Abb. 51 a), wobei einfach substituierte Chromatiden dunkel, zweifach substituierte hell erscheinen (Abb. 51 b). Auf diese Weise lassen sich Austauschprozesse zwischen den Schwesterchromatiden an den Farbsprüngen erkennen („Harlekin-Chromosomen"). Die SCE-Analyse wird heute insbesondere für die Mutagenitätstestung chemischer Substanzen verwendet. Der Entstehungsmechanismus der SCE-Prozesse ist noch nicht voll aufgeklärt, ebenso ist noch wenig über ihre genetische Relevanz bekannt.

Bei der Chromosomenanalyse struktureller Veränderungen ist darauf zu achten, daß die Zellen in ihrer ersten Teilung nach Induktion des Defekts beobachtet werden. Geschieht dies nicht, können bestimmte Aberrationstypen bei weiteren Zellteilungen in vitro verlorengehen (z. B. azentrische Fragmente) oder die Zelle kann, bedingt durch den Chromosomendefekt, keine reguläre Zellteilung durchführen und stirbt ab.

3.8.1 Chromosomenaberrationen nach Einwirkung ionisierender Strahlen

1962 wurden zum erstenmal Chromosomenaberrationen in peripheren Lymphozyten von therapeutisch bestrahlten Bechterew-Kranken nachgewiesen. In der Folgezeit konnten ähnliche Beobachtungen bei Personengruppen mit verschiedenen Strahlenexpositionen gemacht werden, so z. B. nach externer diagnostischer und therapeutischer Bestrahlung sowie nach medizinischer Radioisotopenanwendung. Weitere Befunde liegen von Überlebenden der Atombombenexplosionen von Hiroshima und Nagasaki, nach Strahlenunfällen und bei beruflicher Strahlenexposition vor.

Im Rahmen der medizinischen Strahlenschutzüberwachung können heute strahleninduzierte Chromosomendefekte in Lymphozyten als quantitativer biologischer Indikator für eine Abschätzung der Körperdosis, z. B. bei Überexposition beruflich strahlenbelasteter Personen, benützt werden. Die Bestimmung der Dosis erfolgt anhand von Dosiswirkungskurven, die für verschiedene Aberrationstypen bei Bestrahlungsexperimenten in vitro erstellt wurden. Art und Zahl der Aberrationen erlauben gegenwärtig keine Rückschlüsse auf gesundheitliche Risiken für die exponierten Personen.

3.8.2 Chromosomenaberrationen nach Einwirkung chemischer Substanzen

Auch für eine Reihe chemischer Substanzen konnte nachgewiesen werden, daß sie entweder strukturelle Chromosomendefekte auslösen können oder als Spindelgifte wirken. Im letzteren Fall entstehen aneuploide oder polyploide Zellen. Viele Chemikalien erwiesen sich schon in geringsten Konzentrationen als Auslöser für SCEs. Gegenwärtig kann man davon ausgehen, daß ca. 50000 chemische Substanzen im täglichen Gebrauch sind und pro Jahr einige Hundert neue hinzukommen. Daneben ist eine Exposition mit natürlich vorkommenden Substanzen in verschiedenen Gemischen möglich. Wegen der Vielzahl dieser Chemikalien sowie ihrer unterschiedlichen Wirkungsweise können nur einige Beispiele für Stoffgruppen angeführt werden, für die eine zytogenetische Wirkung, insbesondere in Lymphozyten, nachgewiesen wurde: Industrielle Chemikalien (Arsen, Chrom, Kadmium, Benzol, Vinylchlorid, Äthylenoxyd), Naturstoffe (verschiedene Alkaloide, Aflatoxine), Medikamente (alkylierende Substanzen aus der Krebstherapie, Antibiotika), Zigarettenrauch. Auf die Probleme der Mutagenitätstestung wird in 7.3 hingewiesen.

3.8.3 Chromosomenaberrationen nach Einwirkung biologischer Noxen

Eine zytogenetische Wirkung biologischer Noxen ist von verschiedenen Viren, Schimmelpilzen und Mykoplasmen bekannt. Bisher ist für mehr als 20 Virusarten nachgewiesen, daß sie in menschlichen Zellen Chromosomenaberrationen in vivo und in vitro auslösen können. Die ersten Befunde wurden 1962 bei Masernpatienten in Lymphozyten erhoben. Kennzeichnend sind Einzelbruchaberrationen vom Chromatidtyp. In Zellkulturen kommt es nach Synzytienbildung in den Interphasekernen zu einer vorzeitigen Kondensation der Chromosomen („PCC"-**p**remature **c**hromosome **c**ondensation).

3.8.4 Chromosomenbruchsyndrome

Es gibt seltene, autosomal rezessiv vererbte Krankheiten, bei denen in somatischen Zellen eine erhöhte Chromosomenbrüchigkeit beobachtet werden kann. Bei der Fanconi-Anämie und dem Louis-Bar-Syndrom können regelmäßig, beim Bloom-Syndrom nur in geringerem Umfang Reparatur- bzw. Replikationsdefekte der DNA nachgewiesen werden.

3.8.4.1 Fanconi-Anämie

Die Fanconi-Anämie ist eine Panzytopenie mit vollständiger Depression der Knochenmarksfunktion, die im Kindesalter manifest wird. Der Tod tritt im allgemeinen durch Verblutung ein oder eine Leukämie kann sich entwickeln. Zusätzlich liegen angeborene Fehlbildungen und Entwicklungsstörungen vor (intrauterine Wachstumsretardierung, Zwergwuchs, Mikrozephalie, geistige Retardierung, Ohranomalien, Taubheit, Hypogenitalismus, Skelettanomalien, insbesondere von Radius und Daumen, Herz- und Nierenfehlbildungen). Eine braune Pigmentierung der Haut ist häufig. In Blut- und Knochenmarkkulturen dieser Patienten findet man erhöhte Raten von Chromosomenbrüchen und Chromatidumbauten (Triradial-, Quadriradialfiguren und dizentrische Chromosomen) (Abb. 52a–c).

3.8.4.2 Bloom-Syndrom

Das Bloom-Syndrom wird durch Zwergwuchs und sonnensensitive Teleangiektasien im Gesicht charakterisiert. Auch bei diesen Patienten treten gehäuft akute Leukämien oder Karzinome auf. Das rezessive Gen wird unter osteuropäischen Juden gehäuft

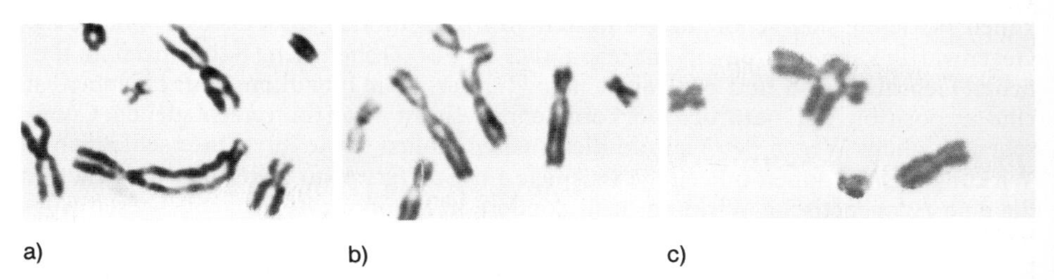

Abb. 52 Somatische Chromosomen-Struktur-Umbauten: a) dizentrisches Chromosom, b) Triradial- und c) Quadriradial-Figur

gefunden. Im peripheren Blut der Patienten kann eine erhöhte Zahl von Chromosomendefekten und SCE's beobachtet werden. An den Quadriradialfiguren sind überwiegend homologe Chromosomen beteiligt.

3.8.4.3 Louis-Bar-Syndrom

Das Louis-Bar-Syndrom (Ataxia teleangiectatica) ist charakterisiert durch multiple Teleangiektasien, progressive zerebellare Ataxie und eine Immundefizienz (Thymushypoplasie). Häufig findet man auch hier Wachstumsretardierung und muß mit einem gehäuften Auftreten von malignen Lymphomen rechnen. In kultivierten Lymphozyten und Fibroblasten finden sich erhöhte Bruchraten.

3.8.4.4 Xeroderma pigmentosum

Diese mehrere genetische Varianten umfassende Krankheitsgruppe ist klinisch recht einheitlich durch erhöhte Empfindlichkeit der Haut gegenüber UV-Strahlung charakterisiert. Von verstärkten Sommersprossen bis hin zu bösartigen Hauttumoren reicht das Spektrum der Lichteinwirkungsfolgen.

Diese Störung beruht auf der nach UV-Einwirkung in vitro beobachteten Hemmung einer speziellen Form der DNA-Reparatur. Diese erfolgt in normalen Zellen mittels Exzision der strahleninduziert mutierten DNA-Anteile. Bleiben diese erhalten, so kann dies zu den oben beschriebenen Symptomen führen. Diesen Vorgang sieht man heute als einen Schritt in der Entstehung maligner Tumoren an.

3.8.5 Chromosomenaberrationen bei Tumoren

Die Beziehung zwischen Chromosomenaberrationen und Tumoren ist komplex und konzentriert sich auf die Frage, ob die Karzinogenese oder die Chromosomenveränderung das primäre Ereignis ist. Während gesunde Gewebe normale Chromosomensätze haben (mit der Einschränkung, daß es eine Tendenz zur Aberrationszunahme in alternden Geweben gibt), treten in malignen Geweben strukturelle und numerische Chromosomendefekte auf.

3.8.5.1 Solide Tumoren

Bei malignen soliden Tumoren treten in der Regel strukturelle und numerische Chromosomenveränderungen auf, bei benignen in der Regel nicht. Allerdings haben sich erst bei einigen definierten Tumorarten spezifische Aberrationen bestimmten Tumoren zuordnen lassen:

1. Bei Non-Hodgkin-Lymphomen (z. B. Burkitt-Lymphom), die die Translokation eines „konstanten“ Fragmentes von Chromosom 8q insbesondere auf Chromosom 14q, aber auch auf Chromosom 2 oder 22 aufweisen. Es lassen sich bereits Parallelitäten zwischen den in die Translokation involvierten Chromosomen und dem Immunglobulin-Phänotyp der Patienten herstellen (Genorte der Immunglobuline auf den beteiligten Chromosomen!). Wichtig scheint der Bruchpunkt 8q24 zu sein („Ort eines Onkogens“).

2. Bei jenen nicht hämatologischen (häufig embryonalen) Tumoren, die eine charakteristische – wenn auch schwierig zu analysierende – genetische Basis zu haben scheinen (Stammbaum untersuchen):

a) Retinoblastom Deletion 13q 14.2
b) Wilms-Tumor Deletion 11p 13
c) Neuroblastom Deletion 1p
d) Meningeom Deletion 22

3.8.5.2 Leukämien

Der bekannteste zytogenetische Befund bei Leukämien ist eine Deletion am langen Arm eines Chromosoms 22 (Philadelphia-Chromosom, Ph^1, nach der erstmaligen Entdeckung in Philadelphia 1963). Das Ph^1-Chromosom wird bei 90 % der Patienten mit *chronisch myeloischer Leukämie* (CML) in Knochenmarkszellen und ausgeschwemmten Leukosezellen gefunden.

Bei der Mehrzahl Ph^1-positiver Fälle von CML ist das deletierte Segment von Chromosom 22 auf den langen Arm von Chromosom 9 transloziert (Abb. 53), aber auch andere Chromosomen können als Translokationspartner vorkommen.

Neuerdings geht man davon aus, daß das kritische Ereignis, das zur Malignität führt, die Translokation des Endstückes von 9q auf 22q ist.

Mit der Steigerung des Auflösungsvermögens in der Chromosomendarstellung ist der Anteil der *akuten Leukämien* mit Chromosomenveränderungen auf über 60 % gestiegen. Es ist noch nicht geklärt, ob zur akuten Leukämie in jedem Fall eine derzeit

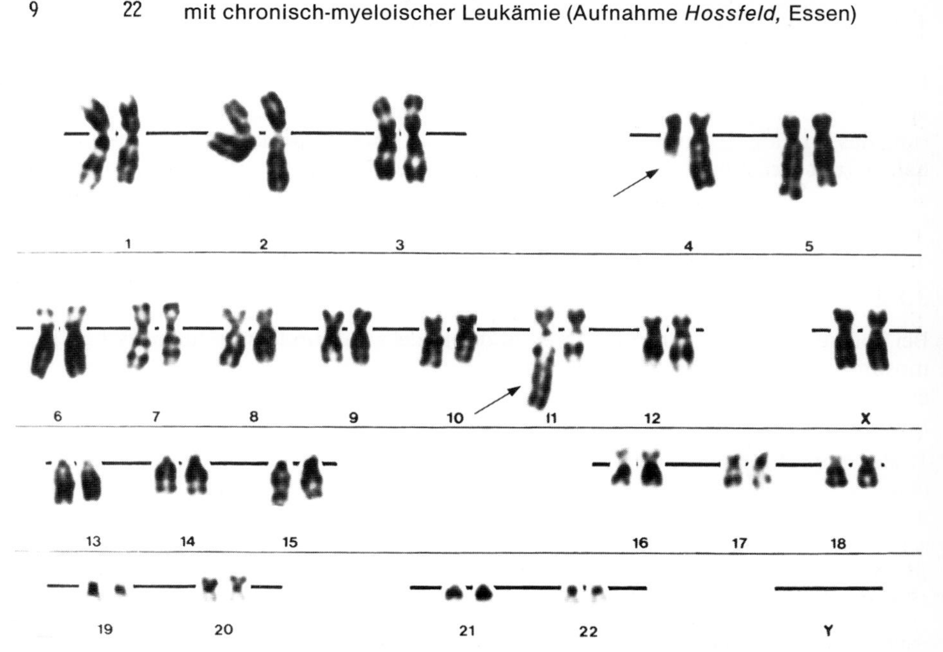

Abb. 53 Balancierte Translokation zwischen Chromosom 9 und 22, die zum „Philadelphia-Chromosom“ führt bei einem Patienten mit chronisch-myeloischer Leukämie (Aufnahme *Hossfeld,* Essen)

Abb. 54 Karyogramm mit reziproker Translokation t4;11 bei akuter Leukämie. Karyotyp: 46,XX,t(4;11)(q21;q23),var(1)(q12)GSL

noch nicht immer sicher zu erkennende Aberration gehört. Bei den **a**kuten **n**icht **l**ymphozytären **L**eukämien (ANLL) sind mehrere nicht obligate, aber sehr typische Veränderungen bekannt: z. B. t(8;21); t(15;17). Es besteht gewisse Spezifität dieser zytogenetischen Befunde für bestimmte Untergruppen von ANLL.

Bei der **a**kuten **l**ymphatischen **L**eukämie (ALL) werden die Translokationen t(8;14) und t(4;11) (vielleicht akute undifferenzierte Leukämie) besonders häufig gefunden (s. Abb. 54).

Bei evtl. präexistenten Chromosomenveränderungen (vergleiche die Chromosomenbruchsyndrome in 3.8.4, oder konstitutionelle Chromosomenanomalien wie das Down-Syndrom) treten häufig Leukämien vermehrt auf. Neuerdings besteht Einigkeit über die kausale Rolle des überzähligen Chromosoms 21 für die Leukämie-Häufung bei mongoloiden Patienten.

Bei Überlebenden der Atombomben-Abwürfe von Hiroshima und Nagasaki wurden noch nach mehr als 25 Jahren Chromosomenaberrationen im peripheren Blut nachgewiesen; gleichzeitig besteht für die Betroffenen ein erhöhtes Leukämierisiko. Auch Leukämien bei in utero strahlenexponierten Kindern wurden in ähnlicher Weise interpretiert. Ein gesicherter Beweis für den kausalen Zusammenhang zwischen induzierten Chromosomendefekten und maligner Erkrankung liegt bisher jedoch noch nicht vor.

3.9 Lokalisation von Genen auf Chromosomen

Eines der Ziele der Humangenetik ist es, die einzelnen Gene des Menschen bestimmten Chromosomen zuzuordnen, also Chromosomenkarten anzufertigen (= mapping). Zwei Methoden stehen für diese Untersuchungen zur Verfügung.

3.9.1 Genkopplungsanalyse

Die Gene sind in linearer Anordnung zu größeren Einheiten, den Chromosomen, zusammengefaßt. So werden die Gene nicht unabhängig voneinander, sondern in Form einzelner Kopplungsgruppen weitervererbt. Wenn zwei Gene auf verschiedenen, **nicht homologen Chromosomen** liegen, findet man eine freie Rekombination. Liegen sie auf dem **gleichen Chromosom,** sind sie gekoppelt, d. h. sie werden häufiger gemeinsam vererbt als bei Unabhängigkeit zu erwarten ist (s. 4.5).

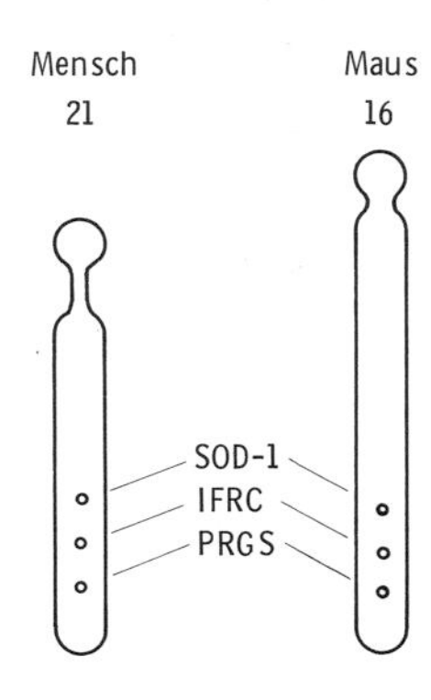

Abb. 55 Schematische Darstellung einer Syntänie der Genloci für Superoxyddismutase I (SOD-I), das Interferonreceptorprotein IFRC und die Phosphoribosyl-glycinamid-synthetase PRGS auf dem menschlichen Chromosom 21 und dem Mauschromosom 16. Die lokalisatorische Reihenfolge dieser Gene ist gegenwärtig noch unsicher

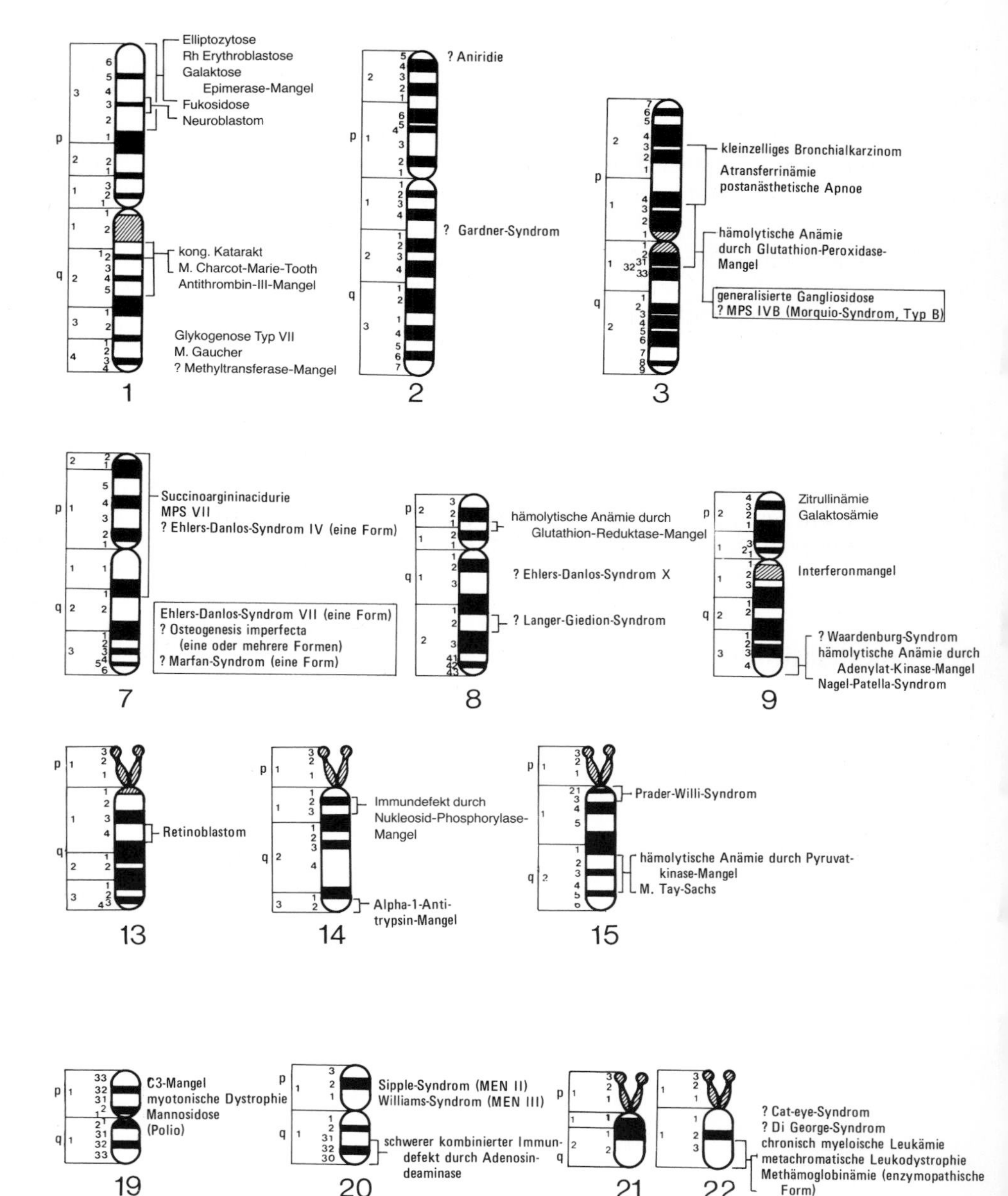

Abb. 56 Pathologische Anatomie des menschlichen Genoms: die chromosomale Lokalisation der Mutation für eine Reihe genetischer Leiden ist möglich geworden — meist durch Bestimmung des Ortes für das zugrundeliegende Strukturgen für das Enzym, dessen Ausfall das Leiden bewirkt. Links von den Chromosomen-Schemata sind jeweils die Ziffernbezeichnungen der Internationalen Standard-Banden-Nomenklatur angegeben (s. S.17) (nach *McKusick* 1982)

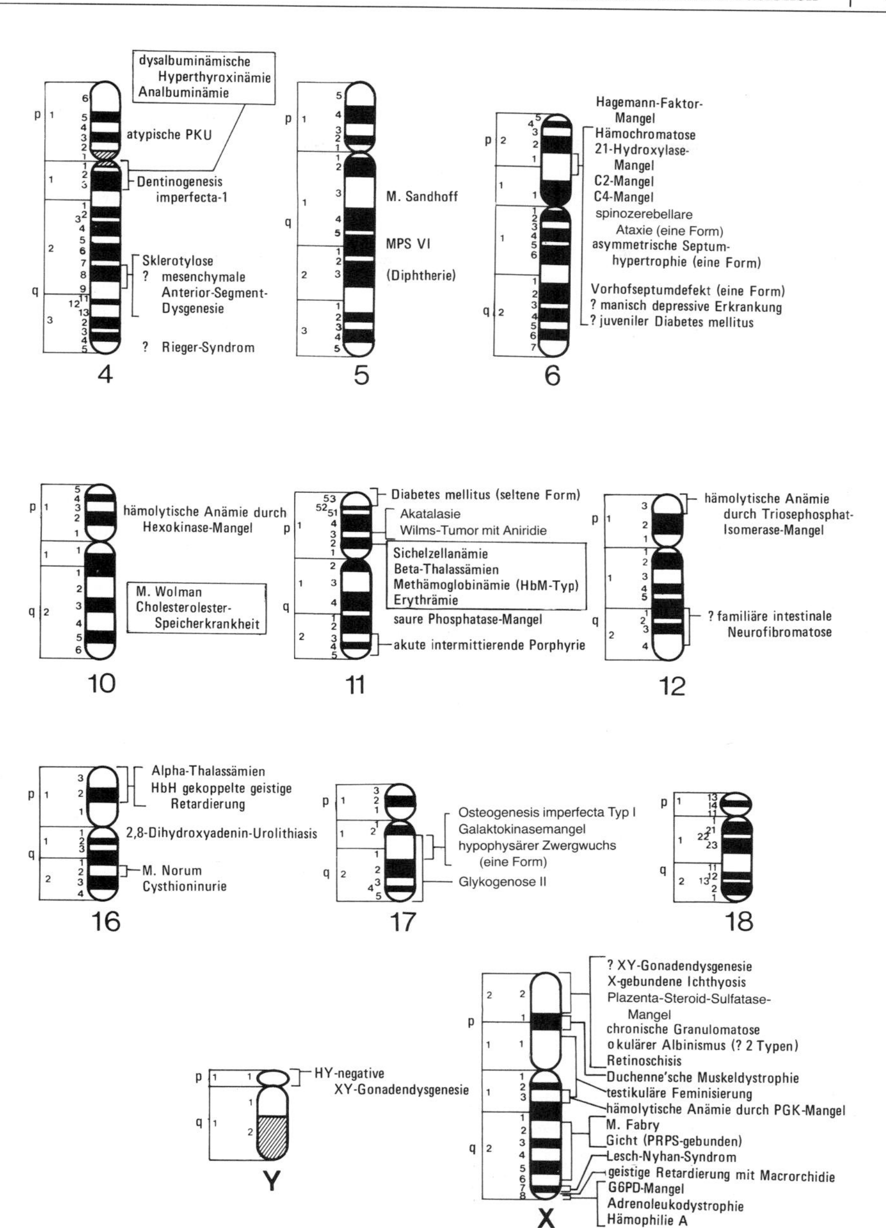

Durch Crossing-over werden diese Verhältnisse geändert. Crossing-over-Veränderungen sind um so häufiger zu erwarten, je größer der Abstand der Gene auf dem Chromosom ist. Man kann die Austauschhäufigkeit in „Morganeinheiten“ bestimmen und so Genlokatisation betreiben (1 Centi-Morgan entspricht einer Austauschhäufigkeit von 1 %). Ist der Abstand zweier Gene größer als 50 %, so liegt freie Rekombination vor.

Kopplungsgruppen von Strukturgenen (Syntänie) können in der Evolution auch bei so weit auseinanderliegenden Spezies wie Maus und Mensch erhalten bleiben. So konnte gezeigt werden, daß Syntänie der Genloci für die Superoxyddismutase SOD-I (s. 3.4.1), für das Interferonrezeptorprotein IFRC und für eine Glyzinamidsynthetase PRGS auf den distalen Segmenten des Chromosoms 16 der Maus und des Chromosoms 21 beim Menschen besteht (Abb. 55).

3.9.2 Zellhybridisierung

Mit der Methode der Zellhybridisierung sind in den letzten Jahren große Fortschritte bei der Chromosomenkartierung gelungen. Es gelingt, Zellkerne von Mensch und Versuchstieren (Maus, Hamster) in gemischten Kulturen zur Verschmelzung zu bringen. Bei der Teilung dieser Heterokaryonten gehen menschliche Chromosomen verloren, während die tierischen Chromosomen erhalten bleiben. So kann man sich Zellklone züchten, die in dem kompletten Maus- oder Hamstergenom nur noch *ein* menschliches Chromosom enthalten. Der Unterschied in der Enzymaktivität zwischen reinen Tierzellen und diesen Hybriden geht dann auf das eingeschleuste menschliche Chromosom zurück.

Verwendet man menschliche Zellinien mit chromosomalen Strukturaberrationen (balanciert oder unbalanciert), so lassen sich durch Vergleich mit Hybriden, die das betreffende menschliche Chromosom unverändert tragen, bestimmte Gene einzelner Chromosomensegmente ermitteln. Auf diese Weise nimmt die Kenntnis über die auf Chromosomenabschnitten lokalisierten Gene ständig zu. Ende 1982 kannte man den Genort von etwa 450 Genen auf den verschiedenen Chromosomen des Menschen. Die Genorte für eine Reihe klinisch umschriebener Syndrome zeigt die Abb. 56.

3.9.3 Verbindung von Kopplungsanalyse und Genlokalisation

Es gibt exakt lokalisierte Genorte, deren Genprodukt nachweisbar ist und die zusammen mit anderen Genorten, die nicht direkt testbar sind, gekoppelt vererbt werden. Wenn diese „Marker-Gene“ in der Bevölkerung polymorph vorliegen, so daß auch innerhalb von Einzelfamilien mehrere Genotypen existieren, läßt sich damit oft die Segregation des gekoppelten Gens, das medizinisch-diagnostisch bedeutsam sein kann, ermitteln. In den letzten 10 Jahren haben die zahlreichen Haplotypen des HLA-Systems (Chromosom 6) eine sichere pränatale Diagnostik des AGS ermöglicht, da die HLA-Gene und das Gen für die Hydroxylase eng gekoppelt sind (s. 1.3.8.2, Abb. 6). AGS-kranke Kinder der gleichen Eltern sind in ihrem HLA-Haplotyp identisch (s. 2.4.4.4.1).

Neuerdings werden mit bestimmten Restriktions-Endonukleasen definierte DNA-Bruchstücke aus dem chromosomalen Verband herausgelöst, die dann auf Polymorphismen ihrer Sequenz untersucht werden können.

Bereits mehrere solcher Polymorphismen in enger Nachbarschaft zu medizinisch relevanten Genorten sind bekannt geworden (Beta-Globin-Cluster, Beckersche Muskeldystrophie).

4 Formale Genetik (Mendelsche Erbgänge)

Die klinische Genetik beginnt 1908 mit dem Werk von Garrod „Inborn Errors of Metabolism“. Er zeigte auch als erster 1902 die Gültigkeit der Mendelschen Gesetze beim Menschen und übertrug den von Mendel geprägten Begriff des rezessiven Erbgangs auf seine Beobachtungen. 1905 wurde von Farabee zum ersten Mal der dominante Erbgang beim Menschen am Beispiel der Brachydaktylie beschrieben. Wichtig ist, daß bei der Klassifizierung eines Erbgangs als kodominant, dominant oder rezessiv das Niveau der Analyse definiert ist (s. 1.3.7), da sich in Relation zur Untersuchungsebene (z. B. klinische Untersuchung, Labortest oder Analyse auf dem Niveau des Genproduktes) verschiedene Erbgänge bei der gleichen Krankheit finden.

In etwa proportional dem großen Zuwachs nachgewiesener Genlokalisationen auf dem menschlichen Genom (s. 3.9) ist die Zahl der bekannten monogenen Merkmale angestiegen. Seit Otmar von Verschuer 1958 zum erstenmal eine Übersicht über die Anzahl der bekannten Genloci gab, hat sich deren Zahl mehr als verachtfacht (Tab. 8).

Tabelle 8 Anzahl der gesicherten Merkmale und weiterer, noch nicht endgültig gesicherter Merkmale (in Klammern) mit einfachem Erbgang (nach *McKusick*, 1982)

	Verschuer	Mendelian Inheritance in Man (*McKusick*)					
	1958	1966	1968	1971	1975	1978	1982
Autosomal dominant	285	269 (+568)	344 (+449)	415 (+528)	583 (+635)	736 (+753)	934 (+893)
Autosomal rezessiv	89	237 (+294)	280 (+349)	365 (+418)	466 (+481)	521 (+596)	588 (+710)
X-gekoppelt	38	68 (+51)	68 (+55)	86 (+64)	93 (+78)	107 (+98)	115 (+128)
Anzahl (gesichert)	412	574 (+913)	692 (+853)	866 (+1010)	1142 (+1194)	1346 (+1447)	1637 (+1731)
Gesamtzahl	412	1487	1545	1876	2336	2811	3368

Hier liegt für den klinischen Genetiker der große Gewinn in den Möglichkeiten, bei immer mehr umschriebenen Krankheitsbildern exakter genetisch beraten zu können. Es gelingt so immer häufiger, von der empirischen Erbprognose, die ja nicht mehr kann als summarische Erfahrungswerte aus einigen Familien weiterzugeben, zu scharf umschriebenen Risikowerten in jedem Einzelfall zu kommen.

Bestimmte Regionen des menschlichen Genoms sind heute derartig fein aufgegliedert, daß man aufgrund der Anzahl der Strukturgene in einem bestimmten Chromosomenabschnitt die Schätzung der Gesamtzahl der Strukturgene im menschlichen Genom, die bei etwa 50000–100000 liegt, bestätigen konnte.

4.1 Kodominante Vererbung

In allen Körperzellen und in den unreifen Keimzellen sind die autosomalen Gene paarweise vorhanden, ein Gen stammt jeweils vom Vater, das andere von der Mutter. Die beiden für ein bestimmtes Merkmal verantwortlichen homologen Gene (= Allele) – die in homologen Chromosomen an der gleichen Stelle lokalisiert sind – können von gleicher Wirkung sein. Dann ist das Individuum bezüglich dieser Anlage homozygot. Das ist z. B. bei der MN-Blutgruppe der Fall, wenn beide Gene die Information M oder beide die Information N tragen. Liegen die beiden Allele in verschiedener Zustandsform vor, – trägt also das eine Allel die Information M, das andere die Information N, – so ist der Genotyp MN, das Individuum ist heterozygot (s. 1.3.3).

Sind bei Heterozygotie die Phäne beider Allele nebeneinander nachweisbar, so sprechen wir von kodominanter Vererbung. Bei der **MN-Blutgruppe** entspricht dem Genotyp MN ein Phänotyp MN. Kodominant zeigen sich auch die **Haptoglobine** (Serumeiweiße im Bereich der α2-Globuline, die dazu dienen, das Hämoglobin abgebauter Erythrozyten vorübergehend zu binden). Im System der **sauren Erythrozyten-Phosphatase** (acP) sind drei verschiedene Allele (Pa, Pb und Pc) bekannt, deren Kombinationen und Phänotypen unter 11.1.4 dargestellt werden.

Die Blut-, Serum- und Enzymgruppensysteme eignen sich wegen der Möglichkeit der Erbgangsanalyse auf der Ebene des Genproduktes vorzüglich zur Anwendung in der Paternitätsserologie (s. 11.1).

4.2 Autosomal dominanter Erbgang

4.2.1 Definition und Art der Weitergabe des Gens

Wenn im Zustand der Heterozygotie ein Gen stets über sein Allel überwiegt und dadurch für die Ausprägung eines Merkmals allein maßgebend ist, wird es als domi-

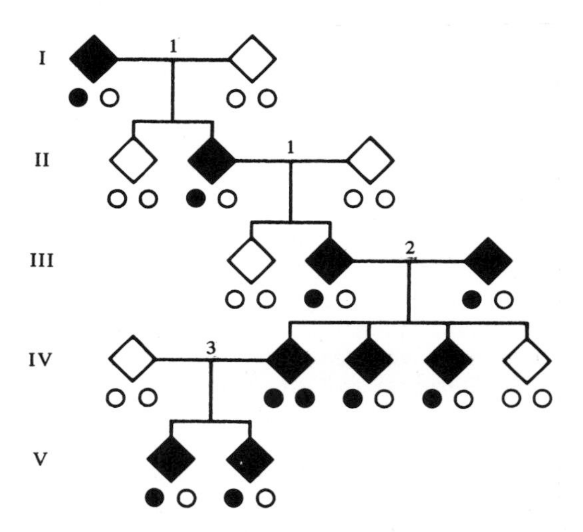

Abb. 57 Schema der dominant autosomalen Vererbung (die Rhombenform im Schema wurde gewählt, um zu zeigen, daß das Geschlecht keine Rolle spielt)

nant bezeichnet. So ist von den Allelen des AB0-Locus das Allel mit der Information für die Blutgruppe A dominant über das Allel für die Blutgruppe 0. Ein Heterozygoter mit dem Genotyp A0 wird den Phänotyp A zeigen. Schematisch ist der Weg eines dominanten Gens durch die verschiedenen Generationen in der Abb. 57 dargestellt.

Da bei dominanten Leiden jeder heterozygote Genträger auch Merkmalsträger ist, wird das „pathologische" Gen statistisch von jedem Genträger an die Hälfte seiner Nachkommen weitergegeben. Schon aus der Analyse eines einzigen Stammbaums, der mehrere Generationen und eine größere Zahl von Familienmitgliedern umfaßt, kann eine Krankheit als einfach dominant vererbt erkannt werden. Die entscheidenden Kriterien unter der Voraussetzung, daß bei regelmäßiger Dominanz volle Merkmalsausprägung (Penetranz) gegeben ist, sind:

(1) Merkmalsträger geben das zugrunde liegende Gen an die Hälfte ihrer Nachkommen weiter.
(2) Die Bevorzugung eines bestimmten Geschlechts besteht nicht.
(3) Unter den Nachkommen merkmalsfreier Personen tritt das Merkmal niemals auf (von einer theoretisch möglichen Spontan-Mutation abgesehen).

Zeichnerisch ist die 50:50-Verteilung bei dominanten Merkmalen am besten mit einem Kombinationsquadrat darzustellen (Abb. 58 a). Nimmt man an, daß zwei Spermiensorten mit der dominanten Anlage A und der rezessiven Anlage a in gleicher Zahl entstehen und gleich häufig Eizellen mit der Anlage a (in diesem Modellfall gibt es nur einheitliche Eizellen mit der rezessiven Anlage a) befruchten, so sind die Kombinationen A a und aa mit derselben Wahrscheinlichkeit von 50 %, d. h. im Verhältnis 1 : 1, zu erwarten.

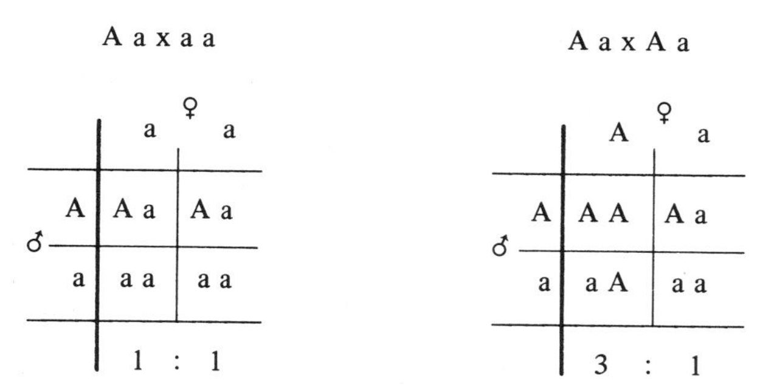

Abb. 58 Kombinationsquadrate bei monomerem Erbgang zur Erklärung der Erbgänge bei heterozygot-homozygoter Elternschaft (a) und doppelt heterozygoter Elternschaft (b). Die Verteilung der Genotypen AA, Aa und aa in einer Population folgt dem Binomialsatz $(p+q)^2$, vorausgesetzt, daß die Bedingungen des Populationsgleichgewichts bestehen (siehe 8.2)

Als Faustregel zur klinischen Wirksamkeit dominanter Gene kann gelten, daß sie meist eine äußerlich sichtbare Veränderung der Körperform bewirken.

4.2.2 Häufigkeit

Jeder Versuch, die Gesamthäufigkeit genetisch bedingter Leiden anzugeben, stößt an Grenzen, da die Störungen nicht einheitlich in einer Population erfaßt werden, viele

Tabelle 9 Häufigkeiten autosomal dominanter Leiden auf 1000 Lebendgeborene (*Carter* 1977)

Leiden	Häufigkeit
Nervensystem	
*Huntington*sche Chorea	0,5
Neurofibromatose	0,4
Myotone Dystrophie	0,2
Magen-Darm	
Multiple Polyposis	0,1
Niere	
Polyzystische Nieren vom Erwachsenen-Typ	0,8
Auge	
Dominante Formen von Blindheit	0,1
Retinoblastom	0,03
Ohr	
Dominante Formen früher Taubheit	0,1
Dominante Otosklerose	1,0
Blut	
Monogene Hypercholesterinämie	2,0
Kongenitale Sphärozytose	0,2
Skeletsystem	
Multiple kartilaginäre Exostosen	0,5
Thanatophorer Zwergwuchs	0,08
Osteogenesis imperfecta	0,04
Marfan-Syndrom	0,04
Achondroplasie	0,02
Ehlers-Danlos-Syndrom	0,01
Nervensystem	
Basiliare Impression	0,03
Tuberöse Sklerose	0,01
Stoffwechsel	
Akute intermittierende Porphyrie	0,01
Zähne	
Dentinogenesis imperfecta	0,1
Amelogenesis imperfecta	0,02

Tabelle 10 Autosomal dominante Leiden seltener als 0,1 auf 1000 Lebendgeborene (*Carter* 1977)

Apert-Syndrom (Akrocephalosyndaktylie)
Ashers-Syndrom (Blepharochalisis mit Struma und sog. Doppellippe)
Basal-Zell-Naevus-Syndrom
Chorio-retinale Degeneration
Kleido-kraniale Dysostose
Crouzon-Syndrom (Dysostosis craniofacialis)
Dysplasia spondyloepiphysaria
Epiloia (tuberöse Sklerose)
Gardner-Syndrom (Kolon-Polypen kombiniert mit Knochentumoren oder Fibromen)
v. Hippel-Lindau-Syndrom (Retina-Angiome und Kleinhirn-Hämangiome)
Holt-Oram-Syndrom (Atrio-digitale Dysplasie)
Moebius-Syndrom (Kongenitale Facialislähmung und Hirnnervenparalyse)
Nagel-Patella-Syndrom
Noonan-Syndrom (Pterygium colli-Syndrom)
Okulo-dento-digitale Dysplasie
Osler-Syndrom (Hämorrhagische Teleangiektasie)
Peutz-Jeghers-Syndrom (Intestinale Polyposis mit Gesichtspigmentation)
Rieger-Syndrom (Fehlentwicklung der Augenvorderkammer und Zahnfehlstellungen)
Curschmann-Steinert-Syndrom (Muskeldystrophie, Katarakt und Hypogonadismus)
Treacher-Collins-Franceschetti-Syndrom (Mandibulo-faziale Dysostose)
Zollinger-Ellison-Syndrom (Nichtinsulinproduzierende Geschwulst des Pankreas und Magenulzera)

Auffälligkeiten bei der Geburt noch nicht diagnostiziert werden können, sondern sich erst im Laufe des Lebens zeigen und dann z. T. große differentialdiagnostische Schwierigkeiten bieten und schließlich, weil jede einzelne Krankheit sehr selten ist. Die derzeit wohl kompetenteste Übersicht stammt von *Carter* (1977).

Die Krankheiten sind in der Tabelle 9 nach Organsystemen und Häufigkeit geordnet. Hierbei fällt die monogene Hypercholesterinämie mit ihrer hohen Frequenz von fast ⅓ aller Störungen zusammen besonders auf. Die Zahl kann nur mit Vorbehalt wiedergegeben werden, da hier vielleicht verschiedene familiäre Hyperlipoproteinämien zusammengefaßt sind.

Von vielen anderen gut bekannten autosomal dominanten Störungen fehlen bis heute genaue Studien zur Frage der Häufigkeit, jedoch liegen sie vermutlich alle unter 0,1 pro 1000 Lebendgeburten. Eine Übersicht gibt Tab. 10.

Die Gesamthäufigkeit autosomal dominanter Krankheiten beträgt etwa 7 auf 1000.

4.2.3 Klinische Beispiele autosomal dominanter Krankheiten

Achondroplasie: (Abb. 59). Die wichtigsten klinischen Befunde sind: Dysproportionierter Minderwuchs bis Zwergwuchs, bedingt durch eine starke Verkürzung der langen Röhrenknochen vorwiegend der proximalen Extremitätenabschnitte, Makrozephalus mit prominenter Stirn und eingesunkener Nasenwurzel, erhebliche Kyphose der unteren BWS und Lordose der LWS mit vorgewölbtem Abdomen, sog. „Dreizackhand" durch relativ kurze Finger und V-förmige Abspreizung der Finger 3 und 4. Viele Gelenke, besonders das Ellenbogengelenk, sind in der Beweglichkeit eingeschränkt; aufgrund der Beckenveränderung besteht bei den Patienten ein sogenannter „Watschelgang".

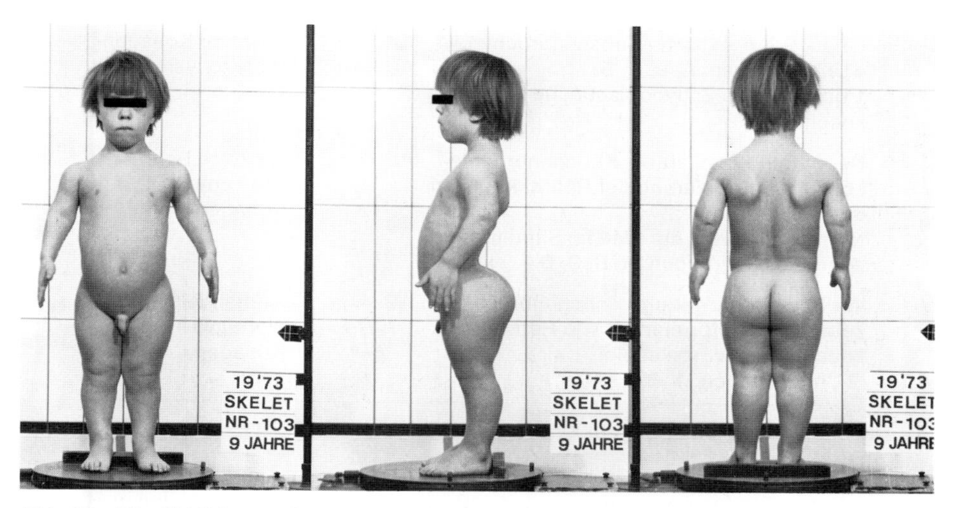

Abb. 59 Die Abbildung zeigt einen Patienten mit Achondroplasie auf einer Meßphotographie nach *Tanner* (1962). Der Abstand der horizontalen Linien beträgt 35 cm, der Abstand der vertikalen Linien 10 cm voneinander. Der Patient steht in einer definierten Position auf einem Drehtisch in 5,5 m Entfernung von einer Spezialkamera. Das chronologische Alter des Patienten beträgt 9 Jahre, das Skelettalter 8 Jahre, das Längenalter 5 Jahre und das Proportionsalter knapp ½ Jahr

Die wichtigsten röntgenologischen Befunde sind: Kurze und plumpe lange Röhrenknochen mit kolbenartig, pilzförmig aufgetriebenen, verbreiterten Metaphysen; die Mineralisation ist nicht gestört, dagegen jedoch der Aufbau und die Proliferation des Säulenknorpels, der für das Längenwachstum verantwortlich ist. Der Gesichtsschädel ist prominent bei steilgestellter Schädelbasis. Die Wirbelkörper besonders der LWS sind keilförmig deformiert und verschmälert.

Die durchschnittliche Endgröße achondroplastischer Männer schwankt zwischen 130 und 140 cm. Es gibt bis heute nur eine symptomatische Therapie zur Verhinderung von Verbiegungen der Röhrenknochen bzw. einer verstärkten Lordose der Wirbelsäule.

Differentialdiagnostisch kommen z. Z. ca. 15 weitere bei Geburt manifeste Chondrodysplasien in Frage, die sich entweder klinisch oder radiologisch eindeutig voneinander abgrenzen lassen (*Spranger* et al. 1976).

Osteogenesis imperfecta: Leitsymptom ist eine abnorme Knochenbrüchigkeit, dazu kommen zahlreiche sekundäre Deformierungen von Extremitätenknochen, Wirbelsäule und Thorax. Außerdem können kraniofaziale Veränderungen, blaue Skleren, Otosklerose, Schlaffheit des Bandapparates und der Haut und überstreckbare Gelenke bestehen. Nach klinischen und biochemischen Befunden wird die Osteogenesis imperfecta (OI) wie folgt klassifiziert (Tab. 11):

Tabelle 11 Einteilung der Osteogenesis imperfecta (OI) nach klinischen und biochemischen Befunden

OI Typ	Klinik	Vererbung	Biochemische Befunde
I	Blaue Skleren, geringe Knochenbrüchigkeit, Beginn post partum, Untergruppen A, B, C	AD	Decreased type I — Kollagen im Verhältnis zu Typ III
II	Letale Form, extreme Knochenbrüchigkeit, 4 Untergruppen: A, B, C, D, 1 Untergruppe E: hypoplastische Röhrenknochen	AR AD? AR?	Erhöhter Kollagen-Hydroxylysingehalt
III	Neonatale Form, starke Knochenbrüchigkeit und Deformierung der Röhrenknochen und Wirbelsäule. Normale Skleren, nur blau im Säuglingsalter, 4 Untergruppen: A, B, C, D	AR	Gestörte Relation von Typ-I- zu Typ-III-Kollagen
IV	Weiße Skleren, geringe Knochenbrüchigkeit, starke Deformierung von Röhrenknochen und Wirbelsäule. 2 Untergruppen: A, B	AD	wahrscheinlich niedriges Typ-I-Kollagen

Beim **MARFAN-Syndrom** (Abb. 60 u. 61) handelt es sich um einen genetisch fixierten generalisierten Bindegewebsdefekt auf der Basis einer Störung der Kollagen-Biosynthese, der eine pleiotrope Wirkung auf den Phänotyp hat. Die Hauptsymptome bestehen in Skelettveränderungen (dysproportionierter Hochwuchs mit einer allgemeinen Bindegewebsschwäche, Trichterbrust, Kyphoskoliose, lange Finger), kardiologischen Veränderungen (Mitralklappenprolaps oder Aortenaneurysma) sowie Linsenluxationen und anderen Augenfehlern (s. 4.2.6).

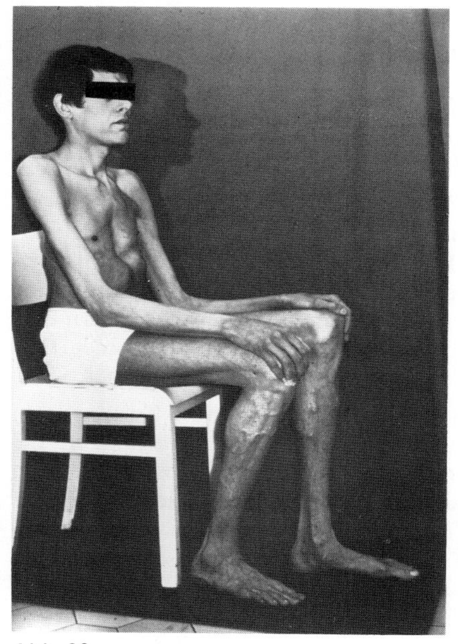

Abb. 60

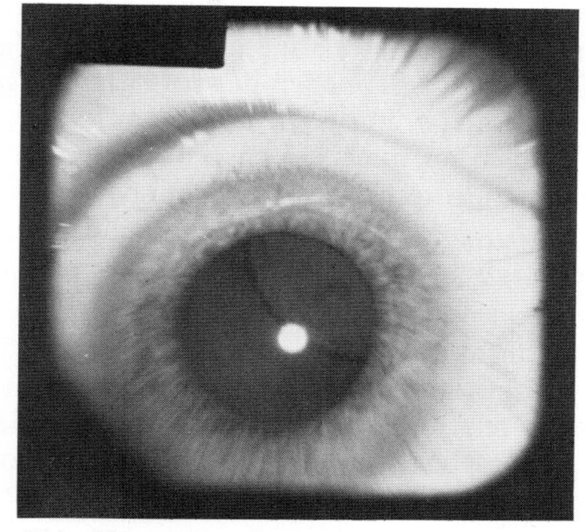

Abb. 61

Abb. 60 Patient mit Marfan-Syndrom und den typischen Skelettveränderungen wie dysproportionierter Hochwuchs, Arachnodaktylie und auffällige Venenzeichnung (Pleiotropes Wirkungsmuster des Gens)

Abb. 61 Typische Linsenluxation bei einem Patienten mit Marfan-Syndrom

4.2.4 Klinische Bedeutung dominanter Gene

Leichte und harmlose Anomalien, wie die multiplen kartilaginären Exostosen, die keinen wesentlichen Nachteil für ihren Träger bedeuten, werden das Fortpflanzungsverhalten relativ wenig beeinträchtigen und von Generation zu Generation weitergegeben. Schwere Krankheiten oder Fehlbildungen (Achondroplasie oder Osteogenesis imperfecta) bedeuten für die Patienten eine so deutliche Belastung, daß sie häufiger als gesunde Vergleichspersonen keine Kinder haben. So bleibt ein achondroplastischer Zwerg in einer Sippe oft ein Einzelfall. Der Selektionsnachteil des Merkmals wirkt sich negativ bei der Partnerwahl aus, der Merkmalsträger wird häufig keine Kinder haben. Da seine gesunden Geschwister nach der Definition des dominanten Erbganges nicht Genträger sind, wird das Krankheitsbild an die folgenden Generationen nicht weitergegeben. Das pathologische Gen wird durch Selektion eliminiert.

Daraus erklärt sich, daß schwere dominante Erbleiden häufig durch die Spontanmutation eines Gens auftreten müssen. Wir können immer dann eine Mutation annehmen, wenn beide Eltern und die Geschwister merkmalsfrei sind, d. h. nur eins von mehreren Kindern mit dem dominanten Merkmal behaftet ist. Treten keine begünstigenden oder verschärfenden Auslesefaktoren hinzu, besteht ein Gleichgewicht zwischen Mutation und Selektion. Beeinträchtigt das dominante Leiden seinen Träger so stark, daß er niemals zur Fortpflanzung kommt, so liegt ein Letalfaktor vor.

Der Begriff **Letalfaktor** wird nicht einheitlich verwendet: Im klinischen Sprachgebrauch werden darunter häufig Erbanlagen verstanden, die den Tod prä- oder perinatal verursachen. Die Humangenetik definiert Letalfaktoren als Erbanlagen, die den Tod des Individuums vor Erreichen des fortpflanzungsfähigen Alters bewirken. Diese Definition schließt also alle im Kindesalter vorkommenden Todesfälle ein, die durch genetische Faktoren bedingt sind, ist aber selbstverständlich abhängig von den Möglichkeiten therapeutischer Maßnahmen bei erblichen Krankheiten (s. 10.9).

Als Letalfaktor mußte früher der (multifaktoriell bedingte) schwere **juvenile Insulinmangel-Diabetes** angesehen werden. Vor der Insulintherapie starben die betroffenen Kinder vor Erreichen des fortpflanzungsfähigen Alters. Die Umweltveränderung, die das Einführen der Insulintherapie bedeutete, gibt nun den betroffenen Kindern eine nahezu normale Lebenserwartung, die natürliche Selektion ist durch den medizinischen Fortschritt ausgeschaltet.

Bedeutet eine autosomal dominante Krankheit, z. B. der **thanatophore Zwergwuchs,** einen Letalfaktor, so werden alle Kranken ihr Leiden einer Mutation verdanken, die **Selektion** gegen das Gen beträgt 100 %. Bei einem X-chromosomal rezessiv vererbten Letalfaktor, wie der **Muskeldystrophie Typ Duchenne** (s. 4.4.1.3), verkleinert sich der Genbestand für das pathologische Gen von Generation zu Generation durchschnittlich um 50 %, da die befallenen männlichen Genträger ihr X-Chromosom nicht weitervererben, weil sie praktisch immer vor dem 20. Lebensjahr sterben. Wenn die Häufigkeit des Krankheitsbildes in einer Population gleich bleibt, so muß – ein Selektionsvorteil der Konduktorinnen ausgeschlossen – auch hier die Zahl der durch Mutation verursachten Krankheiten so groß sein wie die Zahl der Merkmalsträger, für die das pathologische Gen einen Letalfaktor bedeutet.

4.2.5 Unregelmäßige Dominanz, Expressivität, Penetranz

Von *unregelmäßiger Dominanz* spricht man, wenn bei einem dominanten Gen Abweichungen vom 1 : 1-Verhältnis unter den Nachkommen eines Merkmalsträgers vorkommen: das krankhafte Merkmal zeigt sich nicht bei 50 % der Nachkommen, zuweilen wird ein phänotypisch gesunder Proband wieder kranke Kinder haben. Es scheint, als habe das Leiden eine Generation übersprungen. Unvollständige Dominanz liegt immer dann vor, wenn die Penetranz des Gens nicht 100%ig ist.

Die Ursache unregelmäßiger Dominanz kann in der Spätmanifestation eines Leidens liegen: Genträger sterben, bevor die Krankheit ausbricht. Ein Beispiel ist die **Chorea Huntington,** eine der wenigen psychiatrischen Erkrankungen, die sich regelmäßig dominant vererbt. Die Expressivität, d. h. die Schwere des klinischen Bildes, ist von Fall zu Fall sehr verschieden, sie reicht von leichtesten Abortivsymptomen bis zu schwersten Erkrankungen. Die Penetranz dagegen, d. h. das Auftreten von psychischen oder neurologischen Störungen überhaupt, ist vollständig, sofern ein entsprechendes Alter erreicht wird. Das durchschnittliche Manifestationsalter der Chorea Huntington liegt bei 35–40 Jahren, zeigt jedoch eine außerordentliche Variationsbreite von der Geburt bis zum 7. Lebensjahrzehnt. Es kann also vorkommen, daß ein Anlageträger stirbt, bevor sich die Krankheit manifestiert hat, daß aber einer seiner Nachkommen alt genug wird, um die Erkrankung zu erleben. Dadurch wird unvollständige Dominanz vorgetäuscht (Überspringen einer Generation und Latentbleiben der Anlage) (s. 10.4.3.2).

Unter *Penetranz* verstehen wir die „Durchschlagskraft“ eines Gens. Sie wird angegeben in Prozent der Häufigkeit, in der ein Gen sich im Phänotyp manifestiert. Bewirkt ein Gen immer die Ausprägung des Merkmals, dessen Information es trägt, so ist seine Penetranz 100%ig (vollständige Penetranz). Liegt die Penetranz unter 100 %, sprechen wir von unvollständiger Penetranz. Der Begriff bezeichnet das Vorhandensein oder das Fehlen eines Merkmals.

Expressivität bedeutet den Grad der phänotypischen Ausprägung eines penetranten Gens. Erläutern wir beide Begriffe noch einmal am Beispiel der Chorea Huntington: die Penetranz des Gens ist 100 % – vorausgesetzt, der Genträger erreicht das Manifestationsalter. Die Expressivität, die Schwere des klinischen Bildes, ist sehr verschieden: der eine Genträger wird vielleicht nur leichte extrapyramidale motorische Bewegungsstörungen haben, bei einem anderen Genträger kommen psychotische Störungen dazu, zu denen sich Intelligenzausfälle gesellen.

4.2.6 Pleiotropie (Polyphänie)

Als Pleiotropie (Polyphänie) bezeichnen wir die Erscheinung, daß ein Gen für viele Merkmale (Phäne) verantwortlich ist. Ein Schulbeispiel für Pleiotropie ist das **Marfan-Syndrom:** eine Reihe verschiedener Organe ist betroffen, die Vererbung des Leidens folgt aber dennoch dem einfach dominanten *Mendel*-Schema. Es muß folglich **ein** mutiertes Gen als Ursache der vielfachen Wirkungen angenommen werden. Die Ursache wird auf ein abnormes Protein als primäres Genprodukt zurückgeführt, das die Eigenschaften der elastischen Bindegewebsfasern verändert, die an der Entwicklung und am Aufbau der betroffenen Organe teilhaben. Dabei können bei verschiedenen Kranken die verschiedenen Organe in verschiedener Stärke betroffen sein, ein Beispiel für die schwankende Expressivität des Gens. Bei einem Patienten mag der Augenbefund besonders im Vordergrund stehen, bei einem anderen die unterentwickelte Skelettmuskulatur (Abb. 62). Bei der genauen Analyse genetisch bedingter Leiden zeigt sich, daß ein Gen häufig auf dem Weg zum Phän über seine primären und sekundären „Genprodukte" eine pleiotrope Wirkung entfaltet. Pleiotropie ist also eher die Regel (s. u. a. auch **Mukoviszidose** und **Phenylketonurie**).

4.3 Autosomal rezessiver Erbgang

4.3.1 Definition und Art der Weitergabe des Gens

Rezessiv ist ein Gen dann, wenn es nur in homozygotem, nicht aber in heterozygotem Zustand in Erscheinung tritt. Von den Allelen des AB0-Gen-Locus wird das Allel für

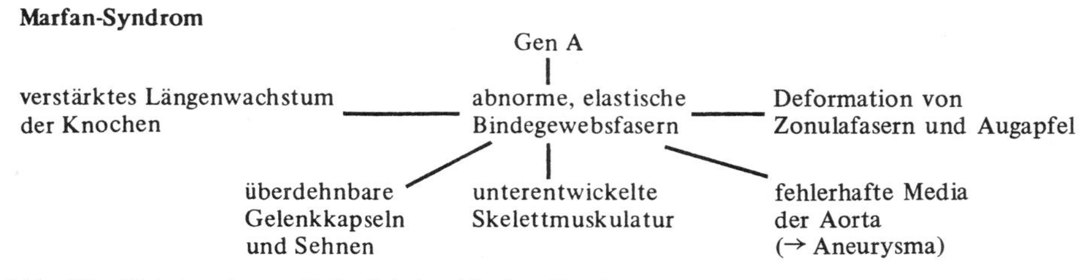

Abb. 62 Pleiotropie am Beispiel des Marfan-Syndroms

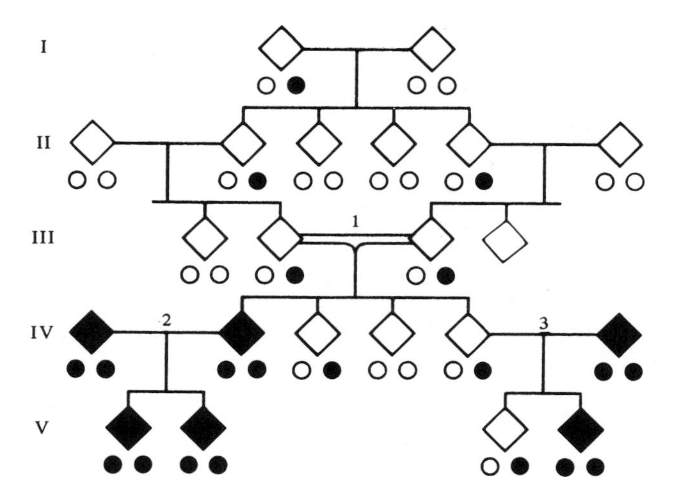

Abb. 63 Schema des autosomal rezessiven Erbgangs (die Rhombenform im Schema wurde gewählt, um zu zeigen, daß das Geschlecht keine Rolle spielt). Bei III 1 Blutsverwandtschaft

die Blutgruppe 0 von den Allelen A oder B überdeckt, der Phänotyp der Blutgruppe ist A oder B. Nur beim homozygoten Genotyp 00 zeigt sich als Phänotyp die Blutgruppe 0. Aus diesem Beispiel wird klar, daß die Begriffe dominant und rezessiv sich komplementär zueinander verhalten. Schematisch sind die Möglichkeiten des autosomal rezessiven Erbgangs in Abb. 63 dargestellt.

Praktisch alle Stoffwechseldefekte werden rezessiv vererbt: in heterozygotem Zustand genügt die genetische Information des „normalen Gens", um z. B. eine ausreichende Enzymaktivität zu gewährleisten. Zum völligen Ausfall der Enzymaktivität kommt es erst, wenn beide Gene keine Information mehr zur Enzymproduktion abgeben (s. 1.3.6).

4.3.2 Häufigkeit

Die Tabelle 12 gibt nach *Carter* (1977) die geschätzten Häufigkeiten der wichtigsten rezessiven Erkrankungen in Europa wieder. Alle übrigen autosomal rezessiven Erkrankungen kommen sehr viel seltener vor (<0,01 auf 1000).

Tabelle 12 Häufigkeiten autosomal rezessiver Erbleiden auf 1000 Lebendgeborene (*Carter* 1977).

Mukoviszidose	0,5	Zystinurie	0,06
Schwere Formen geistiger Retardierung (nicht klassifiziert)	0,5	*Tay-Sachs*sche Erkrankung	0,04
		(bei Ashkenasi-Juden	0,5)
Schwere angeborene Taubheit	0,2	Mukopolysaccharidose Typ I	0,02
AGS	0,14	Metachromatische Leukodystrophie	0,02
Klassische Phenylketonurie	0,1	Galaktosämie	0,02
Neurogene Muskelatrophien	0,1	Galaktokinase-Mangel	0,01
Sichelzellanämie	0,1	Homozystinurie	0,01
Nebennierenhyperplasien	0,1	*Smith-Lemli-Opitz*-Syndrom	0,01

Die Gesamthäufigkeit der rezessiven Erkrankungen beträgt etwa 2,5 auf 1000.

4.3.3 Klinische Beispiele autosomal rezessiver Krankheiten

Mukoviszidose (Zystische Fibrose). Die zystische Fibrose ist ein angeborener Defekt mit den klinischen Zeichen einer Zöliakie, kombiniert mit ernster pulmonaler Symptomatik. Die Sekrete der exokrinen Drüsen weisen eine zu hohe Viskosität auf. Dadurch kommt es zur Pankreasinsuffizienz, die in eine Pankreasfibrose übergeht.

Ungefähr 15 % aller Kinder mit Mukoviszidose entwickeln als Neugeborene einen Mekoniumileus, der durch das Fehlen der Pankreasenzyme entsteht. Danach steht eine Gedeihstörung im Vordergrund der Symptomatik. Die pulmonale Beteiligung entsteht meistens etwas später und beginnt mit den Symptomen einer chronischen Bronchitis, schließlich bilden sich Atelektasen und Bronchiektasen (Abb. 64).

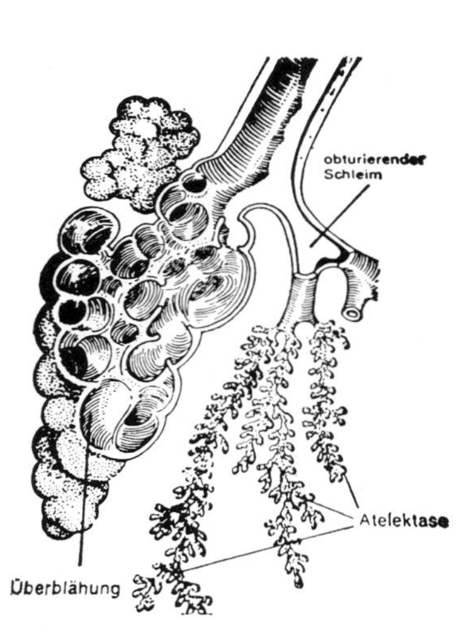

Abb. 64
Schema des Lungenbefundes bei Mukoviszidose

Die Diagnose kann mit Hilfe der Schweißchloridbestimmung sicher gestellt werden, da der NaCl-Gehalt des Schweißes – gemessen mit der Natrium-Iontophorese – ca. 4mal höher ist als bei gesunden Kindern. Der diagnostische Grenzwert liegt bei 70 mval/l. Eine Frühdiagnose ist durch die Bestimmung des Albumin-Gehalts im Mekonium möglich.

Phenylketonurie (PKU, Phenylbrenztraubensäureschwachsinn): Dieses Leiden wurde 1934 erstmals von *Fölling* beschrieben. Es ist ein klassisches Beispiel für ein autosomal rezessives Stoffwechselleiden.

Hauptsymptom der Phenylketonurie ist die schwere geistige Retardierung bzw. der progrediente Schwachsinn durch die Myelinisierungshemmung. Der IQ unbehandelter Kinder ist selten höher als 20. Weiterhin bestehen neurologische Symptome in Form von Krampfanfällen mit typischen EEG-Veränderungen.

Der Stoffwechseldefekt bei der Phenylketonurie ist stark vereinfacht im folgenden Schema (Abb. 65) dargestellt:

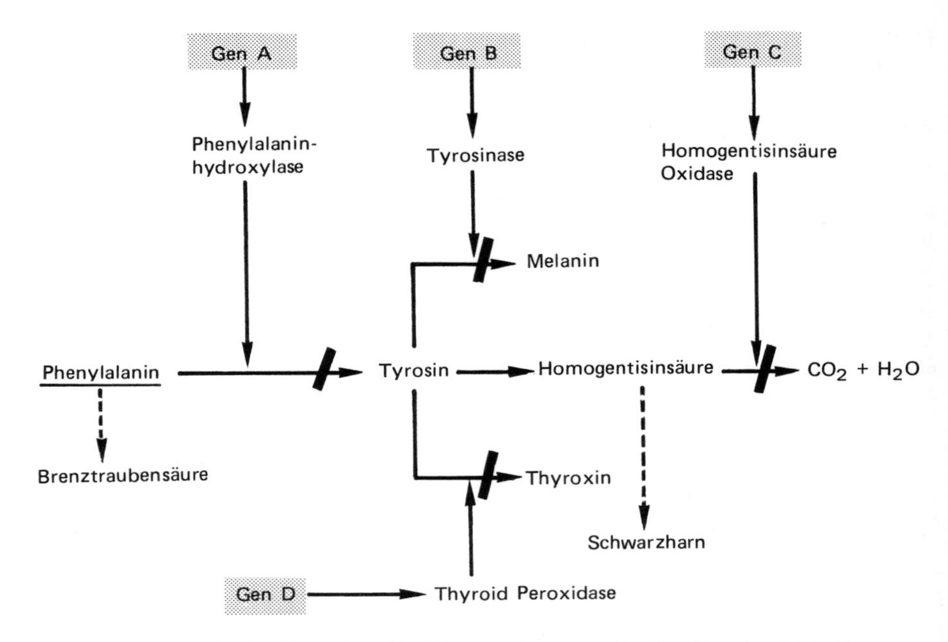

Abb. 65 Schema der im Phenylalanin-Abbau vorkommenden Stoffwechseldefekte

Der Enzymblock führt zunächst zu einer Anhäufung von Phenylalanin im Blut, im Liquor und im Gewebe, und dann zu einer erhöhten Ausscheidung im Urin. Der 1. Schritt, d. h. die Oxydation von Phenylalanin zu Tyrosin wird katalysiert durch das Enzym Phenylalanin-Hydroxylase, das nur in der Leber gebildet wird und in Leberzellen vorhanden ist. In anderen Zellarten, wie z. B. in Hautfibroblasten oder in Amnionzellen des Fruchtwassers ist das Enzym bisher nicht nachweisbar. Die Früherkennung der Phenylketonurie durch den *Guthrie*-Test ist entscheidend für eine sofortige Therapie mit phenylalaninarmer Diät und damit für eine normale geistige Entwicklung der Kinder.

Der *Guthrie*-Test ist ein einfacher und schneller biologischer Test: ein Blutstropfen des etwa 6 Tage alten Neugeborenen wird auf einem entsprechend imprägnierten Filterpapier aufgefangen und auf einen mit Bacterium subtilis beimpften Nährboden gebracht, der einen Hemmstoff (Beta-Thienylalanin) gegen das Bacterium subtilis enthält. Abhängig vom Phenylalaninspiegel im Blut kommt es zu einer Aufhebung der Hemmwirkung und zu einem entsprechenden Wachstumshof im Diffusionsbereich, den man messen kann und von dem man auf die Konzentration von Phenylalanin schließen kann. Die genaue Phenylalanin-Bestimmung im Serum sichert die Diagnose. Durch eine streng einzuhaltende phenylalaninarme Diät bis ca. zum 10. Lebensjahr kann man diese Kinder vor ihrem Entwicklungsrückstand bewahren, so daß sie einen normalen IQ erreichen. Abgesehen von der klassischen Phenylketonurie gibt es noch atypische Formen von Hyperphenylalaninämien, die Probleme der Differentialdiagnostik zeigt die Abb. 66.

Auf Grund der diätetischen Behandlung kommen Patientinnen mit Phenylketonurie heute ins generationsfähige Alter. Neben dem erhöhten genetischen Risiko haben die Kinder ein hohes Risiko einer Embryopathie durch die maternale Phenylketonurie

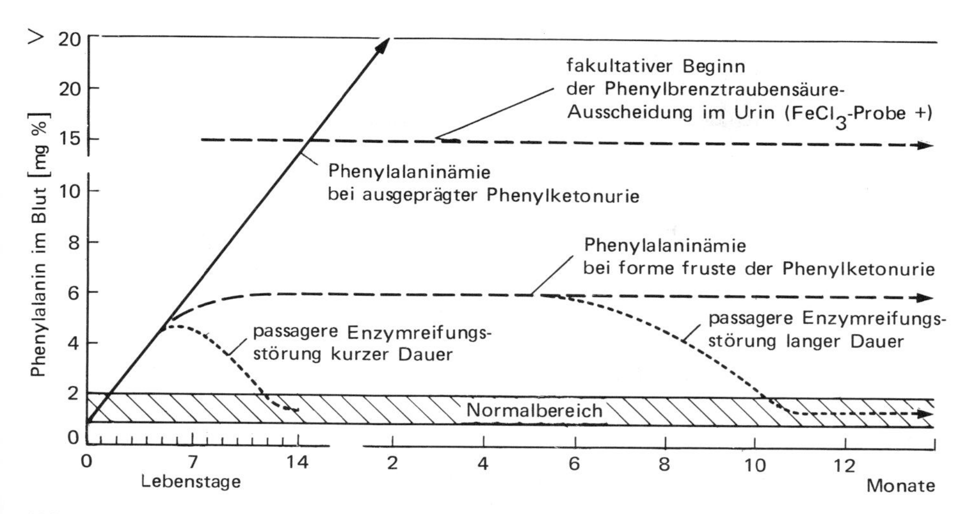

Abb. 66 Verschiedene Phenylalaninämien im ersten Lebensjahr
—— schnell zunehmende Phenylalaninämie der ausgeprägten Phenylketonurie; – – – – geringe Phenylalaninämie bei der „forme fruste" der Phenylketonurie; ······· passagere Reifungsverzögerung der Phenylalaninhydroxylase

(*Held* und *Koepp* 1983). Kinder unbehandelter Mütter wiesen geistige Behinderung (88 %), Mikrozephalie (75 %), intrauterine Wachstumsverzögerung (30 %) und Fehlbildungen (17 %) auf. Wurde erst nach der Konzeption behandelt, war das Risiko kaum geringer (50 % geistige Retardierung, 45 % Mikrozephalie).

Eine Lösung scheint nur in der Beibehaltung der phenylalaninarmen Diät über das 10. Lebensjahr hinaus bis zum Ende des fortpflanzungsfähigen Alters zu liegen.

4.3.4 Klinische Bedeutung rezessiver Gene

Aus dem Kombinationsquadrat Abb. 58 b läßt sich zeichnerisch ableiten, warum ¼ der Kinder für das pathologische Gen a heterozygoter Elternpaare krank (= homozygot) sein werden. Das gleiche Kombinationsquadrat zeigt, daß von drei phänotypisch gesunden Kindern heterozygoter Eltern zwei selbst wieder heterozygot sind. Diese beiden heterozygoten Kinder machen folglich im Durchschnitt ⅔ der phänotypisch gesunden Kinder überhaupt aus.

Beim rezessiven Erbgang kommt in der Verwandtschaft eines Betroffenen meist kein weiterer Merkmalsträger vor (Abb. 63). Die unter Ziffer 1 im Modellstammbaum dargestellte Kombination ist theoretisch die typische: 2 heterozygote Eltern haben unter 4 Kindern 1 homozygot krankes Kind. Je seltener ein rezessives Gen ist, um so unwahrscheinlicher ist es, daß heterozygote Geschwister eines homozygot kranken Kindes oder heterozygote Geschwister der Eltern andere Heterozygote aus der Normalpopulation heiraten, so daß Homozygotie und damit das Auftreten der Krankheit der Ausnahmefall bleibt.

Da bei einem rezessiven Leiden für jedes Kind ein Risiko von ¼ besteht, homozygot zu erkranken, ergibt sich das Risiko für z. B. zwei kranke Kinder aus dem Produkt der

Einzelrisiken: es beträgt also $\frac{1}{4} \times \frac{1}{4} = \frac{1}{16}$. Die Wahrscheinlichkeit, daß eines von zwei Kindern krank ist, errechnet sich folgendermaßen: Die Wahrscheinlichkeit, daß das erste von zwei Kindern krank ist, ist $\frac{1}{4}$, die Wahrscheinlichkeit, daß das zweite gesund ist, ist $\frac{3}{4}$; damit ist die Gesamtwahrscheinlichkeit für eine solche Geschwisterkonstellation (krank/gesund) $\frac{1}{4} \times \frac{3}{4} = \frac{3}{16}$. Gleich groß ist die Wahrscheinlichkeit nun, daß das erste Kind gesund und das zweite Kind krank ist. Wiederum errechnet sich eine Wahrscheinlichkeit von diesmal $\frac{3}{4} \times \frac{1}{4} = \frac{3}{16}$. Die Gesamtwahrscheinlichkeit, daß eines von zwei Kindern krank ist, beträgt also $\frac{6}{16}$. Mit einer Wahrscheinlichkeit von $\frac{3}{4} \times \frac{3}{4} = \frac{9}{16}$ werden beide Kinder gesund sein.

Die errechneten Wahrscheinlichkeitsziffern für das Erkrankungsrisiko bei rezessiven Erbleiden machen klar, daß man von 16 Zwei-Kinder-Familien, in denen beide Eltern heterozygot sind, nur 7 erfassen würde, ginge man nur von den erkrankten Probanden aus. Die 9 Familien, in denen beide Kinder gesund sind, wird man bei einer Erfassung nur über die kranken Probanden nicht finden. Bei den 7 erfaßten Zwei-Kinder-Familien finden sich insgesamt 8 kranke (7 Probanden und 1 krankes Geschwister) und nur 6 gesunde Kinder. Statt des zu erwartenden krank-zu-gesund = 1 : 3-Verhältnisses hätte man hier also ein 4 : 3-Verhältnis. Erst wenn man durch eine mathematische Korrektur die 9 gesunden Familien mit je 2 Kindern, also 18 Kinder, die nicht erfaßt wurden, dazu rechnet, kommt man auf das erwartete Verhältnis von 8 kranken zu 6 + 18 = 24 gesunden Kindern, also auf das 1 : 3-Verhältnis (Abb. 67).

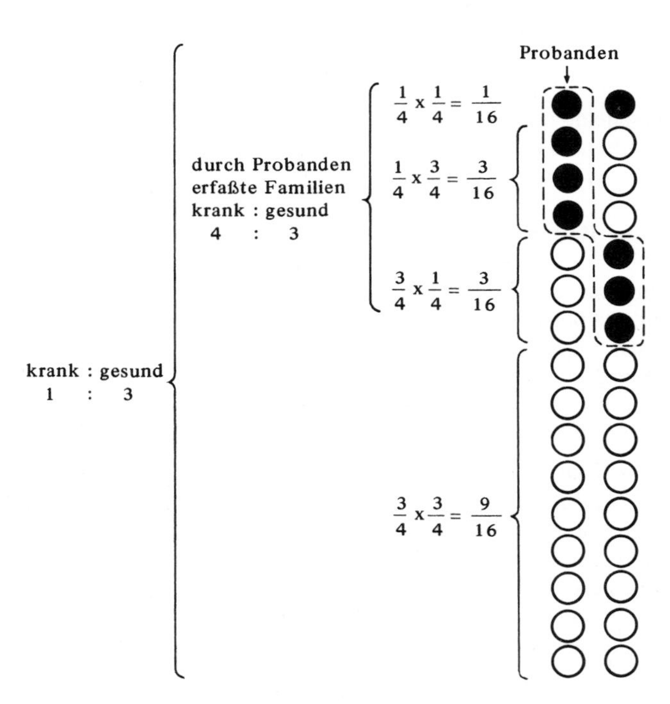

Abb. 67 Korrektur der durch Probandenauswahl ermittelten Wahrscheinlichkeitsziffern in Zwei-Kinder-Familien (*Weinberg*sche Geschwisterkorrektur)

4.3.5 Blutsverwandtschaft

Das Risiko, daß seltene Gene, die gleichmäßig in der Bevölkerung verteilt sind, zusammentreffen, ist relativ gering. Das Risiko steigt jedoch an, wenn blutsverwandte Personen heiraten, da beide einen Teil ihres Erbgutes gemeinsam haben. Bei häufigen Genen ist die Bedeutung der Blutsverwandtschaft nicht allzu hoch, denn auch unter nichtverwandten Personen ist das Risiko groß, auf einen heterozygoten Partner zu stoßen. Je seltener jedoch ein pathologisches Gen wird, um so eher wird es nur bei Blutsverwandtenehen zu Homozygotie und damit zu kranken Kindern kommen. Wenn im Extremfall ein pathologisches Gen nur in einer einzigen Familie vorkommt, kann Homozygotie nur dann auftreten, wenn sich Blutsverwandte heiraten. Die Abb. 63 stellt die Blutsverwandtschaft einer Vetter/Basen-Ehe bei Ziffer 1 dar.

Die Ursachen für die Häufigkeit autosomal rezessiver Gene in Isolaten oder kulturell abgegrenzten Bevölkerungsgruppen sind im Abschnitt Populationsgenetik (s. 8.3) besprochen. Für die *Tay-Sachs*sche Krankheit (infantile amaurotische Idiotie) ist die Frage nicht restlos entschieden, ob ihre auffallende Häufigkeit in Volksgruppen von Ashkenazi-Juden (Heterozygotenfrequenz 1 : 30 gegenüber 1 : 300 in anderen Populationen) Folge einer Isolatbildung dieser Gruppe ist oder Folge eines bisher unbekannten Heterozygotenvorteils (s. 8.4).

4.3.6 Pseudodominanz

Hat ein an einem rezessiven Gen homozygot Erkrankter Kinder mit einem Partner, der bezüglich des pathologischen Gens heterozygot ist, so wird sich unter den Kindern ein Aufspaltungsverhältnis von 1 : 1 gesund zu krank, also anscheinend wie beim dominanten Erbgang, einstellen. In Abb. 63 ist diese Möglichkeit der Pseudodominanz bei Ziffer 3 dargestellt.

4.3.7 Heterozygotentests

Der Nachweis heterozygoter Träger eines pathologischen rezessiven Gens ist für die genetische Beratung von besonderer Bedeutung (s. 10.2). Drei klinisch praktische Möglichkeiten bieten sich an:

1. die *Bestimmung der Enzymaktivität:* die Enzymaktivitäten Heterozygoter z. B. bei der **Galaktosämie** (Galaktose-1-Phosphat-Uridyl-Transferase) bei der **Glykogenose Typ I** (Glukose-6-Phosphatase) oder bei der **Histidinämie** (Histidin-Desaminase) liegen recht genau in der Mitte zwischen den Enzymaktivitäten homozygot Normaler und homozygot Kranker (s. 1.3.6).

2. Heterozygote können durch die *abgeschwächte Manifestation des Merkmals* nachgewiesen werden: bei der **Mukopolysaccharidose Typ III** *(Sanfilippo)* finden sich im homozygoten Zustand hochgradiger Schwachsinn, eine typische Dysmorphie des Gesichtes und vermehrte Ausscheidung von Heparansulfat im Urin. Bei Heterozygoten ist die Intelligenz intakt, phänotypisch findet sich keine Auffälligkeit, es wird jedoch gleichfalls vermehrt Heparansulfat im Urin ausgeschieden.

3. *Belastung* eines Probanden *mit der abzubauenden Substanz* (z. B. Phenylalanin bei **Phenylketonurie**): man wird bei dem Heterozygoten einen deutlich stärkeren Anstieg der Phenylalaninkonzentration im Blut finden als beim homozygot Gesunden, außer-

dem steigt der Spiegel des Tyrosin, in das das Phenylalanin umgebaut werden sollte, im Blut sehr viel weniger deutlich an.

4.4 X-chromosomale Vererbung

4.4.1 Definition und Art der Weitergabe X-chromosomal rezessiver Gene

Kenntnisse über die besondere Art dieses Vererbungsmodus lassen sich weit in der Geschichte zurückverfolgen: Seit dem 2. Jahrhundert unserer Zeitrechnung brachte der *Talmud* Regeln, welche die Beschneidung von Knaben solcher Mütter betraf, die bereits zwei Söhne durch Verbluten infolge des Eingriffs verloren hatten: Weitere Söhne sowie Söhne der Schwestern der betreffenden Mutter waren von dem Ritual dispensiert. Dagegen behandelte man die Söhne desselben Vaters mit einer anderen Mutter wie normale Knaben. Damit ist bereits ein X-chromosomal rezessiver Defekt genannt: die Hämophilie.

Die Abb. 68 zeigt das Schema des X-chromosomal rezessiven Erbgangs. Da das X-Chromosom beim Mann keinen homologen Partner besitzt, haben die dort lokalisierten Gene auch keine Allele. Ein rezessives Gen führt folglich in diesem als hemizygot bezeichneten Zustand bereits in einfacher Dosis zur Manifestation des Merkmals, weil kein gesundes Allel zur Kompensation zur Verfügung steht. Genetisch sind folgende Fälle typisch:

(1) Ein hemizygot befallener Mann (x, Y) wird mit einer bezüglich des betrachteten Merkmals homozygot gesunden Frau (X, X) nur genotypisch gesunde *Söhne* haben, denn das X-Chromosom stammt immer von der Mutter (Abb. 24). Alle Töchter sind Konduktorinnen (Überträgerinnen). Sie tragen das X-Chromosom mit dem mutierten Gen des Vaters (x) und ein normales X-Chromosom der Mutter. Sie sind also alle heterozygot und infolge der Dominanz des normalen Allels phänotypisch gesund (X, x) (Abb. 68, 1).

(2) Konduktorinnen übertragen das X-Chromosom mit dem mutierten Gen bei einer Ehe mit einem gesunden Mann auf die Hälfte ihrer Söhne und Töchter. Hemizygot (x, Y) kranke wie normale (X, Y) Söhne treten in einem Verhältnis 1 : 1 auf, ebenso wie heterozygote Töchter (Überträgerinnen, Konduktorinnen, X, x) und homozygot gesunde Töchter (X, X) im Verhältnis 1 : 1 (Abb. 68, 2).

(3) Homozygotie für das rezessive Gen kann bei Frauen auftreten, wenn ein hemizygoter Mann mit einer heterozygoten Überträgerin Kinder hat. Mit gleicher Häufigkeit sind befallene Söhne, befallene Töchter, gesunde Söhne und phänotypisch gesunde, aber heterozygote Töchter zu erwarten (Abb. 68, 3).

(4) Eine homozygote Frau hat mit einem gesunden Mann nur hemizygote, also befallene Söhne und heterozygote Töchter (Abb. 68, 4).

(5) Ein hemizygoter Mann hat mit einer homozygoten Frau nur befallene Kinder (Abb. 68, 5).

Wir haben gesehen, daß die Häufigkeit hemizygot befallener Männer (nehmen wir als Beispiel die Rot-Grün-Blindheit) gleich der Häufigkeit des X-Chromosoms mit dem mutierten Gen (für Rot-Grün-Blindheit) in der männlichen Bevölkerung ist, da ja jeder hemizygote Träger des Gens gleichzeitig Merkmalsträger ist. Bei einer Häufigkeit des mutierten Gens für die Rot-Grün-Blindheit a von 8 % ($q = 0{,}08$) beträgt die Häufigkeit des farbtüchtigen Normalallels A : $p = 1 - q = 0{,}92$. Diese Werte stellen, darauf soll noch einmal hingewiesen werden, nicht nur die Häufigkeit der Gene a (für Rot-Grün-Blindheit), A (für Normalsichtigkeit) in der männlichen, sondern in der Gesamtbevölkerung dar, da die X-Chromosomen der Männer (⅓) und der Frauen (⅔) ja von Generation zu Generation neu durchmischt werden und die prozentuale Ausprägung des Merkmals in der männlichen Bevölkerung der Genfrequenz entspricht. Nach dem *Hardy-Weinberg*-Gesetz (s. 8.2) lassen sich aus den Genhäufigkeiten die Prozentsätze Rot-Grün-Blinder sowie der heterozygoten Überträgerinnen und homozygot farbentüchtiger Frauen in der Bevölkerung errechnen: Die Wahrscheinlichkeit, daß bei der Konzeption eines Mädchens 2X-Chromosomen mit dem mutierten Gen a (a, a) zusammentreffen, beträgt $q^2 = (0{,}08)^2 = 0{,}0064 = 0{,}6\,\%$. Dieser Wert stimmt gut mit der beobachteten Häufigkeit von 0,5 % homozygot farbenblinder Frauen überein. Der Prozentsatz von heterozygoten Frauen ergibt sich nach dem *Hardy-Weinberg*-Gesetz mit $2pq = 2 \times 0{,}08 \times 0{,}92 = 0{,}15$, d. h. rund 15 % der Frauen sind Überträgerinnen für die Rot-Grün-Blindheit.

Für die X-rezessive Glukose-6-Phosphat-Dehydrogenase sind bisher etwa hundert Varianten beschrieben worden, die u. a. folgende Krankheitsbilder bewirken: Chronisch hämolytische Anämie oder Hämolyse nach der Einnahme von bestimmten Chemikalien (Sulfonamide) oder Genuß der Fava-Bohne u. ä. Solchen Varianten liegen verschiedene Mutationen am gleichen Genort zugrunde.

Bei X-chromosomal rezessiven Genen, die für Enzyme codieren, findet man gemäß der *Lyon*-Hypothese (s. 2.3) unterschiedliche Genaktivitäten in den Einzelzellen.

4.4.1.1 Häufigkeit

Die beiden wichtigsten X-chromosomal vererbbaren Krankheiten sind die Muskeldystrophie *(Duchenne)* mit einer Häufigkeit von 0,3 auf 1000 männliche Lebendgeborene und die klassische Hämophilie A mit einer Häufigkeit von 0,1 auf 1000 männliche Lebendgeborene. Weitere klinisch bedeutsame Leiden, die mit einer Frequenz zwischen 0,1 und 0,01 auf 1000 vorkommen, sind:

Hämophilie B, X-chromosomal bedingte Taubheit, X-chromosomal bedingter Nystagmus, Hypogammaglobulinämie Typ *Bruton,* hypophosphatämische Rachitis, anhydrotische ektodermale Dysplasie, X-chromosomal bedingte Aquaduktstenose, X-chromosomal bedingte Amelogenesis imperfecta, X-chromosomal vererbter Schwachsinn.

Die Gesamthäufigkeit aller bisher bekannten X-chromosomal bedingten Leiden wird auf 0,8 auf 1000 männliche Lebendgeborene geschätzt.

4.4.1.2 Klinische Beispiele

Hämophilie A: Das Gen für den Faktor VIII der Blutgerinnung (antihämophiles Globulin) ist defekt. Der Übergang vom Prothrombin zum Thrombin ist stark verzögert, so daß es z. B. nach Traumata oder Schleimhautalterationen zu schwer stillbaren Blutungen, häufig in die Gelenke, kommt. Ähnlich ist der Vorgang bei der Hämophilie B, die dem gleichen Erbgang folgt: Hier fehlt der Faktor IX (Christmas-Faktor), wodurch wiederum die Thrombin-Bildung gestört ist.

Die **infantile progressive Muskeldystrophie, Typ Duchenne** ist eine X-chromosomal vererbte Myopathie (s. Abb. 23), bei der das primäre pathologische Genprodukt unbekannt ist. Klinisch kommt es schon im Kleinkindalter zu Dystrophien der Bekkengürtel-, Oberschenkel- und Wadenmuskulatur. Dabei entsteht durch Fetteinlage-

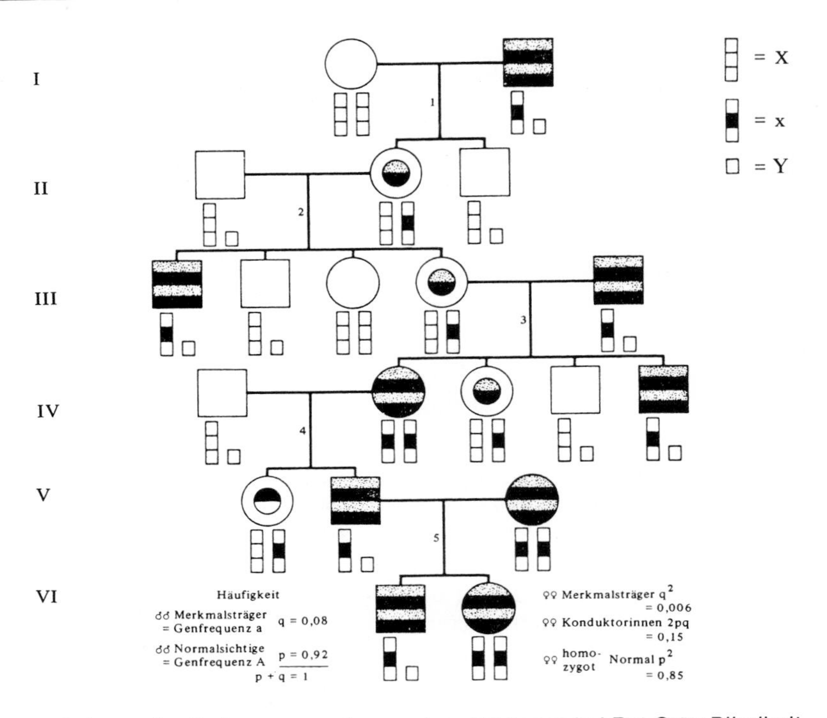

Abb. 68 Schema des X-chromosomal rezessiven Erbgangs bei Rot-Grün-Blindheit

rung eine typische Pseudohypertrophie der Wadenmuskulatur (Gnomenwaden). Das Leiden endet letal im 2. Lebensjahrzehnt (Heterogenie der Muskeldystrophien s. S. 93, s. ferner auch 4.2.4 Letalfaktor).

Rot-Grün-Blindheit: Hier können die verschiedenen Formen unterschieden werden: Rotblindheit, Protanopie und -anomalie; Grünblindheit, Deuteranopie und -anomalie.

4.4.2 Definition und Art der Weitergabe X-chromosomal dominanter Gene

Im Gegensatz zum X-chromosomal rezessiven Erbgang ist für ein X-chromosomal dominantes Merkmal charakteristisch, daß es bei Männern *und* Frauen, bei Frauen jedoch doppelt so häufig wie bei Männern, auftritt. Im einzelnen sind genetisch folgende Fälle typisch (s. Abb. 69):

(1) Alle Söhne befallener Männer sind merkmalsfrei, bei allen Töchtern tritt das Merkmal in Erscheinung.

(2) Unter den Kindern weiblicher heterozygoter Merkmalsträger findet sich eine 1 : 1-Aufspaltung wie beim autosomal dominanten Erbgang unabhängig vom Geschlecht, wenn der Vater hemizygot gesund war.

(3) Sind Vater und Mutter befallen, tragen sämtliche Töchter das Merkmal und die 1 : 1-Aufspaltung tritt nur bei den Söhnen ein.

(4) Die Kinder homozygoter weiblicher Merkmalsträger sind alle befallen, gleichgültig ob der Vater hemizygot normal war oder

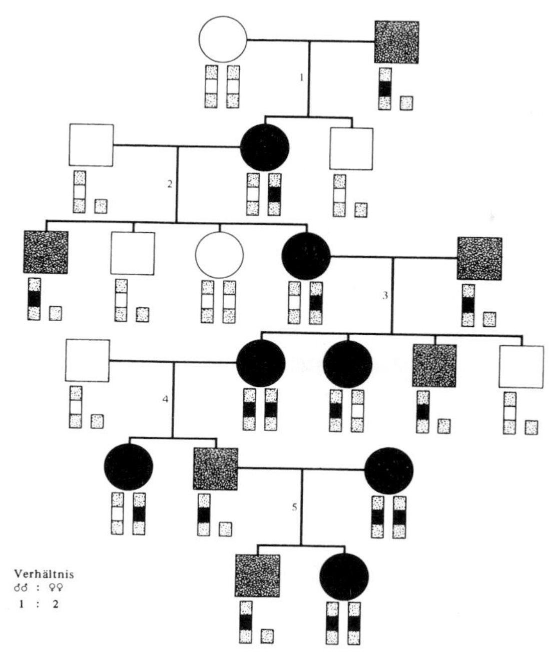

Abb. 69 Schema des X-chromosomal dominanten Erbgangs

(5) auch befallen ist.

Bei spärlichem Beobachtungsmaterial (z. B. nur Fall 2, 3, 4 oder 5) ist es schwierig, den X-chromosomal dominanten Erbgang abzugrenzen. Beweisend ist, wenn befallene Väter immer nur befallene, nie gesunde Töchter und immer nur gesunde, nie kranke Söhne haben (Fall 1, Abb. 69).

Das männliche Geschlecht ist bei X-chromosomal dominanter Vererbung im allgemeinen schwerer betroffen, da in allen Zellen das dominante Gen hemizygot, d. h. ohne Allel vorliegt. Im weiblichen Geschlecht haben wir nach der *Lyon*-Hypothese (s. 2.3) ein Mosaik aus Zellen, in denen entweder das X-Chromosom mit dem mutierten dominanten Gen inaktiviert ist – solche Zellen werden phänotypisch normal sein – oder in denen das X-Chromosom mit dem normalen Gen inaktiviert ist. In diesen Zellen tritt der pathologische Phänotyp in Erscheinung.

Das klassische Beispiel X-chromosomal dominanter Vererbung ist die **Vitamin-D-resistente hypophosphatämische Rachitis (Phosphatdiabetes).** Das Leiden ist selten, Hypophosphatämie und Hyperphosphaturie aufgrund einer Störung der tubulären Rückresorption sind die Ursache des Krankheitsbildes, das sich in rachitischen Skelettveränderungen manifestiert. Physiologische Vitamin-D-Gaben bewirken keinen therapeutischen Effekt.

Männliche Hemizygote zeigen durchweg stärker ausgeprägte Skelettveränderungen und deutliche Hypophosphatämie, während bei heterozygoten Frauen die Skelettanomalien sehr diskret sein können, zuweilen ganz fehlen, und die Hypophosphatämie im Grenzbereich zum Normalen liegen kann.

4.5 Gen-Kopplung

Gene, die in verschiedenen Autosomen gelagert sind, trennen und kombinieren sich unabhängig voneinander nach den *Mendel*schen Regeln. Gene im gleichen Chromosom werden zusammen übertragen, sie sind gekoppelt (*Morgan* 1910). Kopplung wird durch das Crossing-over durchbrochen; morphologische Grundlage des Crossing-over sind die Überkreuzungen der homologen Chromosomen, die Chiasmata in der Meiose (s. 2.1.2). Dabei werden Stücke der homologen Chromosomen ausgetauscht. Schon *Morgan* folgerte, daß die Häufigkeit des Gen-Austausches vom Abstand der Gene im Chromosom abhängt (s. 3.9.1). Beim Menschen lassen sich Kopplung und Austausch am einfachsten im X-Chromosom feststellen, da durch den typischen X-chromosomal rezessiven Erbgang auf diesem Chromosom rein formalgenetisch die Gene lokalisiert werden können. Zum ersten Mal konnten *Verschuer* und *Rath* 1938 ein Crossing-over beim Menschen nachweisen, und zwar zwischen den Genen für Bluterkrankheit und der Rot-Grün-Blindheit (Abb. 70).

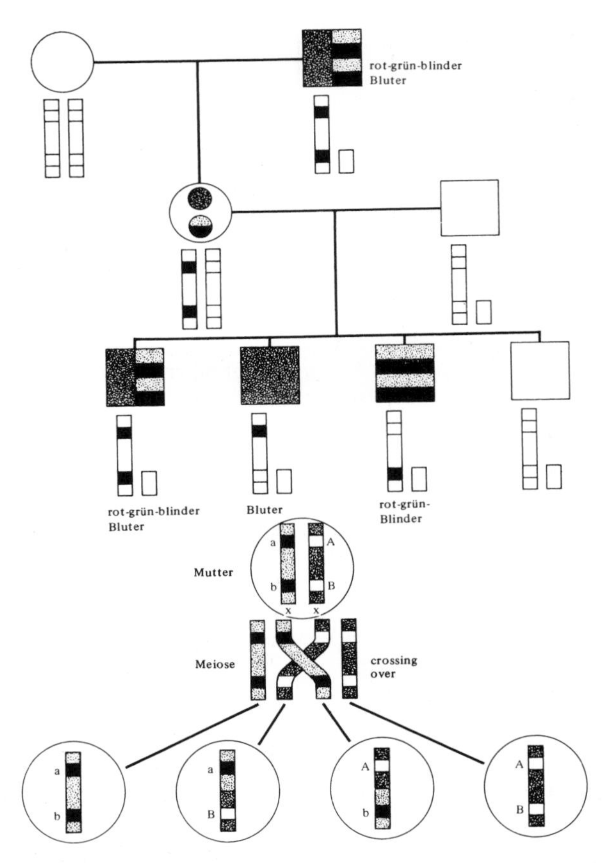

Abb. 70 Genaustausch im X-Chromosom einer Mutter, von deren vier Söhnen zwei das ursprüngliche X-Chromosom tragen (rot-grün-blinder Bluter bzw. Gesunder) und zwei ein durch Crossing-over in der Meiose verändertes X-Chromosom tragen (Bluter bzw. rot-grün-Blinder)

Nachweis von Kopplung kann für die genetische Beratung wichtig sein. Durch die Kopplung zwischen HLA und C21-Hydroxylase können beim AGS die homozygoten und die heterozygoten Genträger in der Familie des Patienten durch HLA-Typisierung identifiziert werden (s. Abb. 29).

4.5.1 Korrelation

Der Begriff *Korrelation* liegt auf der Ebene des Phänotyps: Merkmale, die überdurchschnittlich häufig gemeinsam auftreten, sind miteinander korreliert. Das können die einzelnen Symptome eines Syndroms sein, wie die Polydaktylie, Retinopathie und Adipositas beim **Laurence-Moon-Biedl-Syndrom,** oder die Bindegewebsschwäche, Linsenluxation und Neigung zum Aortenaneurysma beim **Marfan-Syndrom.** Die Korrelation der Merkmale ist jedoch Ausdruck der Pleiotropie eines einzelnen Gens. Korrelation ist von Gen-Kopplung streng zu trennen.

4.6 Geschlechtsbegrenzung

Geschlechtsgebundene Vererbung liegt immer dann vor, wenn die Gene, die das Merkmal bzw. eine Krankheit verursachen, auf dem X-Chromosom liegen. (Für das Y-Chromosom sind bisher außer dem Gen, das die Synthese des HY-Antigens kontrolliert, keine Gene bekannt.) Beispiele sind die rezessiv X-chromosomal und dominant X-chromosomal vererbten Merkmale. Geschlechtsbegrenzt ist die Vererbung von Merkmalen, die sich nur in einem Geschlecht manifestieren können. Die betreffenden Gene liegen auf den Autosomen, ein Beispiel ist die **Hypospadie.** Von relativer Geschlechtsbegrenzung spricht man, wenn ein genetisch bedingtes Leiden sich überwiegend in einem Geschlecht manifestiert. Diese relative Geschlechtsbegrenzung findet sich vor allem bei multifaktoriellen Leiden (s. 5.3). Sie ist sehr wichtig für die genetische Beratung (s. 10.5.1).

4.7 Heterogenie

Heterogenie bedeutet, daß klinisch praktisch gleiche Merkmale durch ganz verschiedene Gene bedingt sein können. Auf Heterogenie können zunächst formalgenetische Kriterien hindeuten. So konnte man von Anfang an bei den **Mukopolysaccharidosen** Heterogenie annehmen, da der Typ I *(Pfaundler-Hurler)* sich vom Typ II *(Hunter)* bereits im Erbgang unterschied: Der Typ I wird autosomal rezessiv, der Typ II X-chromosomal rezessiv vererbt. Beide Krankheiten entstehen durch pathologische Speicherung saurer Mukopolysaccharide auf Grund genbedingter lysosomaler Enzymdefekte. Genaue Analysen haben gezeigt, daß den klinisch ähnlichen Phänotypen biochemisch unterschiedliche Enzymdefekte zugrunde liegen.

Abb. 71 veranschaulicht den Phänotyp nach einem Foto aus der Originalarbeit von *Gertrud Hurler* (1920). Tab. 13 zeigt vereinfacht verschiedene Formen der Mukopolysaccharidosen. Der Erbgang ist bis auf Typ II (X-chromosomal rezessiv) bei allen Formen autosomal rezessiv.

Ein weiteres Beispiel für Heterogenie bilden die **Muskeldystrophien** (Tab. 14) und die **Ehlers-Danlos-Syndrome.**

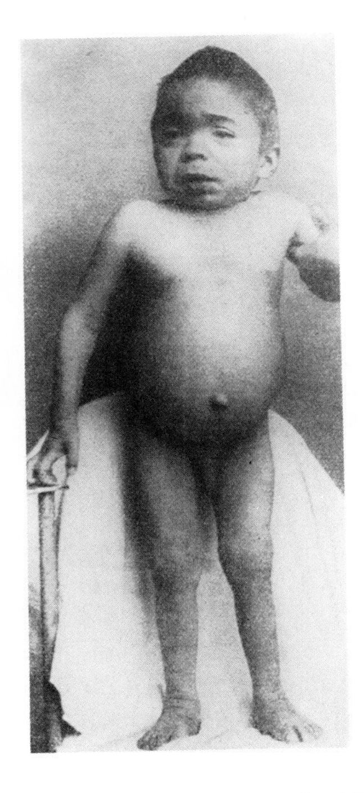

Abb. 71 Pfaundler-Hurler-Syndrom (Mukopolysaccharidose Typ I). Der abgebildete Patient ist eines der Kinder, an dem *Gertrud Hurler* und *Meinhard v. Pfaundler* 1919 auf einer Sitzung der Münchner Kinderärztlichen Gesellschaft erstmals das klinische Bild definierten

Tabelle 13 Diagnose der Mukopolysaccharidosen

Erkrankung	klinische Merkmale	Enzymdefekt
Mukopolysaccharidose I/V (M. Hurler)	gargoyloides Gesicht, Skelettabnormitäten, frühe psychomotorische Retardierung, Korneatrübung, Hepatosplenomegalie, Tod meist vor dem 10. Lebensjahr	alpha-L-Iduronidase
Mukopolysaccharidose II (M. Hunter)	später Beginn, klare Kornea, Skelettabnormitäten, geistige Retardierung, Hepatosplenomegalie, Tod vor dem 20.–30. Lebensjahr	Iduronatsulfatase
Mukopolysaccharidose III (M. Sanfilippo)	normale Entwicklung in den frühen Lebensjahren, später psychomotorische Retardierung, neurologische Ausfallserscheinungen, Tod meist vor dem 2. Lebensjahrzehnt	Typ A: Heparansulfatase Typ B: N-Azetyl-alpha-D-Glukosaminidase
Mukopolysaccharidose IV (M. Morquio)	schwere Skelettabnormitäten, Zwergwuchs, Korneatrübung, Hepatosplenomegalie, Tod meist im 1.–2. Lebensjahrzehnt, Taubheit	Chondroitin-Sulfat-Sulfatase
Mukopolysaccharidose V/I (M. Scheie)	grobe Gesichtszüge, gewöhnlich normale Intelligenzentwicklung, geringe Skelettabnormitäten, Tod im Erwachsenenalter	alpha-L-Iduronidase
Mukopolysaccharidose VI (M. Maroteaux-Lamy)	schwere Skelettabnormitäten, normale Intelligenzentwicklung, Korneatrübung, Lebenserwartung bis zum Erwachsenenalter	Arylsulfatase B
Mukopolysaccharidose VII	psychomotorische Retardierung, grobe Gesichtszüge, Hepatosplenomegalie, Granulozyteneinschlüsse	β-Glukuronidase

Tabelle 14 Genetische Typen von Muskeldystrophie (aus *Becker* 1978)

I. X-chromosomale Typen
1. Infantiler oder maligner Typ (*Duchenne*)
2. Juveniler oder benigner Typ (*Becker-Kiener*)
3. Benigner Typ mit Frühkontrakturen (*Cestan-Lejonne* und *Emery-Dreifuss*)
4. Später Typ (*Heyck-Laudahn*)
5. Hemizygot letaler Typ (*Henson-Muller-De Myer*)?

II. Autosomal dominanter Typ
Fazio-skapulo-humerale Muskeldystrophie (*Erb-Landouzy-Déjérine*)

III. Autosomal rezessive Typen
1. Infantiler Typ
2. Juveniler Typ
3. Adulter Typ
4. Schultergürteltyp

Ein sicherer Beweis für Heterogenie liegt vor, wenn aus einer Ehe von zwei an einer rezessiven Krankheit homozygot erkrankten Eltern nur Kinder hervorgehen, die bezüglich des Merkmals gesund sind. Ein besonders überzeugendes Beispiel bietet die **Taubstummheit:** Es zeigt sich, daß etwa ⅔ der taubstummen Paare ausschließlich hörgesunde Kinder haben; je ⅙ haben entweder ausschließlich gleichfalls taube Kinder oder Kinder, bei denen sich die Zahl der kranken und hörgesunden Kinder etwa die Waage hält (Abb. 72). Das genetische Modell für diese drei Formen der Weitergabe ist in Abb. 73 a, b und c gegeben:

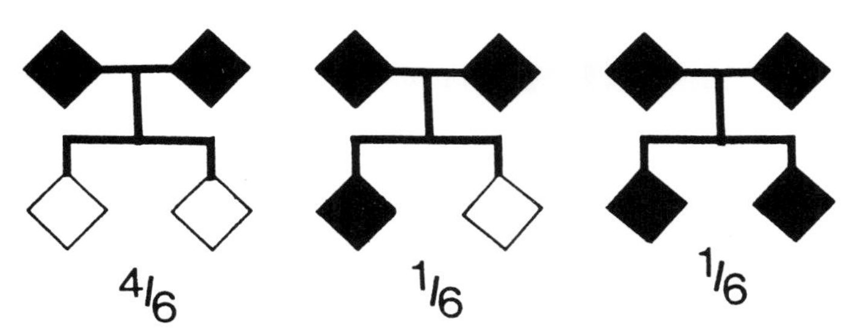

Abb. 72 Nachkommenschaft aus der Verbindung homozygot erkrankter Partner. Beispiel Taubstummheit

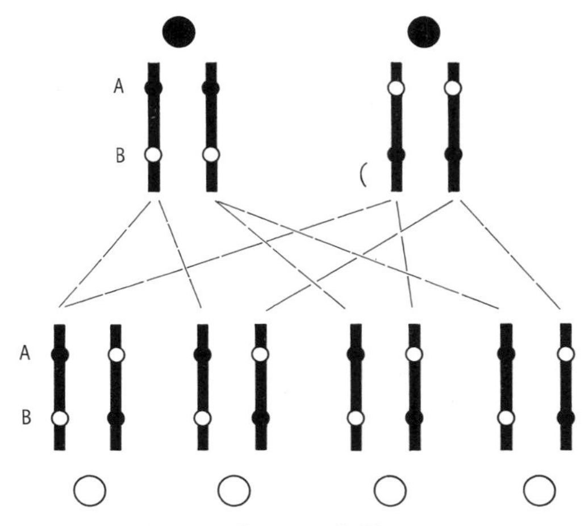

Abb. 73 a Homozygotie verschiedener Genorte (A,B)

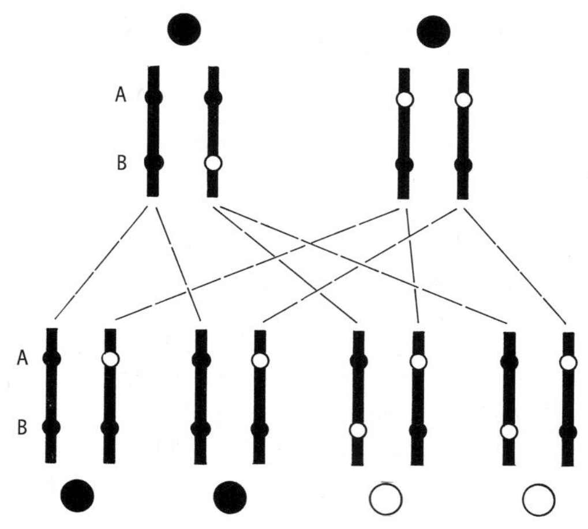

Abb. 73 b Homozygotie verschiedener Genorte (A,B) und Heterozygotie für den homozygoten Genort des Partners (B)

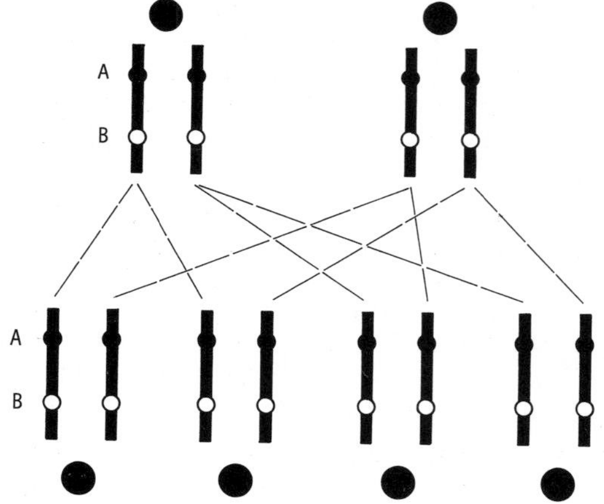

Abb. 73 c Homozygotie des gleichen Genortes (A)

Zwei Eltern, deren Taubheit auf der Homozygotie verschiedener Taubheitsgene (AB) beruht, können formalgenetisch nur hörgesunde Kinder haben, die aber sämtlich heterozygot sind für beide Taubheitsgene (Abb. 73 a).

Bei Eltern, die hörgesunde und hörkranke Kinder haben, muß angenommen werden, daß der eine Partner neben der Homozygotie für das Gen A in unserem Modell noch heterozygot für das Gen B ist. Mit einem Partner, der homozygot das pathologische Gen B trägt, wird er statistisch gesehen zur Hälfte hörgesunde und zur Hälfte hörkranke Kinder haben (Abb. 73 b).

Sind die beiden Partner homozygot für den gleichen Genort (A), so können sie formalgenetisch nur hörkranke Kinder haben (Abb. 73 c).

Im allgemeinen kann die Heterogenie eines genetischen Leidens erst dann genau definiert werden, wenn verschiedene Genotypen über primäre Genprodukte zu differenzieren sind. Es ist wahrscheinlich, daß viele auch der klinisch bedeutenden Leiden, wie z. B. die Mukoviszidose, genetisch keine Einheit sind.

5 Multifaktorielle (polygene) Vererbung

Eine große Zahl erbabhängiger Merkmale, normaler wie pathologischer, wird nicht durch ein einziges Genpaar (monogen) bestimmt, sondern durch viele Genpaare (polygen).

Der erste Versuch, polygene Vererbung beim Menschen aufzuklären, stammt wohl von G. u. C. Davenport 1910, die die Hautfarbe von Mischlingen zwischen Weißen und Negern in Westindien daraufhin untersuchten. Bis heute ist kein Beispiel polygener Vererbung beim Menschen methodisch einwandfrei aufgeklärt und bewiesen, obgleich zahllose Untersuchungsbefunde über die in Frage kommenden Merkmale wie Körpergröße, Begabung oder verschiedene Krankheiten deutlich dafür sprechen.

5.1 Erbgrundlage normaler Merkmale

Bekanntlich werden nicht reale Merkmale vererbt, sondern codierte Informationen. Die Erbinformation steckt den Kreis des Möglichen ab, aber die Umwelt hat großes Mitspracherecht, was realisiert wird und wie es realisiert wird. Die erblichen Anweisungen sind mehr oder weniger streng und erlauben mehr oder weniger Spielraum: Es gibt umweltlabile (z. B. Körpergewicht) und umweltstabile (z. B. Körperhöhe) Eigenschaften.

Bei Polygenie ist an der phänotypischen Ausprägung eines Merkmals eine größere Zahl von Genen beteiligt, die sich von Generation zu Generation neu kombinieren; dazu kommen häufig noch Umweltfaktoren. Wir sprechen bei solchen Merkmalen von polygener Vererbung bzw. multifaktorieller Bedingtheit. Die Wirkung mehrerer Gene kann sich addieren (additive Polygenie), außerdem bestehen Interaktionen. Mitunter liegt ein Schwellenwerteffekt vor: Es bedarf einer bestimmten Zahl von Genen, bis sich überhaupt eine Manifestation zeigt (vgl. 5.3).

Bei polygen bedingten Merkmalen hat die Mutation einzelner beteiligter Gene keine so schwerwiegende Wirkung wie bei monogen bedingten Merkmalen. Die Veränderungen sind meist leichterer und nur quantitativer Art und nicht qualitativ und alternativ. Teleologisch gesehen ist das durchaus sinnvoll, denn – ganz vereinfacht gesagt: Für Merkmale wie Körperhöhe oder Intelligenz entsteht bei relativ stabilem Gleichgewicht eine gewisse Variationsbreite, die die Anpassung an verschiedene Umwelterfordernisse erleichtert.

Polygen bzw. multifaktoriell bedingte Merkmale manifestieren sich in einer abgestuften kontinuierlichen Variationsreihe und kommen in einer Population in einer eingipfligen Häufigkeitskurve nach dem Bild der *Gauß*schen Normalverteilung vor (Abb. 74). Der Übergang vom Normalen zum Pathologischen ist fließend, falls nicht ein Schwellenwerteffekt (s. 5.3) vorliegt. Am Beispiel der Körperhöhe und der Intelligenz soll die Erbgrundlage normaler Merkmale etwas genauer besprochen werden.

5.1.1 Körperhöhe

Für biologische Variable, die im statistischen Sinne normal verteilt sind, ist die Angabe der Abweichung vom Mittelwert als einfache, doppelte oder dreifache Standardab-

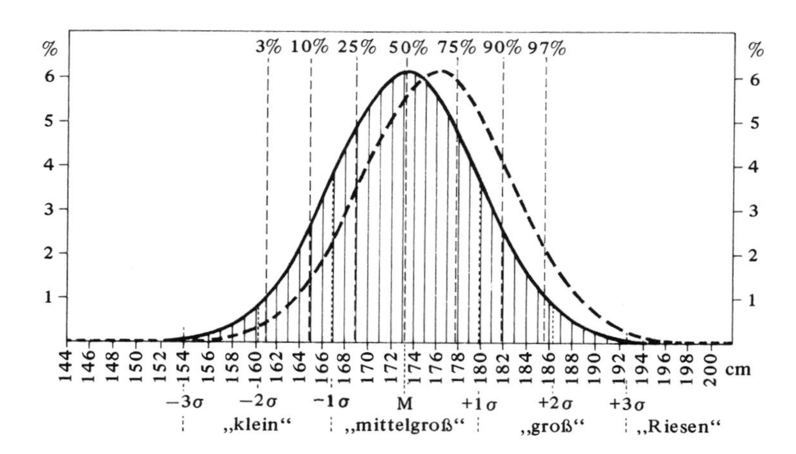

Abb. 74 Die Verteilung der Körperhöhen 20jähriger Männer der Geburtsjahrgänge 1937 (———) und 1953 (- - - -). In knapp zwei Jahrzehnten haben sich die Werte um etwa 4 cm erhöht, die *Gauß*sche Kurve hat sich um diesen Wert nach rechts verschoben

weichung (σ) sinn voll. Es wird aus praktischen Gründen per definitionem ein Grenzwert gesetzt, an dem das Pathologische beginnt. Letzten Endes ist es eine Frage der Übereinkunft, *wo* dieser Grenzwert gesetzt wird (s. 5.2).

Für die meisten multifaktoriell bedingten Merkmale hat sich eingebürgert, daß man von pathologischen Abweichungen spricht, wenn sie jenseits des ± 2 Sigma-Bereiches liegen. Dieser entspricht recht genau der 3. bzw. 97. Perzentile. Diese Perzentile-Angaben haben sich heute nicht nur bei körperlichen Merkmalen, sondern auch bei vielen Laborparametern durchgesetzt, weil man hiermit besonders einen zeitlichen Verlauf eines Merkmals verfolgen kann und sehen kann, ob es in einen pathologischen Bereich abfällt.

Für die Praxis hat sich in der Kinderheilkunde zur Beurteilung der Körpermaße das Somatogramm bewährt (Abb. 75). Dabei handelt es sich um eine Alters-Größen-Gewichts-Tabelle, wobei der Mittelwert für Größe und Gewicht für ein bestimmtes Lebensalter auf einer waagerechten Linie liegen.

Die sog. säkulare Akzeleration des Längenwachstums – die Zunahme der durchschnittlichen Körperlänge in diesem Jahrhundert – ist durch Umweltfaktoren, vor allem durch die bessere Hygiene und durch die bessere Ernährung sowie die Morbiditätsabnahme der Säuglinge und Kleinkinder bedingt.

Untersuchungen über das Akzelerationsgeschehen zeigen folgendes (*Kunze* 1977):

(1) es liegen höhere Geburtsmaße vor,
(2) die Wachstumsbeschleunigung beginnt im Säuglings- und Kleinkindalter,
(3) es besteht eine deutliche Wachstumsbeschleunigung im Schulkindalter mit Vorverlegung der Pubertät
(4) es werden höhere Endgrößen erreicht und
(5) es hat sich die Körpergröße für gesamte Populationen im ganzen in Richtung höherer Körpermaße verschoben, d. h. der Anteil der Hochwüchsigen hat um den Prozentsatz zugenommen, um den der Anteil der Kleinwüchsigen abgenommen hat, s. Abb. 74. Es ist nicht zu einem größeren Anteil Hochwüchsiger gekommen, und das spricht eher gegen eine genetisch bedingte Selektionstheorie der Akzeleration.

Mädchen

Jahre	cm	± 2σ	kg	± 2σ
	177		67,5	
	176		66,8	
	175		66,1	
	174		65,4	
	173		64,7	
	172		64,0	
	171		63,0	
	170		62,0	
	169		61,0	
	168		60,0	
	167		59,0	
19	166	11	58,0	
	165		56,0	
	164		54,5	+19,0
	163		53,5	−13,5
14	162	13	52,5	
	161		50,8	
	160	13	49,2	+19,0
	159		47,6	−13,5
13	158		46,0	
	157		45,1	
	156		44,2	+19,0
	155	14	43,3	−13,0
	154		42,4	
12	153		41,5	
	152.		40,9	
	151		40,3	
	150		39,4	+16,5
	149	14	38,5	−11,0
	148		37,5	
11	147		36,6	
	146		35,8	
	145		35,2	
	144		34,6	+15,0
	143	13	34,1	−10,0
	142		33,6	
	141		33,0	
10	140		32,5	
	139		31,7	
	138		31,0	
	137	13	30,2	+11,0
	136		29,4	− 8,0
9	135		28,9	
	134		28,4	
	133		27,9	
	132	12	27,4	+10,0
	131		26,8	− 7,5
8	130		26,3	
	129		26,0	
	128		25,6	
	127		25,1	+ 8,0
	126	12	24,6	− 5,5
	125		24,1	
7	124		23,6	
	123		23,2	
	122		22,8	
	121		22,4	+ 5,0
	120	12	22,0	− 3,5
	119		21,5	
6	118		21,1	
	117		20,9	
	116		20,6	
	115		20,2	
	114	12	19,8	4,0
	113		19,4	
	112		19,0	
5	111		18,6	
	110		18,3	
	109		18,0	
	108		17,7	
	107	10	17,4	3,5
	106		17,1	
	105		16,8	
4	104		16,5	
	103		16,2	
	102		16,0	
	101		15,6	
	100		15,2	
	99	8	14,9	3,0
	98		14,7	
	97		14,5	
3	96		14,3	
	95		14,1	
	94		13,9	
	93	7	13,6	3,0
	92		13,3	
2¼	91		13,0	
	90		12,8	
	89		12,6	
	88	7	12,4	2,5
	87		12,2	
2	86		12,1	
23 M	85		11,9	
22	84		11,7	
21	83	7	11,5	2,5
20	82		11,3	
18	81		11,2	
17	80		10,9	
16	79		10,7	
15	78		10,4	
14	77	6	10,2	2,5
13	76		10,0	
12	75		9,8	
11	74		9,6	
10	73		9,3	
9	72	5	8,9	1,5
8	70		8,5	
7	68		8,0	
6	66		7,4	
5	64		6,7	
4	62		6,0	
3	60	4	5,4	0,8
2	57		4,8	
1	54		4,1	
0	51		3,4	

Knaben

Jahre	cm	± 2σ	kg	± 2σ
	190		77,0	
	189		76,3	
	188		75,6	
	187		74,9	
	186		74,2	
	185		73,5	
	184		72,8	
	183		72,1	
	182		71,4	
	181		70,7	
	180		70,0	
	179		69,3	
	178		68,6	
19	177	13	67,9	
	176		67,2	
	175		65,0	
	174		63,0	
	173		61,0	
	172		59,0	
	171		57,8	
	170		56,7	
	169		55,6	
	168		54,5	
	167		53,5	
	166		52,5	
	165		51,6	+20,0
	164		50,9	−14,0
14	163	16	50,2	
	162		49,4	
	161		48,5	
	160		47,6	+20,0
	159	16	46,7	−14,0
	158		45,8	
	157		45,0	
13	156		44,2	
	155		43,5	
	154		42,7	
	153	14	42,0	+17,0
	152		41,3	−12,0
	151		40,6	
12	150		39,9	
	149		38,9	
	148		38,0	+15,5
	147	13	37,4	−11,0
	146		36,8	
11	145		36,0	
	144		35,5	
	143		35,0	+11,5
	142	12	34,4	− 8,5
	141		33,9	
10	140		32,4	
	139		31,7	
	138		31,1	+10,5
	137	12	30,5	− 7,5
	136		30,0	
9	135		29,6	
	134		29,1	
	133		28,5	
	132	11	28,0	+ 8,5
	131		27,4	− 6,5
	130		26,9	
8	129		26,4	
	128		25,9	
	127		25,4	+ 7,0
	126	11	25,0	− 5,5
	125		24,5	
7	124		23,9	
	123		23,5	
	122		23,1	
	121	11	22,7	± 4,5
	120		22,3	
	119		21,9	
6	118		21,5	
	117		21,0	
	116		20,6	
	115	11	20,2	4,0
	114		19,8	
	113		19,4	
5	112		19,2	
	111		18,8	
	110		18,4	
	109		18,1	
	108	9	17,8	3,5
	107		17,5	
	106		17,2	
4	105		17,0	
	104		16,7	
	103		16,3	
	102		16,0	
	101	8	15,7	3,0
	100		15,4	
	99		15,1	
	98		14,8	
3	97		14,5	
	96		14,3	
	95	7	14,1	3,0
	94		13,9	
2½	93		13,7	
	92		13,6	
	91		13,4	
	90	7	13,3	2,5
	89		13,1	
2	88		12,9	
23 M	87		12,7	
22	86		12,4	
21	85	7	12,1	2,5
20	84		11,9	
19	83		11,7	
18	82		11,6	
17	81		11,4	
16	80		11,2	
15	79	6	11,0	2,5
14	78		10,8	
13	77		10,6	
12	76		10,4	
11	75		10,2	
10	74		9,7	
9	73	5	9,2	1,5
8	72		8,6	
7	70		8,0	
6	68		7,6	
5	66		7,2	
4	63		6,6	
3	60	4	5,8	0,8
2	57		5,0	
1	54		4,1	
0	52		3,5	

Abb. 75 Somatogramm der Körperhöhe und Körpergewicht mit Angabe der 2σ-Grenze für Mädchen und Knaben

Mit anderen Worten ausgedrückt, die heutige Generation wird nicht nur größer geboren und erreicht im Endeffekt eine höhere Endgröße, sondern zusätzlich ist die Wachstums- und Entwicklungsdauer verkürzt.

Ein wichtiges Kriterium zur Beurteilung der aktuellen Körperhöhe ist die Skelettreife. Jeder Entwicklungsstand der Verknöcherung ist einem bestimmten Alter zugeordnet, d. h. Körperhöhe, chronologisches und Skelettalter stehen in wechselseitiger Beziehung. Besondere Bedeutung hat die Bestimmung der Skelettreife z. B. bei der Diagnostik, Beurteilung und Prognose von Minder- und Hochwuchsformen. Für die Berechnung der prospektiven Endgröße ist der Verknöcherungsstand der Handknochen zuverlässigstes Kriterium für die Beurteilung der Skelettentwicklung: eine Röntgenaufnahme der Hand wird mit den Standardaufnahmen verschiedener Altersstufen verglichen, der Prozentsatz der erreichten Körpergröße ermittelt und mit verschiedenen Methoden unter Einschluß von genetischen Faktoren wie der mittleren Elterngröße und der Pubertätsentwicklung die Endgröße berechnet. Damit läßt sich die Endgröße mit einem geringen Schwankungsbereich vorausbestimmen. Will man bei einem Kleinkind die Endgröße nur ungefähr ermitteln, so gilt, daß man mit 2 Jahren ca. die Hälfte der endgültigen Körpergröße erreicht hat, vorausgesetzt, daß keine pathologische Wachstumsstörung vorliegt und daß die Skelettreifung altersentsprechend ist.

5.1.2 Intelligenz

Für multifaktoriell bedingte Eigenschaften ist der Korrelationskoeffizient ein sehr nützliches Meßinstrument. Er sagt etwas aus über die Ähnlichkeit oder Verschiedenheit eines Merkmals bei zwei verschiedenen Probanden oder die Beziehung zweier Merkmale bei ein und derselben Person und kann sich von −1 bis +1 erstrecken: +1 bedeutet völlige Gleichheit oder Übereinstimmung, 0 bedeutet das Fehlen von Gleichheit, bei −1 schließen sich beide Merkmale aus.

Die Abb. 76 zeigt, wie die Ähnlichkeit des IQ mit der Nähe der Blutsverwandtschaft zunimmt. Sie umfaßt eine Zusammenstellung der Korrelationskoeffizienten für die IQ-Werte aus 111 Untersuchungen. Die schwarzen Punkte bezeichnen die in den einzelnen Serien gefundenen mittleren gewichteten Korrelationskoeffizienten, der kleine Vertikalstrich den aus sämtlichen Arbeiten errechneten Mittelwert, der Keil den Erwartungswert für ein einfaches polygenes Modell ohne selektive Gattenwahl.

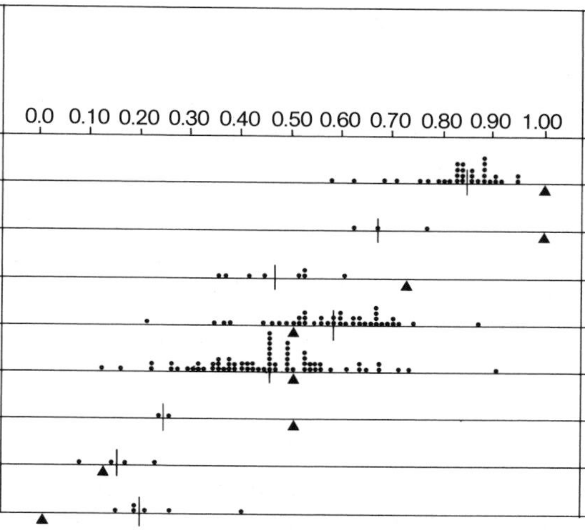

	0.0 0.10 0.20 0.30 0.40 0.50 0.60 0.70 0.80 0.90 1.00	Anzahl der Unter-suchungen	Anzahl der Paarvergl.	gewichtete mittlere Korrelation
EZ-zus. aufgew.		34	4672	.86
EZ-getr. aufgew.		3	65	.72
Eltern-Kind		8	992	.50
ZZ-zus. aufgew.		41	5546	.60
Geschwister zus. aufgewachsen		69	26,473	.47
Geschwister getr. aufgewachsen		2	203	.24
Vettern und Basen		4	1,176	.15
Adopt.-Eltern-Kind		6	758	.24

Abb. 76 Familiäre Korrelationen des IQ in Abhängigkeit von Erbe und Umwelt

Bei zusammen aufgewachsenen eineiigen Zwillingen ist der Korrelationskoeffizient am höchsten, bei Vettern und Basen am niedrigsten. Dazwischen liegen die Korrelationskoeffizienten für Eltern und Kinder sowie für Geschwister untereinander. Die Bedeutung der Anlage für die Höhe des IQ wird besonders dadurch demonstriert, daß eineiige Zwillinge (EZ) und sogar getrennt aufgewachsene EZ weit höher korrelieren als zweieiige Zwillinge (ZZ). Die Umweltwirkung zeigt sich darin, daß EZ und Geschwisterpaare jeweils ähnlichere Korrelationskoeffizienten aufweisen, wenn sie zusammen, als wenn sie getrennt aufgewachsen sind und daß ZZ ähnlicher sind als gewöhnliche Geschwister.

5.2 Pathologische Merkmale

Die multifaktoriell oder polygen bedingten Erbleiden sind häufiger und im allgemeinen auch von größerer praktischer Bedeutung für den Alltag des Arztes als die monogenen Erbleiden. Zwar kennen wir mehrere tausend monogene pathologische Merkmale, jedes einzelne Leiden für sich ist jedoch sehr selten (< 1 ‰). Die Häufigkeit polygen bedingter Leiden liegt in der Größenordnung von Prozenten.

Beispiele für multifaktoriell bedingte Krankheiten, die durch Festsetzen eines Grenzwertes definiert werden, sind:

(1) Die **Adipositas:** Als sicher pathologischer Wert wird ein Gewicht von + 30 % über dem Normalgewicht (Körpergröße in cm − 100 = kg Normalgewicht) angesehen (im Zusammenhang mit anderen Störungen beeinflussen auch niedrigere Werte die Prognose wesentlich).

(2) Der **Diabetes mellitus:** Als diagnostisches Kriterium gilt in der Regel ein Nüchternblutzucker von mehr als 140 mg/dl. Werte zwischen 105 und 130 mg/dl sind verdächtig.

(3) Die **Hypertonie:** Sie besteht nach der Definition der WHO jenseits des 16. Lebensjahres bei einem systolischen Wert von mehr als 160 mm Hg und einem diastolischen Wert von mehr als 95 mm Hg (was nicht bedeuten muß, daß nicht auch niedrigere Werte behandlungsbedürftig sein können).

(4) Die Diagnose **Schwachsinn** ist äußerst heterogen. Für praktische Zwecke, also für Erziehung, Sozialisierung oder Heimunterbringung sind 3 Schweregrade definiert: Schwerer Schwachsinn oder Idiotie mit Bildungsunfähigkeit und Pflegebedürftigkeit, IQ 0–19; mittelschwerer Schwachsinn oder Imbezilität, IQ 20–49; leichter Schwachsinn oder Debilität, IQ 50–70. Dazu kommen noch die Grenzfälle (borderline cases, Minderbegabung) mit IQ 70–85. Schwachsinn geht also tatsächlich kontinuierlich von den schwersten Formen über die mittleren und leichten in die normale Intelligenz über. Ätiologisch sind die Schweregruppen uneinheitlich und überschneiden sich.

Schwachsinn kann exogene oder endogene Ursachen haben. Exogener Schwachsinn kann prä-, peri- oder postnatal entstehen, z. B. durch Sauerstoffmangel, Infektionen oder Geburtstraumen.

Beim genetisch bedingten Schwachsinn sind zu nennen:

1. die chromosomal bedingten Formen. Praktisch alle autosomalen numerischen Chromosomenaberrationen (s. 3.4) sind mit schwerem Schwachsinn verknüpft, seine Bedeutung tritt jedoch gegenüber den körperlichen Mißbildungen in den Hinter-

grund. Bei den numerischen Aberrationen der Geschlechtschromosomen (s. 3.3) ist leichter Schwachsinn oder Minderbegabung häufig;

2. die stoffwechselbedingten Formen. Der Erbgang ist fast immer rezessiv. Beispiel: Phenylketonurie;

3. die syndromatischen Sonderformen. Hier ist der Schwachsinn mit verschiedenen körperlichen Störungen verbunden, z. B. mit Mißbildungen des Gehirnes, mit motorischen und spastischen Störungen, mit Haut- oder Augenleiden. Der Erbmodus ist meist rezessiv, gelegentlich dominant.

Definierte exogene oder genetische Ursachen lassen sich nur bei einem relativ kleinen Teil des Schwachsinns feststellen. Die Mehrheit, nämlich 65–80 % (je nach Art und Zusammensetzung der Patientengruppe), gehört zum sog. idiopathischen (undifferenzierten, befundlosen) Schwachsinn. Die Diagnose wird durch Ausschluß gestellt, wenn keine umschriebene Ursache zu finden ist (s. Abb. 77).

Sicher stecken in der Gruppe „idiopathischer Schwachsinn“ noch unerkannte exogene Fälle und monogen erbliche Formen; auf den Schwachsinn beim Marker-X-Syndrom (fragiles X-Chromosom) ist auf S. 56 hingewiesen. Der Großteil jedoch stellt vermutlich das negative Ende der allgemeinen Intelligenzverteilung dar und ist multifaktoriell bedingt wie die Intelligenz. Es besteht deutliche familiäre Häufung.

Nun kann aber familiäre Häufung einer Krankheit auch durch gleiche Umweltbedingungen zustande kommen, z. B. angeborene Syphilis bei mehreren Geschwistern. Man hat daher die Hypothese aufgestellt, der idiopathische Schwachsinn sei ausschließlich das Produkt schlechter Umweltverhältnisse. Im gehäuften Vorkommen des Schwachsinns in den unteren sozialen Klassen sah man die Bestätigung der Umwelttheorie und prägte die Bezeichnung „sozio-kulturelle geistige Retardierung“. Dagegen kann man einwenden, daß die Zugehörigkeit zur untersten sozialen Schicht aber nicht nur Ursache, sondern auch Folge von Schwachsinn sei und auf Siebungsvorgängen beruhen kann. Die geistig Behinderten und ihre Familien sinken sozial ab. Als Ursache der soziokulturellen Retardierung wird neben schlechten hygienischen und medizinischen Verhältnissen und Hungerzuständen in erster Linie ein Mangel an intellektuellen Stimuli diskutiert. Für die Lernfähigkeit ist ein intakter zentralnervöser Apparat Vorbedingung, aber wichtig ist auch die richtige Programmierung der entsprechenden Hirnteile durch intellektuelle Reize in frühester Kindheit.

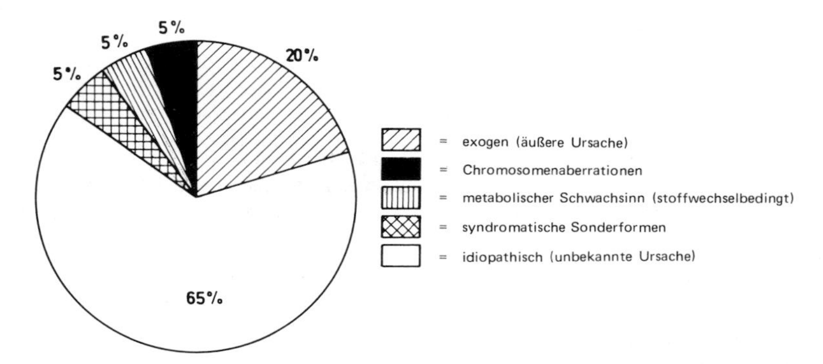

Abb. 77 Geschätzte relative Häufigkeit der einzelnen Schwachsinnsformen

Grobe psychische Vernachlässigung des Kleinkindes kann zu körperlicher und geistiger Retardierung führen. Bekannt geworden ist der psychische Hospitalismus von Säuglingen und Kleinkindern in überfüllten Kinderkrippen und Heimen. Andererseits steht fest, daß selbst in den *übelsten Slums* keineswegs alle Kinder schwachsinnig werden, sondern nur einige, und daß sich diese auch im Slum auf bestimmte Familien konzentrieren.

Eine Adoptionsstudie demonstriert die Anlage-Umwelt-Wirkung in klassischer Weise. 13 Kinder arbeitsloser Eltern aus schlechtesten Verhältnissen hatten einen derart niedrigen IQ, daß sie nicht zur Adoption kamen, sondern in eine Anstalt für geistig Behinderte. Unter liebevoller Betreuung durch die erwachsenen Patientinnen machten 11 Kinder solche Fortschritte, daß sie doch noch adoptiert wurden und einen Beruf erlernten. Für den dramatischen Anstieg des IQ war offensichtlich die günstige Umwelt verantwortlich. Die 2 Kinder, die keinerlei Fortschritte zeigten, machen etwa 15 % aus, und das steht in Einklang mit dem genetisch bedingten empirischen Erkrankungsrisiko für die Kinder von Schwachsinnigen.

5.3 Multifaktorielle Vererbung mit Schwellenwerteffekt

Die kontinuierliche Normalverteilung kann fehlen, wenn ein Merkmal erst beim Zusammentreffen einer gewissen Mindestzahl der normal verteilten Gene erscheint. Wir haben eine Schwelle, auf deren einer Seite die Summe der zugehörigen Gene noch nicht zur Ausprägung des Merkmals führt; ist sie überschritten, so liegt das Merkmal vor. Das Merkmal kann dann ebenso alternativ verteilt sein wie ein monogen bedingtes Merkmal, obwohl die ursächliche genetische Anlage eine quantitativ kontinuierliche Abstufung zeigt (Abb. 78).

Wichtige polygene Erbleiden, wie die **Lippen-Kiefer-Gaumenspalte,** die **Hüftluxation,** die **Pylorusstenose,** die **Spina bifida,** der **Klumpfuß,** unterliegen der multifaktoriellen Vererbung mit Schwellenwerteffekt. Sie sind in Tab. 19 zusammengestellt, zugleich sind ihre Häufigkeit und das empirische Risiko aufgeführt.

Multifaktoriell genetisch bedingte Krankheiten zeigen zuweilen eine deutliche Bevorzugung eines Geschlechts. So findet sich die **Pylorusstenose** 6mal häufiger bei Knaben als bei Mädchen, die **kongenitale Hüftgelenksluxation** etwa 6mal häufiger bei Mädchen als bei Knaben. Wenn also geschlechtsabhängige Gene mitwirken, die z. B. bei Mädchen die Ausprägung der Pylorusstenose hemmen oder bei Knaben die Ausprägung der angeborenen Hüftgelenksluxation, so folgt daraus, daß immer dann, wenn ein Geschlecht von einem multifaktoriell bedingten Leiden weniger häufig betroffen ist, die betroffenen Individuen dieses Geschlechts ein höheres empirisches Risiko haben, kranke Kinder zur Welt zu bringen (*Carter*-Effekt). Abb. 92 verdeutlicht dies: Hatte die Mutter an einer Pylorusstenose gelitten, betrug das Risiko für ihre Söhne ~20 %, für ihre Töchter ~7 %; hatte der Vater die Krankheit, betrug das Risiko für Söhne ~5,5 % und für Töchter ~2,5 %. Etwa umgekehrt sind die Proportionen bei der angeborenen Hüftgelenksluxation.

Multifaktoriell bedingte Merkmale treten nur auf, wenn eine bestimmte Genkombination vorliegt. Die Wahrscheinlichkeit, daß diese Genkombination, bei der jedes einzelne Gen für sich den *Mendel*schen Regeln folgt, bei den Verwandten wieder auftritt, wird um so geringer, je mehr Gene zusammenwirken müssen, um das Merkmal zu bewirken. Das gilt für die angeborenen Fehlbildungen genauso wie leider auch für Hochbegabungen.

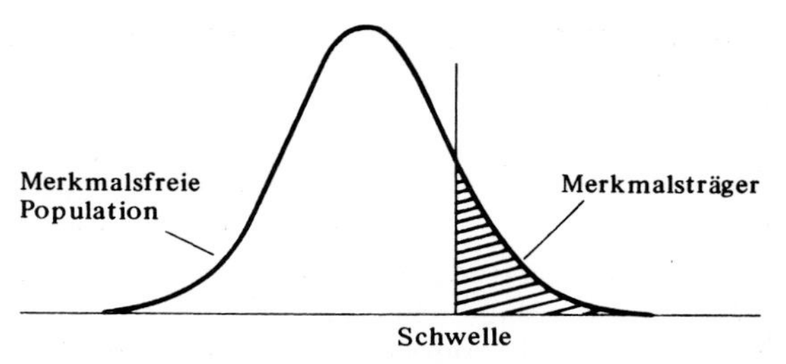

Abb. 78 Multifaktorielle Vererbung mit Schwellenwert: links von der Schwelle reicht die Zahl der Gene, die für die Ausprägung des Merkmals verantwortlich sind, nicht aus

6 Zwillinge in der humangenetischen Forschung

Die Zwillingsmethode wurde durch Francis Galton mit seinem Werk „Die Geschichte der Zwillinge als Prüfstein der Kräfte von Anlage und Umwelt“ 1875 begründet. Er schreibt darin: „Die Lebensgeschichte der Zwillinge gestattet uns, die Wirkung der Kräfte, die ihnen von Geburt an die Richtung weisen, zu trennen von der Wirkung jener, denen sie erst durch die Umstände des späteren Lebens ausgesetzt sind, mit anderen Worten die Einflüsse von Naturanlage und Umwelt (nature und nurture) zu erkennen.“ Klinische Bedeutung gewann die Zwillingsforschung jedoch erst durch die Arbeiten von Hermann Werner Siemens in München, der mit seiner Methode des polysymptomatischen Ähnlichkeitsvergleichs (1924) die Möglichkeit schuf, eineiige von zweieiigen Zwillingen zu unterscheiden. Wesentliche Arbeiten zur Zwillingsforschung sind in Deutschland durch O. von Verschuer und seine Schule geleistet worden.

6.1 Grundlagen

Wir unterscheiden zwei Arten von Zwillingen: eineiige (EZ) und zweieiige (ZZ) Zwillinge. EZ sind immer aus der Spaltung *eines* von *einem* Spermium befruchteten Eies, ZZ durch die Befruchtung von *zwei* Eizellen durch *zwei* Spermien entstanden.

Daher sind EZ in ihren Erbanlagen identisch. ZZ sind genau wie zwei Geschwister aus zwei verschiedenen Spermien und zwei Eizellen entstanden. Sie stimmen, wie Geschwister, rein statistisch gesehen, in der Hälfte ihres Erbgutes überein (Abb. 79).

6.1.1 Häufigkeiten

Die Häufigkeit von Zwillingen in Mitteleuropa beträgt etwa 1,2 % (~1 Zwillingsgeburt auf 85 Geburten); Drillinge kommen in einer Häufigkeit von $\sim 1:85^2$, Vierlinge in einer Häufigkeit von $\sim 1:85^3$ Geburten vor (*Hellin*sche Regel).

Die Häufigkeit von Zwillingen ist von der geographischen Lage abhängig. Dabei betreffen die Schwankungen in der Häufigkeit die ZZ; die Häufigkeit von EZ ist auf der Erde relativ konstant. Die Anzahl der EZ und der ZZ an der Gesamtzahl der Zwillinge läßt sich einfach errechnen: Die Wahrscheinlichkeit, daß bei ZZ das erste Kind ein Bub (bzw. ein Mädchen ist), beträgt ½ (bzw. 0,5), für den zweiten Zwilling ist die Wahrscheinlichkeit wiederum ½. Jede der möglichen Geschlechterkombinationen hat also eine Wahrscheinlichkeit von $\frac{1}{2} \times \frac{1}{2} = \frac{1}{4}$ (s. das Verteilungsquadrat):

	B	M
B	BB	BM
M	MB	MM

B = Bub
M = Mädchen

Die Hälfte aller ZZ sind folglich Pärchenzwillinge (PZ). Damit ist die Gesamtzahl der ZZ gleich zweimal der Zahl der PZ, die Zahl der EZ gleich der Gesamtzahl aller Zwillinge minus der Zahl der ZZ. Ein Zahlenbeispiel für Mitteleuropa: Bei uns finden sich auf 300 Zwillingspaare etwa 100 PZ, die Zahl der ZZ beträgt also 200, die Zahl der EZ

<table>
<tr><th>Ursache der Zwillingsbildung</th><th>Art der Entstehung</th><th>Zeitpunkt der Entstehung</th><th>Eihäute</th><th>Plazenta</th><th>Bezeichnung</th></tr>
<tr><td>Polyovulation
2 Eier aus 2 Follikeln in 2 Ovarien, oder
2 Eier aus 2 Follikeln in 1 Ovarium, oder
2 Eier aus 1 Follikel</td><td>Befruchtung zweier Eier durch zwei Spermien</td><td>Befruchtung</td><td rowspan="2">Chorion und Amnion doppelt</td><td rowspan="2">doppelt oder scheinbar einfach (verklebt)</td><td>zweieiige Zwillinge (erbverschieden)</td></tr>
<tr><td rowspan="4">Spaltungstendenz eines Keims (echte Zwillingsbildung)</td><td rowspan="3">Spaltung des Keims unter vollständiger Trennung der beiden Hälften.</td><td>Im Stadium der ersten Furchungen vor Differenzierung in Trophoblast und Embryoblast.</td><td rowspan="3">eineiige Zwillinge (erbgleich)</td></tr>
<tr><td>Im Stadium des Embryonalknotens, vor Bildung des Amnions.</td><td>Chorion einfach, Amnion doppelt</td><td rowspan="3">einfach</td></tr>
<tr><td>Im Stadium des Embryonalschilds oder Primitivstreifens, nach Bildung des Amnions.</td><td rowspan="2">Chorion und Amnion einfach</td></tr>
<tr><td>Spaltung des Keims unter unvollständiger Trennung der beiden Hälften.</td><td>Im Stadium des Primitivstreifens oder später.</td><td>Doppelmißbildungen.
Reihe von den mehr oder weniger stark verwachsenen Doppelwesen bis zu parasitären Bildungen und Geschwülsten.</td></tr>
</table>

Abb. 79 Übersicht über die verschiedenen Arten von Zwillingen und ihre Entstehung (nach *von Verschuer,* mit teilweiser Abänderung und Erweiterung)

100 (gleich 33⅓ %). Die niedrigste Zwillingshäufigkeit findet sich in Japan mit 0,4–0,7 %. Da hier die ZZ geringer an Zahl sind, wird man – um eine Größenordnung zu nennen – vielleicht nur 15 PZ auf 300 Zwillingspaare finden. Der Anteil der EZ errechnet sich folglich mit 90 %.

Die Chance für eine Mutter, EZ zur Welt zu bringen, ist von ihrem Alter relativ unabhängig, die Chance für ZZ jedoch in hohem Maße altersabhängig. Je älter eine Mutter ist, um so größer wird ihre Chance, zweieiige Zwillinge zu bekommen. Sehr gründliche Untersuchungen liegen für Italien vor: Im Alter von unter 20 Jahren beträgt die Wahrscheinlichkeit, ZZ zu bekommen, für eine Mutter 2,27 ‰, bei den 35- bis 39jährigen 14,3 ‰. Die Chance, ein zweieiiges Zwillingspaar zur Welt zu bringen, ist also für eine Mutter zwischen 35 und 39 Jahren mehr als 6mal höher als für eine Mutter unter 20 Jahren.

6.2 Unterscheidung von eineiigen und zweieiigen Zwillingen

Zwillinge mit gemeinsamem Amnion und Chorion müssen immer eineiig sein. Jedoch kann umgekehrt, auch wenn Chorion und Amnion doppelt und auch die Plazenta doppelt vorhanden sind, Eineiigkeit nicht ausgeschlossen werden. Wenn die Teilung des Keims im Stadium der ersten Furchung, vielleicht schon im Zweizellenstadium erfolgt, so können die beiden nun voneinander unabhängigen, vollständig getrennten Hälften des Keims eigenständig zur Nidation kommen. Jeder Keim entwickelt sich vollständig unabhängig vom anderen und bildet eigene Eihäute und Plazenta (Abb. 80).

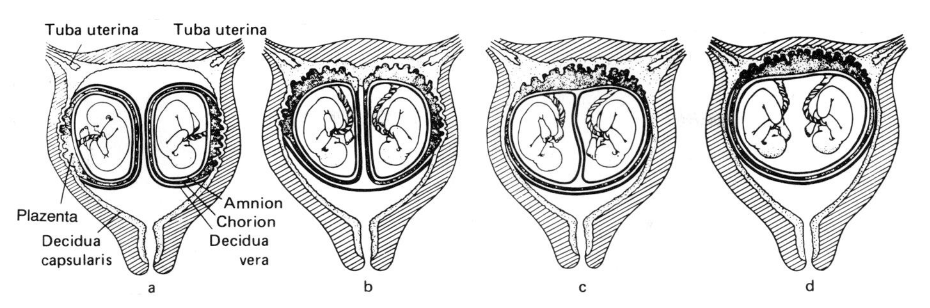

Abb. 80 Plazentation und Eihautbildung bei Zwillingen

Bis zu den Arbeiten von *Siemens* 1924 hatte man sich vergeblich bemüht, EZ von ZZ aufgrund von Einzelmerkmalen zu unterscheiden. Der neuartige Gedanke von *Siemens* war, daß er eine möglichst große Zahl von verschiedenen morphologischen Merkmalen an den Zwillingen untersuchte. So gelang es ihm, zu einer scharfen Trennung zu kommen: Die Liste der zu vergleichenden Merkmale ist sehr ausführlich; hier soll nur ein kurzer Ausschnitt (nach *von Verschuer*) wiedergegeben werden. Verglichen werden: Haarfarbe, Haarform, Haardichte; Weite, Form und Achse der Lidspalte; struktureller Aufbau und Pigmentverteilung der Iris; Höhe und Breite der Nase; Papillarleisten der Finger; Form und Gestalt des Ohres usw. In all diesen Merkmalen sind sich EZ ähnlicher als ZZ, auch wenn in einzelnen Merkmalen auch bei EZ Abweichungen festzustellen sind. Je mehr Merkmale man untersucht, um so sicherer wird die Diagnose der Eiigkeit.

Gleicherbige EZ haben definitionsgemäß gleiche Gen-Ausstattung, müßten also theoretisch in allen Erbmerkmalen übereinstimmen. Praktisch gilt diese 100%ige Übereinstimmung jedoch nur für Merkmale, für die eine strenge Beziehung zwischen Genotyp und Phänotyp besteht, mit vollständiger Penetranz und Umweltstabilität, insbesondere für monogen bedingte Merkmale. Beispiele für solche monogene Merkmale sind: Blutgruppensysteme, Serumgruppen wie Haptoglobine, Enzymgruppen und ihre monogen bedingten Varianten. Sie müssen bei EZ 100%ig übereinstimmen. Besteht in einem einzigen solcher monogen bedingten Merkmale Verschiedenheit (Diskordanz), so ist damit Erbungleichheit gezeigt: Ein solches Zwillingspaar ist zweieiig. Es gibt auch polygen bedingte Merkmale, die umweltstabil sind und für die EZ übereinstimmen, z. B. Iris- und Haarfarbe.

Nur bei EZ gelingt die wechselseitige Einpflanzung eines Hautstückchens auf die Dauer ohne Abstoßungsreaktion. Das gleiche gilt natürlich auch für Organtransplantationen (Nierentransplantation). Zum Zweck der Zwillingsdiagnostik ist die reziproke Hauttransplantation heute nur noch von theoretischer Bedeutung.

6.3 Auswertung

Das Prinzip der Zwillingsmethode beruht auf der Erbgleichheit der Partner eines EZ-Paares und der Erbverschiedenheit der Partner eines ZZ-Paares. Verschiedene Kombinationsmöglichkeiten und Vergleiche von erbgleichen und erbverschiedenen Zwillingen, zusammen und getrennt aufgewachsenen Zwillingen, bieten die Chance, Erb- und Umwelteinflüsse bis zu einem gewissen Grad auseinanderhalten zu können. Überspitzt gesagt müssen Unterschiede zwischen EZ-Paarlingen ausschließlich

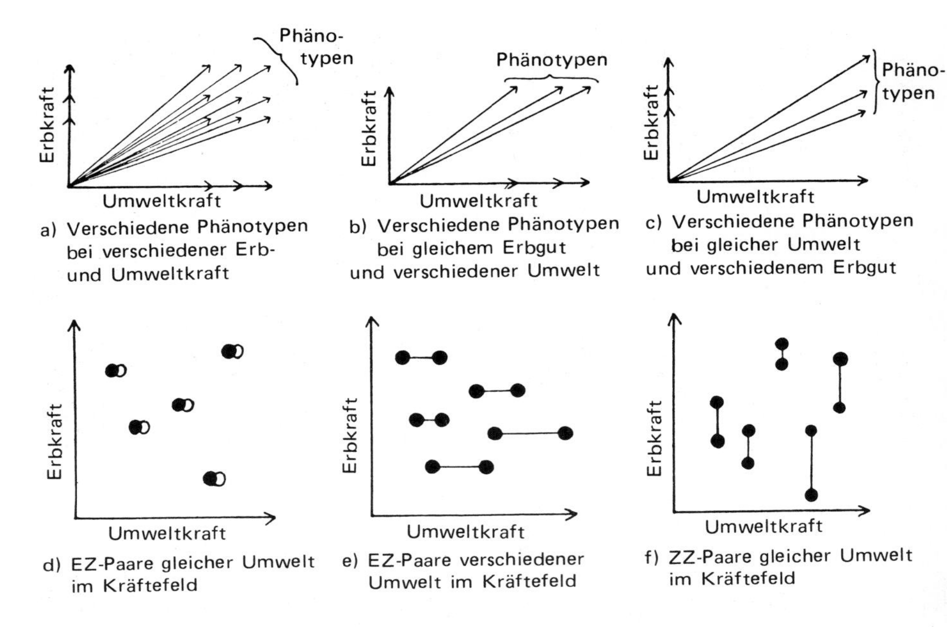

Abb. 81 Das Zusammenwirken von Erbgut und Umwelt

umweltbedingt sein; zwischen ZZ-Paarlingen, die wie Geschwister nur in der Hälfte ihres Erbgutes übereinstimmen, können sie durch Umwelt oder Anlage bedingt sein. Unterschiede, die ZZ in gleicher Umwelt aufweisen, müssen auf den unterschiedlichen Genotyp zurückzuführen sein. Läßt sich kein Unterschied im Konkordanz/Diskordanz-Grad eines Merkmals bei EZ und ZZ feststellen, so ist die beobachtete Variation umweltbedingt. Die Abb. 81 versucht, die Kräfte von Erbgut und Umwelt, so wie sie uns die Zwillingsmethode darstellt, graphisch zu illustrieren.

Um zu verwertbaren Ergebnissen zu kommen, sind Sammelkasuistiken weit weniger stichhaltig als auslesefreie Zwillingsserien.

Unter einer Sammelkasuistik versteht man die Zusammenstellung von einzelnen Zwillingsbeobachtungen, die sich auf ein bestimmtes Merkmal beziehen. Das Problem der Erfassungsfehler beim Aufstellen von Sammelkasuistiken ist unter 6.4 diskutiert.

In auslesefreien Zwillingsserien dagegen wird eine bestimmte Gruppe von Personen (z. B. schizophrene Patienten) zuerst systematisch durchforscht, ob sie einer Zwillingsgeburt entstammen oder nicht. Dann erst wird das Konkordanz-Diskordanz-Verhältnis untersucht. Für die Schizophrenie z. B. sammelte *Luxenburger* in München erstmals 1928 eine auslesefreie Zwillingsserie. Die größte Auslesefreiheit wird in den sog. epidemiologischen Zwillingserhebungen, wie z. B. in Dänemark mit seinem hervorragenden Zwillingsregister, erzielt; sie haben den Nachteil, daß sie sehr aufwendig an Zeit und Geld sind. Hier werden sämtliche in der Bevölkerung vorkommenden Zwillingsgeburten registriert und dann die Paare mit 1 oder 2 schizophrenen Paarlingen herausgesucht. Die Konkordanzraten in auslesefreien, systematischen Zwillingsuntersuchungen sind niedriger als die in Sammelkasuistiken.

Dabei ist Konkordanz definiert als vollkommene Übereinstimmung in einem Merkmal. Diskordanz bedeutet Nicht-Übereinstimmung in einem Merkmal, also: verschie-

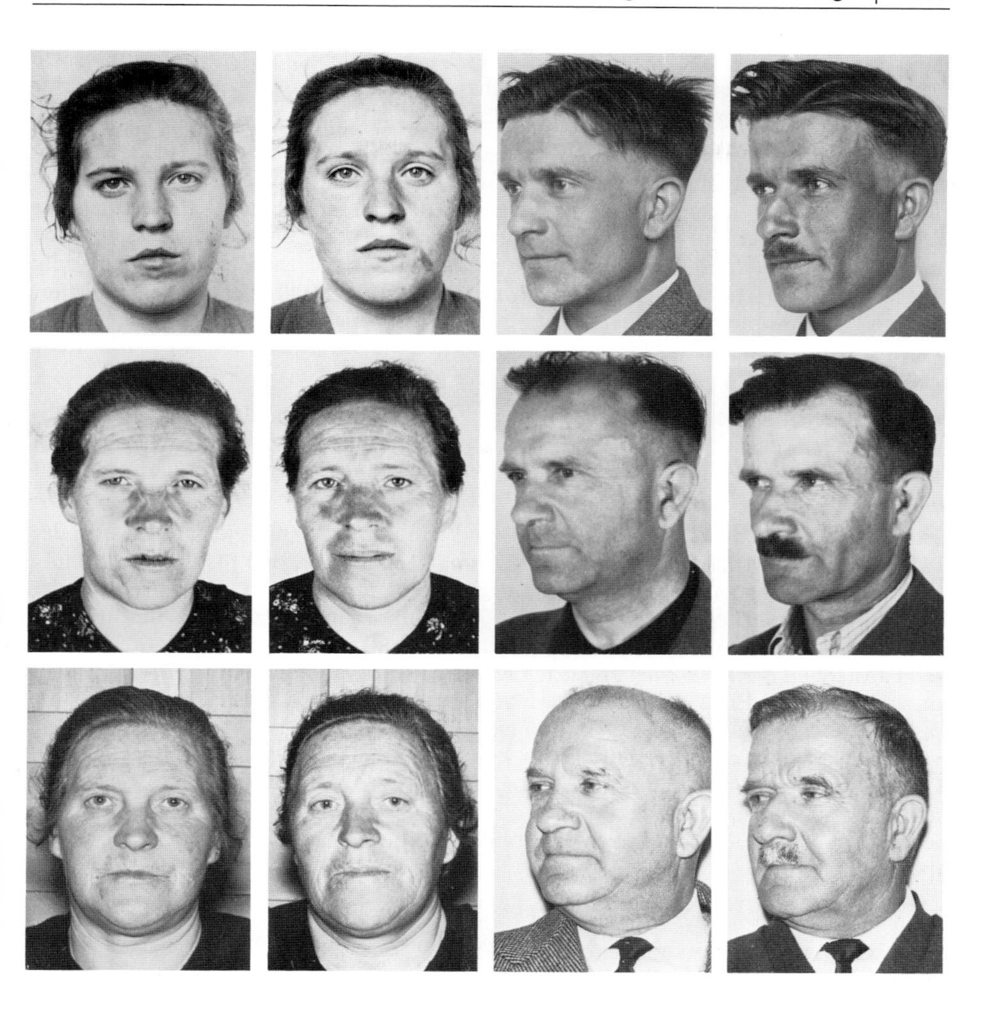

Abb. 82 Zwei eineiige Zwillingspaare in verschiedenen Lebensaltern: das (Schwestern-) Paar, das zeitlebens in praktisch gleicher Umwelt lebte und unter gleichen Belastungen stand — beide Zwillingspartner wohnten ihr Leben lang in enger häuslicher Gemeinschaft —, ist sich außerordentlich ähnlich geblieben (oben mit 15 Jahren, in der Mitte mit 40 Jahren, unten mit 55 Jahren). Das (Brüder-)Paar war seit dem 14. Lebensjahr getrennt: I trat als Lehrling 1917 in einem Elektrobetrieb ein, in dem er bis 1968 beschäftigt war. Zeitlebens arbeitete er in geschlossenen Räumen. II blieb auf dem elterlichen Hof, den er übernahm. Er hatte wesentlich schwerere körperliche Arbeit zu leisten als sein Bruder, er arbeitete ganz überwiegend im Freien. Trotz dieser jahrzehntelangen erheblichen Umweltunterschiede, die durchaus in der Physiognomie ihren Ausdruck finden (*v. Verschuer* wies bei seiner Nachuntersuchung 1950 auf die „Verstädterung“ von I hin), ist die Ähnlichkeit in den einzelnen Merkmalen des Gesichts außerordentlich groß geblieben (oben im Alter von 23 Jahren, in der Mitte mit 48 Jahren und unten 63 Jahre alt; die Fotos beider Paare wurden 1925, 1950 (*v. Verschuer*) und 1965 (*Murken*) aufgenommen, I jeweils li., II re.)

dene Blutgruppen, verschiedene Ausprägungen eines morphologischen Merkmals wie Irispigment oder Haarfarbe. Bei psychischen Eigenschaften muß man sich oft mit Korrelationen begnügen (s. 5.1.2).

Die quantitative Bestimmung des Einflusses von Erbe und Umwelt an der unterschiedlichen Ausprägung von Merkmalen ist im Einzelfall fast nie exakt durchzuführen. Nehmen wir einen rein naturwissenschaftlichen Standpunkt ein, so ist der Lebensweg und der Entwicklungsgang jedes Menschen zwar allein durch sein Erbe und seine Umwelt (und den Zeitpunkt der Interaktion zwischen beiden) vollständig determiniert. Zu erfassen ist diese Determination im Einzelfall aber niemals vollständig, weil die Summe der Einzelfaktoren nahezu unendlich groß zu sein scheint. Dies haben besonders die auslesefreien Zwillingsserien, die durch *von Verschuer* und seine Schule über 40 Jahre untersucht wurden, gezeigt.

Wie ein so komplexes, überwiegend genetisch bedingtes Merkmal wie die Physiognomie sich unter verschiedenen Umweltbedingungen verändert und unter gleichen gleich bleibt, sei an zwei Zwillingspaaren aus den von *Verschuer*schen Untersuchungen illustriert (Abb. 82).

Die Möglichkeiten der Trennung des Erb- und Umwelteinflusses seien am Beispiel der **Tuberkulose** bei Zwillingen demonstriert. Es hat sich gezeigt, daß für die Erkrankung an Tuberkulose genetische Faktoren von großer Bedeutung sind. EZ waren bei der Untersuchung von *Verschuer* zu mehr als 50 % konkordant erkrankt, ZZ nur in 22 %. Das Vorkommen diskordanter EZ zeigt, daß Umweltfaktoren eine wesentliche Rolle beim Auftreten der Krankheit spielen. Lebensform, Art der Wohnung, Beruf, Milieu am Arbeitsplatz, Ernährung und dgl. sind entscheidende Umweltfaktoren, die die Diskordanz verursachen. Bei diskordanten EZ hatte der kranke Partner jedoch eine wesentlich günstigere Prognose als bei konkordanten EZ. Daß beide Paarlinge an Tuberkulose starben, kam nur bei EZ vor, nicht bei ZZ. Am Beispiel der Tuberkulose läßt sich also zeigen, daß Infektion und Erkrankungsbeginn klar durch Zufälligkeiten bedingt sind, daß der Verlauf der Krankheit aber dann mit von der Erbanlage abhängt.

6.3.1 Getrennt aufgewachsene EZ

Besonders getrennt aufgewachsene eineiige Zwillinge haben sich als sehr wertvoll für die Zwillingsforschung erwiesen. Stimmen sie trotz getrennten Aufwachsens in einem Merkmal überein, so ist dies ein verstärkter Hinweis auf dessen Erblichkeit. Differieren sie dagegen in einem Merkmal, kann man versuchen, die Ursache in der verschiedenen Umwelt ausfindig zu machen. Der Intelligenzquotient eineiiger Zwillinge ist durchweg ähnlicher als der von zweieiigen, und zwar sind auch getrennt aufgewachsene EZ noch ähnlicher als zusammen aufgewachsene ZZ – ein Hinweis auf die Erblichkeit der Anlage, ein gewisses Maß an Intelligenz zu entwickeln. Doch korrelieren bei allen Tests die EZ höher, wenn sie zusammen aufgewachsen sind, als wenn sie getrennt aufwuchsen – ein Hinweis auf den Umwelteinfluß (Abb. 76).

Besonders interessant ist, daß die Befunde bei einzelnen Intelligenzleistungen ziemlich verschieden sind: der IQ korreliert bei EZ auf jeden Fall höher als bei ZZ, ganz gleich, ob die EZ zusammen oder getrennt aufgewachsen sind.

Nach *Shields* z. B. beträgt die mittlere Intrapaardifferenz bei zusammen aufgewachsenen EZ 7,38 Punkte, bei getrennt aufgewachsenen EZ 9,46 und bei ZZ 13,43 Punkte. Abb. 83 veranschaulicht, wie die kombinierten Intelligenztestergebnisse bei den

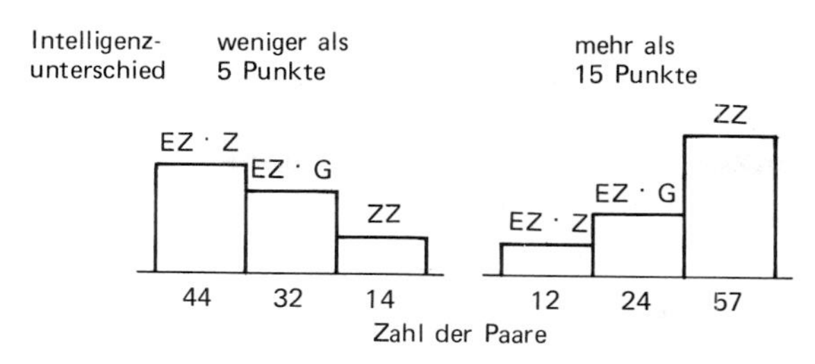

Abb. 83 Zahl der Paare zusammen (EZ · Z) und getrennt (EZ · G) aufgewachsener eineiiger und zweieiiger Zwillinge (ZZ) mit geringen und hohen Unterschieden der Intelligenztestwerte

meisten EZ-Paaren nur geringfügig differieren, bei der Mehrzahl der ZZ dagegen deutlich verschieden sind.

Der Schulerfolg dagegen, den man im allgemeinen auch mit Intelligenz in Verbindung zu bringen pflegt, korreliert bei EZ, die getrennt aufgewachsen sind, niedriger als bei ZZ, die zusammen aufwuchsen. Umwelteinflüsse, wie Interesse, Anregung und Hilfe im Elternhaus oder Qualität der Schule und der Lehrer, sind offensichtlich ausschlaggebend.

6.3.2 Co-twin-control-Methode

Der „Co-twin-control-Methode" (Kontrollzwillingsmethode) liegt als Prinzip zugrunde, daß nur einer von zwei eineiigen Zwillingen einer bestimmten Umwelt ausgesetzt oder einem bestimmten Training unterzogen wird. Der andere Zwillingspartner dient als Kontrolle. Zu diesem Gebiet gehört auch die Untersuchung der getrennt aufgewachsenen EZ. Die eigentliche Co-twin-control-Methode führten *Gesell* und *Thompson* 1929 ein. Sie trainierten einen von zwei EZ von der 46. bis 52. Lebenswoche im Treppensteigen, Spielen mit hölzernen Klötzchen usw.; der Partner wurde von der 53. bis 55. Woche trainiert, also später und kürzer. Beide Zwillinge erreichten ziemlich gleiche Fertigkeiten. Ein Leistungsfortschritt, der auf eine bestimmte Art von Training zurückzuführen wäre, trat nicht hervor. Anders bei Sprechübungen: Das Training hatte eine deutlich fördernde Wirkung auf die Sprechmotorik. Es liegt auf der Hand, daß man Experimente mit sprachlicher und intellektueller Förderung nur eines Zwillings unter bewußtem Ausschluß des anderen von diesen Stimuli nur in äußerst begrenztem Umfang durchführen kann.

6.3.3 Befunde bei multifaktoriell bedingten körperlichen Leiden

Bei der **angeborenen Hüftluxation** konnte die Frage der Erblichkeit durch die Untersuchungen von *Idelberger* (1951) geklärt werden:

von 29 EZ-Paaren waren 12 = 41 % konkordant,
von 109 ZZ-Paaren jedoch nur 3 = 2,8 %.

Der hohe Unterschied in der Konkordanz der EZ- und ZZ-Paare ist der entscheidende Hinweis auf den genetischen Anteil im Ursachengefüge des Leidens.

Beim **endemischen Kropf (Jodmangel-Struma)** fand sich kein unterschiedliches Ergebnis:

von 36 EZ-Paaren waren 25 = 69,5 % konkordant,
von 49 ZZ-Paaren waren 35 = 71,4 % konkordant.

EZ und ZZ sind also praktisch gleich häufig betroffen. Daraus folgt, daß genetische Faktoren im Hintergrund stehen.

6.3.4 Befunde bei psychischen Leiden

Psychische Erkrankungen kommen nur selten rein umweltbedingt oder rein anlagebedingt zustande. Das Gros liegt zwischen diesen beiden Extremen. Es findet eine komplexe Interaktion zwischen Anlage und Umwelt statt und beide Größen sind an psychischen Erkrankungen beteiligt, allerdings im Einzelfall mit verschiedenem Gewicht. Bei den **Schizophrenien** zeigen folgende Befunde die Beteiligung von Erbfaktoren:

1. *Familienbefunde.* Das Erkrankungsrisiko nimmt mit der Nähe der Blutsverwandtschaft zu einem schizophrenen Patienten zu (s. Tab. 20).

2. *Zwillingsbefunde.* Die eineiigen Zwillinge sind ungefähr viermal so oft schizophreniekonkordant wie die zweieiigen. Daran kann nicht die Umwelt schuld sein, denn getrennt aufgewachsene eineiige Zwillinge erkranken etwa ebenso oft konkordant an Schizophrenie (60 %) wie zusammen aufgewachsene und die diskordanten, also nicht kranken, eineiigen Zwillingspartner haben ebenso viele schizophrene Nachkommen (12 %) wie die schizophrenen Probanden selbst (9 %). Auch ist es nicht so, daß eine erschwerte Ichbildung bei eineiigen Zwillingen die Schizophrenieentstehung begünstigen würde. Dann nämlich müßten eineiige Zwillingspaare häufiger als Einzelgeborene an Schizophrenie erkranken, was aber nicht der Fall ist.

3. *Adoptionsstudien.* Kinder von Schizophrenen, die kurz nach Geburt von ihren Eltern getrennt und in fremde Familien adoptiert wurden, erkrankten später ungefähr ebenso häufig an Schizophrenie wie Kinder, die bei den schizophrenen Eltern verblieben (rund 16 %). Weitere Schizophreniefälle fanden sich unter den biologischen Geschwistern, nicht aber unter den Adoptivgeschwistern.

4. *Transkulturelle Psychiatrie.* Schizophrenie ist in allen Bevölkerungen, Rassen und Kulturen ungefähr gleich häufig, trotz der großen Unterschiede in Umwelt, Lebensführung und Ernährung (Abb. 84).

Die familiären empirischen Risikoziffern (Tab. 20) lassen keinen monogenen Erbgang erkennen. Als Erklärung kommen Polygenie (s. 5), Heterogenie (s. 4.7), Phänokopien (klinisch nicht unterscheidbare, nichterbliche Krankheitsbilder) und Auslöser in Betracht. Man hat auslösende Umweltfaktoren in Geburtskomplikationen, niedrigem Geburtsgewicht, sozialer Benachteiligung, gestörter Familiendynamik, Hirnverletzungen, Involution, Schwangerschaft und Wochenbett, ferner Liebesenttäuschungen, Tod einer Bezugsperson, menschlicher Vereinsamung, beruflichem Mißerfolg vermutet. Jede der angeschuldigten Belastungen kommt im Einzelfall vor, aber keine so regelmäßig, daß sie sich generalisieren ließe. Alle werden Millionen Male erlebt, ohne daß eine Psychose zustande käme.

Die Auslöse- oder Zusatzfaktoren sind offenbar unspezifisch und zufällig und könnten in der Summation von geringfügigem „normalem" Alltagsstreß bestehen. Diskordante Zwillingspaare zeigten praktisch niemals dramatische Unterschiede in Lebensgeschichte oder Gesundheitszustand. Der später schizophrene Zwilling war lediglich

a)

b)

Abb. 84 a) Schizophrene Patientin aus der Schweiz — b) Verwahrloster Schizophrener aus Ost-Java
Die Ähnlichkeit der Erscheinungen in Abb. 84 a und b ist beachtenswert. Die Frau hat sich eine Art Girlande aus Gras und Zweigen umgeschlungen, Papier und sonstige Abfälle in die Hosenaufschläge gesteckt. Der Mann hat sich ebenfalls dürre Pflanzen, Stoff- und Kleiderfetzen umgehängt, die Füße stecken in gesammelten Abfällen. Die akuten schizophrenen Krankheitsbilder sind trotz Prägung der produktiven Symptomatik (der Wahninhalte z. B.) durch die jeweilige Kultur im Grunde recht ähnlich und die Geisteskranken in aller Welt gleichen sich mehr als die Gesunden. Das ist ein deutlicher Hinweis auf erbliche Verankerung

als Kind im allgemeinen von schwächerer Konstitution, er war introvertierter und in der Schule weniger erfolgreich als sein nichtschizophrener Partner.

Für die **manisch-depressiven Psychosen** und **rein depressiven Psychosen** gilt ungefähr das gleiche wie für die Schizophrenien: Sie haben eine genetische Grundlage, aber auch nichtgenetische Faktoren sind beteiligt. Die empirischen Risikoziffern sind für Eltern und Geschwister etwa gleich hoch, im Mittel zwischen 6 und 24 %. Dies kann unvollständig dominante Vererbung bedeuten, doch hat man auch Polygenie in Betracht gezogen. Die eineiigen Zwillinge sind zu rund 70 % (25–92 %) konkordant, die zweieiigen zu 20 % (0–38 %).

Die affektiven Psychosen sind ein Beispiel für Heterogenie (s. 4.7). Ein Teil der reinen Depressionen ist von den manisch-depressiven Psychosen genetisch verschieden. Die manisch-depressiven Psychosen haben eine etwas höhere familiäre Belastung als die rein depressiven.

Die **genuinen Epilepsien** sind ganz sicher heterogen, man konnte bereits zahlreiche Unterformen herausarbeiten. Die Bedeutung von Erbfaktoren wird durch die Zwillingsbefunde unterstrichen: 61 % der eineiigen Zwillinge und nur 12 % der zweieiigen sind konkordant. Das generelle empirische Erkrankungsrisiko für die Kinder und Geschwister von Epileptikern ist niedrig: 4–8 % für die Kinder, 4 % für die Geschwister. Bei Sonderformen kann das empirische Risiko für die Kinder bis auf 35 % steigen. Der Erbgang scheint in der Regel polygen zu sein, doch gibt es Familien mit deutlich dominantem oder rezessivem Erbgang. Das Ausschöpfen aller diagnostischen und familienanamnestischen Möglichkeiten ist also besonders wichtig.

Die Zwillingsuntersuchungen haben gezeigt, daß auch die **Neurosen** eine genetische Komponente aufweisen. Eineiige Zwillinge gleichen sich in ihrer neurotischen Charakterstruktur außerordentlich, aber erst die verschiedensten Einflüsse entscheiden, ob diese Struktur Krankheitswert bekommt oder nicht. Nach dem englischen Genetiker *Slater* handelt es sich bei der neurotischen Disposition um eine variable und polygene Persönlichkeitsvariante, die sich ähnlich wie sog. „normale" Persönlichkeitseigenschaften in kontinuierlicher Variation in der Bevölkerung verteilt (s. 5.1). Bei schwacher Disposition bedarf es einer starken psychischen Belastung, um eine krankhafte, neurotische Reaktion hervorzurufen, bei starker Disposition genügt eine minimale Belastung.

6.3.5 Klinische Bedeutung der Zwillingsmethode bei multifaktoriellen und monogenen Leiden

Bei der **multifaktoriellen Vererbung** spielt die Zwillingsmethode eine wichtige Rolle. Ein multifaktoriell bedingter Phänotyp beruht auf einer ganz bestimmten Genkombination. Bei der Weitergabe des Genbestandes von Generation zu Generation löst sich diese Genkombination wieder auf und kombiniert sich neu. Die einzelnen Gene folgen zwar den *Mendel*schen Regeln, aber in dem komplizierten Netzwerk ist der Erbgang des Einzelgens nicht mehr erkennbar. Das multifaktorielle Merkmal in seiner Gesamtheit folgt keinem *Mendel*schen Erbgang. Außerdem sind die empirischen Risikoziffern in den Familien oft sehr niedrig, so niedrig, daß man an Erblichkeit überhaupt zweifeln könnte.

Da nun eineiige Zwillinge in ihrer Genkombination identisch sind, sind sie auch für multifaktorielle Merkmale konkordant. Die zweieiigen Zwillinge dagegen haben meist eine besonders niedrige Konkordanz (s. 6.3.3). Daher ist ein besonders hoher Konkordanzunterschied zwischen eineiigen und zweieiigen Zwillingen (mehr als 4mal) für multifaktorielle Vererbung charakteristisch.

Eineiige Zwillinge können zur Erbgangsanalyse nichts beitragen, denn sie müssen infolge ihres identischen Erbgutes theoretisch immer konkordant sein, ob es sich nun um ein polygenes oder ein monogenes (rezessives oder dominantes) Merkmal handelt. Sind eineiige Zwillinge zu einem gewissen Prozentsatz diskordant, so hat dies nichts mit der Art des Erbgangs zu tun, sondern mit Penetranz- und Expressivitätsschwankungen, die bei monogenem ebenso wie bei polygenem Erbgang vorkommen können. Zur Erbgangsanalyse muß man Familienuntersuchungen heranziehen und nach *Mendel*schen Spaltungsziffern suchen, die für Dominanz oder für Rezessivität sprechen.

6.4 Einschränkungen der Aussagen

Sammelkasuistiken bergen die Gefahr von Erfassungsfehlern. Sie stellen entweder bereits veröffentlichte Einzelkasuistiken zusammen oder untersuchen alle Zwillingspaare, derer sie habhaft werden können. Dabei werden diskordante Paare meist unvollständig erfaßt, konkordante Paare dagegen überrepräsentiert,

1. weil eine Interessantheitsauslese vorliegt,

2. weil statistisch gesehen Paare mit 2 kranken Partnern eine größere Chance haben, vermerkt und erfaßt zu werden, als Paare mit nur einem kranken Partner.

Fehlerquellen der Zwillingsforschung resultieren weiterhin aus den besonderen Umweltverhältnissen, in denen Zwillinge heranwachsen. Schon während der Schwangerschaft sind Zwillinge ungünstigeren intrauterinen Verhältnissen ausgesetzt als Kinder aus Einzelschwangerschaften. Während der Geburt ist besonders der zweitgeborene Zwilling in erhöhtem Maße gefährdet. Das Risiko einer Zerebralschädigung ist für ihn nicht nur wesentlich größer als für einen Einling, sondern auch größer als für den ersten Zwilling: Schwachsinn ist unter Zwillingen etwa 2- bis 4mal häufiger als unter Einzelgeborenen und auch die ZZ haben eine hohe Konkordanz. An Schizophrenie dagegen erkranken Zwillingsgeborene nicht häufiger als Einzelgeborene.

Ein oft gehörter Einwand ist der, daß EZ nicht nur gleiches Erbgut, sondern auch eine ähnlichere Umwelt hätten als ZZ, daß also eine höhere Konkordanz der EZ nicht unbedingt genetisch bedingt sein müsse. Das mag bis zu einem gewissen Grad richtig sein.

Andrerseits aber haben EZ manchmal sogar eine unähnlichere Umwelt als ZZ: Bei gemeinsamer Plazenta kann es z. B. zu einer derart ungleichen Blutverteilung kommen, daß der eine Zwilling hyperämisch, der andere anämisch zur Welt kommt.

Neuere amerikanische Untersuchungen ergaben auch keine Stütze dafür, daß EZ generell ähnlicher behandelt werden als ZZ. So werden sie als Kinder nicht wesentlich häufiger gleich gekleidet als ZZ. Sogar ein gewisser Kontrasteffekt ließ sich feststellen, indem häufig verwechselte, also körperlich sehr ähnliche Zwillinge von ihren Müttern in Persönlichkeit und Charakter eher verschiedener beurteilt wurden als selten verwechselte. Die Mütter bemühten sich, wenigstens auf psychischem Gebiet Unterschiede zu entdecken.

Auch in den Intrapaarbeziehungen scheint Identifikation nicht generell die überragende Rolle zu spielen, wie oft angenommen. Es bestehen auch Polarisierungstendenzen. Z. B. sind zusammen aufgewachsene Zwillinge für Neurosen seltener konkordant als getrennt aufgewachsene. Der noch nicht erkrankte Partner übernimmt die Beschützerrolle. Auch sonst werden des öfteren komplementäre Rollen übernommen, z. B. ist ein Paarling dominierend, der andere submissiv. Im Ausnahmefall können EZ aus den ihnen vorgegebenen Möglichkeiten sehr verschiedene Neigungen und Interessen entwickeln, der eine mehr praktische Fähigkeiten, der andere mehr intellektuelle. In solchen Fällen sind allerdings nicht nur die Wechselwirkungen der Paargemeinschaft bestimmend, sondern auch andere Umweltwirkungen.

7 Mutationen beim Menschen

Der Begriff „Mutation" wurde 1901 von de Vries geprägt. Die mutagene Wirkung von Röntgenstrahlen wurde 1927 von Muller entdeckt. Chemische Mutagene wurden zuerst 1943 von Auerbach beschrieben.

Mutation ist eine erbliche Veränderung des genetischen Materials, die nicht auf Rekombination oder Segregation zurückgeführt werden kann.

Genommutationen sind numerische Änderungen des Chromosomensatzes (s. 3.1).

Chromosomenmutationen sind strukturelle Chromosomenveränderungen (s. 3.2).

Die Genmutation betrifft ein einzelnes Gen.

7.1 Spontanmutationen

Mutationen, die ohne erkennbare Ursache auftreten, werden als Spontanmutationen (Neumutationen) bezeichnet.

Bei dominant und X-chromosomal rezessiv vererbten Leiden treten sog. sporadische Fälle auf, die auf Neumutationen zurückgeführt werden. Von einem sporadischen Fall spricht man, wenn bei völlig gesunden Eltern erstmals in einer Familie ein Kind mit einer regelmäßig dominant vererbten Krankheit oder Anomalie auftritt.

Die Bestimmung des Anteils derartiger Neumutationen an der Gesamtzahl der Neugeborenen dient zur Bestimmung der Mutationsrate mit der sog. direkten Methode. Die Formel für die Berechnung der Mutationsrate lautet:

$$\mu = \text{Mutationsrate} = \frac{\text{Zahl der Neumutationen}}{\text{doppelte Zahl aller Geborenen}}$$

Die Mutationsrate wird für jeden Genort einzeln ermittelt und bei den autosomal dominanten Mutationen auf die haploiden Keimzellen bezogen, weshalb die Zahl der Neugeborenen verdoppelt werden muß.

Die indirekte Schätzung der Mutationsrate geht von der Beobachtung aus, daß bei vielen Erbkrankheiten ein Gleichgewicht zwischen Mutation und Selektion besteht. In diesen Fällen entspricht die Zahl der Neumutationen der Zahl der durch Auslese verschwindenden Gene, so daß die Häufigkeit einer genetischen Krankheit in einer Bevölkerung von Generation zu Generation etwa gleich bleibt. Unter dieser Voraussetzung kann die Bestimmung der effektiven Fruchtbarkeit der Patienten mit einem Erbleiden zur Schätzung der Mutationsrate herangezogen werden. Die Formel für diese sog. indirekte Methode lautet bei autosomal dominanter Vererbung:

$$\mu = \text{Mutationsrate} = \frac{\text{Anzahl der Merkmalsträger}}{2 \times \text{Gesamtbevölkerung}} \times (1\text{-f})$$

f = relative Fruchtbarkeit der Patienten
(Bevölkerungsdurchschnitt: f = 1)

Die Mutationsraten liegen beim Menschen in der Größenordnung von 10^{-4} bis 10^{-6} bezogen auf jeden einzelnen Genort; ausgewählte Beispiele zeigt die Tabelle 15.

Tabelle 15 Ausgewählte Mutationsraten menschlicher Gene (nach *Vogel* und *Motulsky* 1979)

Dominante Mutationen	Mutationsrate	X-rezessive Mutationen	Mutationsrate
Achondroplasie	$1-1,3 \times 10^{-5}$	Hämophilie A	$3,2-5,7 \times 10^{-5}$
Retinoblastom	$6-7 \times 10^{-6}$	Hämophilie B	$2\ -3\ \times 10^{-6}$
Neurofibromatose	1×10^{-4}	Muskeldystrophie Typ Duchenne	$4,3-9,5 \times 10^{-5}$
Polyposis intenstini	$1,3 \times 10^{-5}$		
Akrozephalosyndaktylie (Apert)	3×10^{-6}		
Osteogenesis imperfecta	$0,7-1,3 \times 10^{-5}$		
Multiple kartilaginäre Exostosen	$6,3-9,1 \times 10^{-6}$		

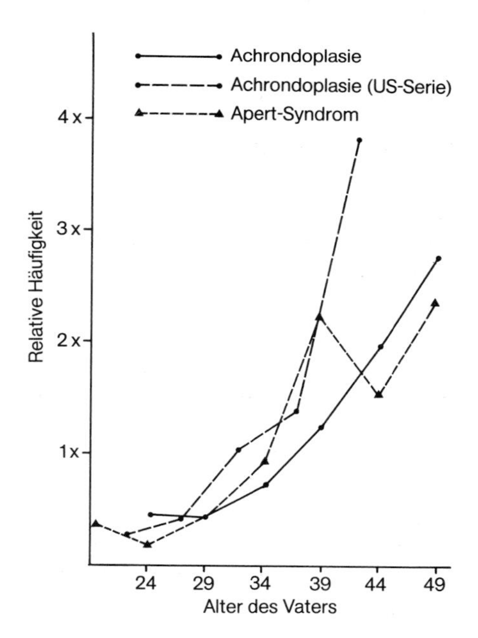

Abb. 85 Mutationsraten (relative Häufigkeit zum Populations-Durchschnitt = 1×) in Abhängigkeit vom Alter des Vaters

Spontanmutationen treten bei älteren Männern gehäuft auf. Als Beispiele können die Achondroplasie und das Apert-Syndrom angeführt werden (Abb. 85). Sie weisen eine Zunahme der Mutationsrate um etwa das Zehnfache auf, wenn 20jährige Väter mit 40jährigen Vätern verglichen werden.

7.2 Induzierte Mutationen

Mutationen können durch Mutagene künstlich erzeugt (induziert) werden. Als Mutagene wirken ionisierende Strahlen wie Röntgenstrahlen, γ-Strahlen oder kosmische Strahlen. Nichtionisierende Strahlen wie ultraviolettes Licht wirken ebenfalls mutagen, das Wirkungsmaximum liegt bei 260 nm Wellenlänge, dem Absorptionsmaximum der DNS. Chemische Mutagene sind Substanzen wie DNS- oder RNS-Analoge,

z. B. 5-Bromuracil, alkylierende Substanzen wie Senfgas, Akridin-Farbstoffe, Karzinogene wie Benzpyren, Nitrite u. v. a. Auch Viren kommen als mutagene Faktoren in Betracht (s. 3.8.1, 3.8.2).

7.3 Mutagenitätstestung

Mutagene Noxen führen zu einer Zunahme der spontanen Mutationsraten in somatischen Zellen und Zellen der Keimbahn.

Wegen der hohen Korrelation zwischen mutagener und kanzerogener Wirkung ergibt sich somit für das betroffene Individuum ein *erhöhtes Krebsrisiko,* für seine Nachkommen ein *erhöhtes genetisches Risiko*. Ziel der angewandten Mutagenitätsforschung wird es daher sein, Mutagene zu erkennen, ihre Wirkung zu charakterisieren, das Schadensrisiko zu definieren und geeignete Maßnahmen zu ergreifen, um dieses soweit wie möglich zu begrenzen.

Für eine relevante Mutagenitätstestung müssen Methoden verfügbar sein, mit denen Genmutationen, strukturelle Chromosomenaberrationen und Genommutationen erfaßt werden können.

Ionisierende Strahlen induzieren sämtliche Typen genetischer Schäden. Dabei sind dichtionisierende Strahlen (α-Strahlen, Neutronen) biologisch wirksamer als lockerionisierende Strahlen (Röntgen- und γ-Strahlen).

Chemische Substanzen induzieren insbesondere Genmutationen und Non-disjunction, bei einigen sind auch strukturelle Chromosomenaberrationen von Bedeutung. Für eine Reihe von verbreiteten Umweltsubstanzen und insbesondere für viele mutagene Karzinogene wurde nachgewiesen, daß sie in hohem Ausmaß SCEs induzieren.

Verschiedene *Virusarten, Schimmelpilze* und *Mykoplasmen* induzieren Chromosomenbrüche in somatischen Zellen. Für Adenoviren, Papovaviren und Retroviren ist auch die Auslösung von Genmutationen in Säugerzellen nachgewiesen.

Zur Erfassung der verschiedenen Mutationstypen müssen spezielle *Testsysteme und Testverfahren* eingesetzt werden.

Die **Induktion von Genmutationen** kann in mikrobiellen Testsystemen bestimmt werden. Im sogenannten *Ames-Test* werden hierzu verschiedene mutierte Bakterien- oder Pilzstämme benützt, die z. B. auf Substrat ohne Histidin nicht wachsen. Durch chemische Mutagene induzierte Rückmutationen zur Prototrophie können mit Hilfe von Selektionstechniken erkannt werden.

Um die metabolische Aktivierung einer chemischen Substanz im Säugerorganismus zu berücksichtigen, werden den Testorganismen z. B. mikrosomale Leberfraktionen beigegeben. Im *„Host-Mediated-Assay“*-System werden hierzu die Test-Bakterien in die Leibeshöhle von behandelten Mäusen eingebracht und nach Wiedergewinnung auf induzierte Mutationen hin untersucht. Genmutationen können aber auch in gezüchteten Säugetierzellen, z. B. Lymphozyten nachgewiesen werden. Am bekanntesten ist hierbei die Selektion von Mutanten, die z. B. gegenüber den toxischen Purinanalogen 8-Azaguanin oder 6-Thioguanin resistent sind. Die Resistenz entsteht durch eine im HGPRT-Locus des X-Chromosoms verursachte Mutation, die zu einer Verringerung der Aktivität des Enzyms **H**ypoxanthin-**G**uanin-**P**hosphor**i**bosyl-**T**ransferase führt. Im *„Specific-Locus-Test“*, der mit einem besonderen Mäuseteststamm durchgeführt wird, können rezessive Genmutationen an 7 Genorten, die Fell- und Augenfarbe sowie die Ohrgröße bestimmen und die in den Keimzellen behandelter Tiere ausgelöst wurden, direkt in der F_1-Generation beobachtet werden.

Strukturelle und numerische Chromosomenaberrationen können sowohl nach Applikation der zu prüfenden Substanz in vitro, als auch im lebenden Organismus nachgewiesen werden. Als Testsysteme eignen sich kultivierte Zell-Linien verschiedener somatischer Zellen von Tier und Mensch (insbesondere auch periphere Lymphozyten) sowie Keimzellen und frühe Embryonalstadien. Die Mehrzahl dieser Systeme kann auch für eine *SCE-Analyse* benutzt werden. Als Vortest zur Erfassung von numerischen und strukturellen Chromosomenmutationen ist der *Mikronukleustest* im Knochenmark von Nagern weit verbreitet. Im *Dominant-Letaltest* gilt die Zahl der abgestorbenen Embryonen bei behandelten Mäusen als Hinweis auf die in Keimzellen induzierten Chromosomenmutationen. Erbliche reziproke Translokationen können z. B. bei der Maus in männlichen Nachkommen in der 1. meiotischen Teilung der Keimzellen als Multivalente oder Ringe nachgewiesen werden.

Ergebnisse aus solchen Untersuchungen haben für ionisierende Strahlen zu Konzepten der Abschätzung des genetischen Risikos geführt und Eingang in die Strahlenschutzgesetzgebung gefunden. Sie beinhalten die Begrenzung der zivilisatorischen Strahlenexposition – Medizin, Beruf, Kernenergie, Baustoffe – durch Festlegung von Dosisgrenzwerten.

Bei chemischen Substanzen lassen sich wegen der Vielfalt der Stoffgruppen keine Schlußfolgerungen hinsichtlich eines allgemeinen genetischen Risikos ziehen. Für eine effektive Mutagenitätstestung ist hier stets eine Differenzierung über den jeweiligen Wirkungsmechanismus notwendig. Generelle Angaben für eine Belastbarkeit der Bevölkerung können kaum angegeben werden, da stets modifizierende Faktoren wie z. B. Aufnahme der Substanz in den Körper, Aktivierung bzw. Entgiftung durch den Stoffwechsel, Speicherung und Ausscheidung individuell zu berücksichtigen sind. Richtlinien zur Prüfung und Bewertung der Umweltgefährlichkeit (u. a. Testung auf Mutagenität und Karzinogenität) chemischer Stoffe sind im sog. Chemikaliengesetz festgelegt.

8 Populationsgenetik

Hardy und Weinberg beschrieben 1908 unabhängig voneinander das grundlegende Gesetz der Populationsgenetik.

Die Engländer Fischer und Haldane sowie der Amerikaner Wright erarbeiteten in den 20er und 30er Jahren die genetischen Grundlagen der Evolutionslehre.

8.1 Population

Eine Population im genetischen Sinn ist die Gesamtheit der Individuen einer Gruppe, die an der Fortpflanzung von einer Generation zur nächsten beteiligt sind oder beteiligt sein könnten.

Die Gesamtheit der Gene dieser Population kann als gemeinsamer „Genpool“ verstanden werden, der für jeden einzelnen Genort mathematisch analysiert werden kann.

8.2 Genhäufigkeit

Genhäufigkeit (Genfrequenz) ist die Häufigkeit eines Gens an einem Genort in einer Population. Ist nur ein Gen (A) in der Population vorhanden, ist dessen Genfrequenz $p = 1.0$, da alle Individuen den homozygoten Genotyp AA aufweisen. Sind an einem Genort zwei Allele, A und a, vorhanden, so sind deren Genfrequenzen p und q und deren Summe $p + q = 1.0$. Genhäufigkeiten werden nach der Gen-Zähl-Methode ermittelt.

Bei einem Genort mit zwei Allelen, A und a, und drei Genotypen AA, Aa und aa, geht man in folgender Weise vor:

$$p \text{ (Häufigkeit des Gens für A)} = \frac{2 \times AA + 1 \times Aa}{2N} \quad \text{und}$$

$$q \text{ (Häufigkeit des Gens für a)} = \frac{2 \times aa + 1 \times Aa}{2N}$$

AA = Zahl der Individuen homozygot für A

aa = Zahl der Individuen homozygot für a

Aa = Zahl der Heterozygoten

N = Größe der untersuchten Stichprobe

Nach diesem Prinzip können auch die Genhäufigkeiten bei drei oder mehr Allelen bestimmt werden.

Die Verteilung der Genotypen in einer Population folgt unter bestimmten Voraussetzungen, die unten aufgeführt werden, dem Gesetz der statistischen Wahrscheinlichkeit. Angenommen, in der Stichprobe sind an einem Genort nur die Allele A und a vorhanden, die mit den Häufigkeiten p und q auftreten, so finden wir Eizellen mit A mit der Häufigkeit p und mit a mit der Häufigkeit q sowie entsprechend Samenzellen mit A mit der Häufigkeit p und mit a mit der Häufigkeit q. Bei Panmixie verteilen sich die drei Genotypen AA, Aa und aa in den Zygoten, aus denen die Individuen der folgenden Generation hervorgehen (s. Abb. 58 b), wie: p^2 für AA, pq und qp für Aa (bzw. aA) und q^2 für aa.

Die Formel lautet: $p^2 + 2pq + q^2 = 1.0$.

Die Verteilung der Genotypen entspricht somit dem Binomialsatz $(p+q)^2$. Bei Populationsgleichgewicht ändert sich diese Verteilung nicht von einer Generation zur nächsten. Das Populationsgleichgewicht wird auch nach seinen Erstbeschreibern *Hardy-Weinberg*-Gleichgewicht genannt.

Populationsgleichgewicht besteht bei folgenden Voraussetzungen bzw. hängt von folgenden Faktoren ab:

(1) **Panmixie** (engl. random mating). Panmixie bedeutet ein System der Partnerwahl, bei dem der Genotyp eines Genortes nicht berücksichtigt wird und die Paare sich nach den Gesetzen der Wahrscheinlichkeit finden. Panmixie gilt z. B. für erbliche Merkmale, deren verschiedene Formen uns nicht bewußt sind, die außerdem nicht mit Eigenschaften, die wir bei der Partnerwahl berücksichtigen, korreliert sind. Das dürfte z. B. für die Blutgruppengene M und N gelten: Für die 3 Genotypen MM, MN, NN dürfte Panmixie anzunehmen sein. Paarungssiebung hingegen bedeutet, daß wir bei der Partnerwahl den Genotyp beachten, entweder im positiven oder negativen Sinn. Taubstumme, auch die mit einer der erblichen Formen, heiraten z. B. häufig untereinander. Sie nehmen bei der Partnerwahl eine Auslese zugunsten eines bestimmten Genotyps vor, sofern die Taubstummheit im Einzelfall erblich bedingt ist. Manche Genotypen, z. B. bei einer erbbedingten entstellenden Anomalie, unterliegen einer negativen Auslese. Derartig betroffene Personen können Schwierigkeiten bei der Partnersuche haben. Eine andere Form der Abweichung von Panmixie ist die Bevorzugung von Blutsverwandten als Partner, z. B. eine Verbindung von Vettern und Cousinen 1. oder 2. Grades, was mit dem Ausdruck Inzucht belegt wird.

(2) **Selektion.** Bei Populationsgleichgewicht tragen die verschiedenen Genotypen an einem Genort gleichmäßig zum Genbestand der folgenden Generation bei, ohne daß der eine oder andere Genotyp mit einer erhöhten oder verminderten Fruchtbarkeit bzw. Lebensfähigkeit einhergeht. Selektionsvorteil führt zur Vermehrung eines mutierten Gens in einer Population; Selektionsnachteil bedingt die Verminderung der Häufigkeit eines mutierten Gens in einer Population.

(3) **Mutation.** Bei Populationsgleichgewicht an einem Genort bewirken Mutationen keine nennenswerten Änderungen der Genhäufigkeiten der verschiedenen Allele.

(4) **Zufallsabweichungen** der Genhäufigkeiten und Genotyp-Verteilung beim Vergleich von einer Generation zur anderen werden bei kleinen Populationen beobachtet, in denen der Fehler der kleinen Zahl eine Rolle spielt. Je größer eine Population ist, um so weniger wahrscheinlich ist das Auftreten von Zufallsabweichungen. Die Änderung des genetischen Bestandes einer Population durch Zufallsabweichungen wird als „genetic drift" bezeichnet. Genetic drift ist ein wichtiger Mechanismus bei der Ausbildung von Unterschieden von Genhäufigkeiten zwischen verschiedenen Bevölkerungen und vermutlich auch bei der Entstehung neuer Arten. Ein Sonderfall des genetic drift ist der Gründereffekt (founder effect), wenn das häufige Vorkommen eines ungewöhnlichen genetischen Merkmals in einer Bevölkerungsgruppe auf einen der Begründer dieser Gruppe – den Stammvater oder die Stammutter – zurückgeführt werden kann.

(5) **Genwanderung** (Migration, Gen-Fluß). Die Vermischung mit Angehörigen einer anderen Bevölkerungsgruppe, die unterschiedliche Genhäufigkeiten aufweisen, kann die genetische Zusammensetzung einer Population verändern. Dieser Mechanismus hat Änderungen der Genverteilung in historischer Zeit bewirkt, z. B. zu Zeiten der Völkerwanderungen. Auch heute ist sie angesichts der Mobilität in einer Industriegesellschaft wieder von Bedeutung.

Mit Hilfe der Formel des *Hardy-Weinberg*-Gleichgewichtes kann die Heterozygoten-Häufigkeit errechnet werden, wenn die Zahl der homozygot Betroffenen bekannt ist. Wenn die Häufigkeit einer autosomal rezessiv vererbten Krankheit mit q^2 gegeben ist, so ist die Genhäufigkeit $q = \sqrt{q^2}$. Bei einer sehr seltenen Krankheit wird man $p = 1.0$ setzen können, da $p + q = 1.0$ ist und q vernachlässigbar klein ist. Die Heterozygotenfrequenz $2pq$ errechnet sich dann mit $2pq = 2 \times 1 \times \sqrt{q^2}$.

Als numerisches Beispiel sei die Phenylketonurie angeführt:

Die Häufigkeit in Deutschland beträgt ~1 : 10 000 Neugeborene ($q^2 = \frac{1}{10\,000}$).
Die Genfrequenz ist demnach $q = \frac{1}{100}$.
Die Heterozygotenhäufigkeit ist $2pq = \frac{2}{100} = \frac{1}{50}$.

8.3 Unterschiede von Genhäufigkeiten zwischen verschiedenen Bevölkerungen

Menschliche Bevölkerungen unterscheiden sich in den Häufigkeiten ihrer Gene und Genotypen. Es finden sich erhebliche Verteilungsunterschiede bei den erblichen Blut-, Serum- und Enzymgruppen sowie bei den Transplantationsantigenen. Die Ursachen für die Verteilungsunterschiede sind für die meisten Systeme noch ungeklärt. Grundsätzlich sind sie auf die unter 8.2 aufgeführten Mechanismen zurückzuführen. Eindrucksvolle Verteilungsunterschiede finden sich auch bei den Erbkrankheiten. In Westdeutschland ist die häufigste rezessiv vererbte Krankheit die Mukoviszidose (zystische Fibrose), deren Primärdefekt noch unbekannt ist und die besonders durch intestinale (Steatorrhoe, Mekoniumileus) und bronchopulmonale Symptome (chronische Obstruktion der Bronchioli) gekennzeichnet ist. Ihre Frequenz beträgt in Deutschland 1 : 1000–2000 Neugeborene, während sie bei Negern äußerst selten ist. Die häufigste Erbkrankheit bei amerikanischen Negern ist mit einer Häufigkeit von 1 : 400 die Sichelzellanämie. Das Sichelzellgen ist in Deutschland so extrem selten, daß die Krankheit Sichelzellanämie bei einem Deutschen noch nicht beobachtet worden ist.

8.4 Zusammenwirken von Mutation und Selektion

Das Zusammenwirken von Mutation, Selektion und genetischer Drift bestimmt die Häufigkeiten von Genen in Bevölkerungen. Wirkt sich eine Mutation ungünstig auf die Lebensfähigkeit oder Fortpflanzungsfähigkeit seines Trägers aus, so verschwindet die Mutante wieder. Durch ständige Neumutationen kann sich ein Gleichgewicht von negativer Auslese und Mutation einstellen. Durch diesen Mechanismus erhalten sich auch sehr schwere Erbkrankheiten in einer Bevölkerung; die Vorstellung, durch eugenische Maßnahmen diese Erbkrankheiten „ausmerzen“ zu wollen, ist eine Illusion.

Umweltfaktoren beeinflussen die Häufigkeit von Genen bzw. von erblichen Krankheiten.

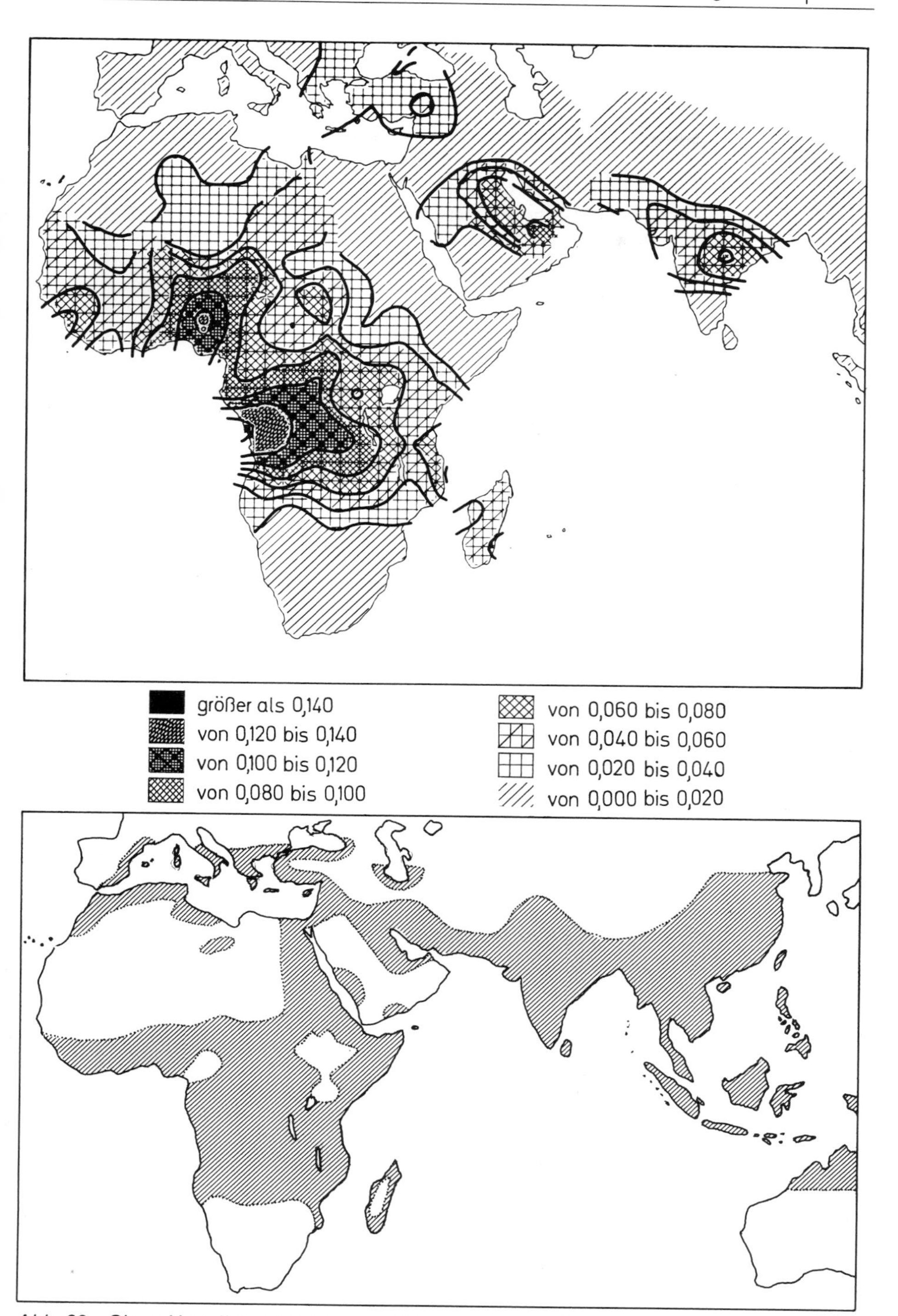

Abb. 86 Oben: Verteilung des Sichelzellhämoglobins HbS; unten: Verteilung der Malaria

Als Beispiel für den Einfluß der Ernährungsweise soll die Laktoseintoleranz erwähnt werden, bei der im Erwachsenenalter eine Unverträglichkeit gegenüber Milchzucker und damit gegenüber Milch manifest wird. Sie ist bei Bevölkerungen mit jahrtausendalter Viehzucht-Tradition und Milchernährung wesentlich seltener als bei Populationen ohne Milchproduktion.

Infektionskrankheiten waren im Zusammenwirken mit genetisch bedingter Resistenz oder Empfänglichkeit bedeutsame Auslesefaktoren in der Menschheitsgeschichte. Das eindrucksvollste Beispiel ist die Beziehung von Malaria und genetisch determinierten Eigenschaften des Blutes. Heterozygote für das Sichelzellgen HbS, das β-Thalassämiegen HbβThal und für den Glukose-6-Phosphat-Dehydrogenase-Mangel sind gegenüber dem Erreger der tropischen Malaria, Plasmodium falciparum, resistenter als Personen mit dem normalen Genotyp. Diese Beziehungen wurden wegen der Ähnlichkeit der geographischen Verteilungen vermutet (s. Abb. 86) und später durch populationsgenetische, hämatologische und experimentelle Untersuchungen bestätigt.

Auch gesellschaftliche und kulturelle Faktoren beeinflussen die Auslese. Beispiele sind Sitten und Gebräuche bei der Partnerwahl, unterschiedliche Paarungs- und Aufzuchtsysteme mit ungleicher Verteilung der Chancen, eine Familie bzw. eine ihr entsprechende Institution zu gründen und zu unterhalten, Modalitäten von Familienpolitik und Familienfürsorge.

Auch die kulturelle Entwicklung kann Auslese modifizieren. Man spricht in diesem Zusammenhang von einem Nachlassen der natürlichen Auslese. Die X-chromosomal vererbten Störungen des Rot-Grün-Farbsehens sind bei den Bevölkerungen Chinas und Südeuropas häufiger als bei den Bevölkerungen, die sich erst später von der Kulturstufe der Jäger und Sammler gelöst haben.

Ein anderes Beispiel sind die unterschiedlichen Häufigkeiten für Refraktionsanomalien bei Europäern und Negern (Abb. 87). Engländer haben deutlich häufiger Refraktionsanomalien, die mit Brillen bzw. Kontaktlinsen korrigiert werden müssen, als Neger aus Zentralafrika.

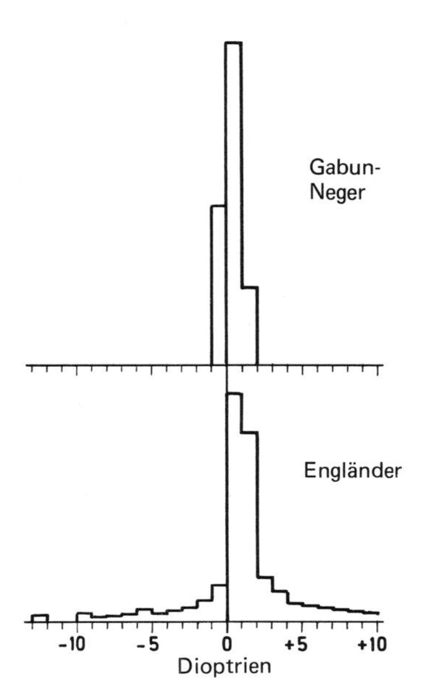

Abb. 87 Refraktionswerte bei Gabun-Negern und Engländern. Untersucht wurden junge erwachsene Männer

Durch therapeutische Maßnahmen (s. 10.9) wird auch die Häufigkeit von Genen geändert. Beispiele sind die Insulinbehandlung des juvenilen Diabetes, die Immunglobulinsubstitution bei primären genetischen Immundefekten und die Diätbehandlung der Phenylketonurie. Jedoch wird das Ausmaß dieser Einwirkung überschätzt. Die Genhäufigkeiten ändern sich nur langsam und verhältnismäßig geringfügig. Man hat beispielsweise berechnet, daß die erfolgreiche Erfassung und rechtzeitige Behandlung aller homozygoten Individuen für Phenylketonurie und deren Beteiligung an der Fortpflanzung im gleichen Maße wie die übrige Bevölkerung erst nach etwa 36 Generationen zu einer Verdoppelung der Häufigkeit des PKU-Gens führen würde (s. 10.1.1).

8.5 Balancierter genetischer Polymorphismus

Man versteht darunter die Erhaltung eines Gleichgewichtes durch einen Selektionsvorteil der Heterozygoten („Heterosis"). Das bekannteste Beispiel ist wiederum das Sichelzellhämoglobin. Die Homozygoten für HbS leiden an Sichelzellanämie, ihre Lebenserwartung und ihre Fortpflanzungsfähigkeit sind durch die Krankheit eingeschränkt. Die biologische Fitness, das ist der Beitrag zum Genbestand der nachkommenden Generation, ist beim Genotyp $\beta^S\beta^S$ erheblich reduziert. Die Genhäufigkeit für β^S bleibt erhalten durch einen Selektionsvorteil der Heterozygoten $\beta^A\beta^S$ im Vergleich zum normalen Genotyp $\beta^A\beta^A$. Heterozygote sind resistenter gegenüber dem Erreger der tropischen Malaria, dem *Plasmodium falciparum,* besonders im Säuglingsalter. Heterozygote Frauen haben zudem weniger Aborte und weisen eine etwas höhere Fruchtbarkeit auf.

9 Enzymdefekte und deren Folgen

Der Engländer Archibald Garrod postulierte spezifische Enzymdefekte als Grundlage erblicher Stoffwechselstörungen bereits 1902. Der Nachweis gelang erst über 50 Jahre später.

9.1 Grundlagen von genetisch bedingten Stoffwechselstörungen

Erbliche Stoffwechselkrankheiten können häufig auf einen genetisch determinierten Enzymdefekt zurückgeführt werden. Die Auswirkungen des Funktionsausfalls eines Enzyms in einer Enzymwirkkette, ein sog. Block, können schematisch in folgender Weise dargestellt werden (Abb. 88):

$$\begin{array}{lccccccc}
 & A & \rightarrow & B & \rightarrow & C & \rightarrow & D \\
1. & A & \rightarrow & B & \rightarrow & CCC & \nrightarrow & (D) \\
2. & AA & \rightleftharpoons & BBB & \rightleftharpoons & C & \nrightarrow & (D) \\
3. & A & \rightarrow & B & \rightarrow & CC & \nrightarrow & (D) \\
 & & & & & \downarrow & & \\
 & & & & & X \rightarrow Y \rightarrow Z & &
\end{array}$$

Abb. 88 Mögliche Auswirkungen des Funktionsausfalls eines Enzyms

In diesem Schema ist der Umbau des Metaboliten C in das Endprodukt D durch einen genetisch determinierten Enzymdefekt blockiert, das Endprodukt D wird nicht mehr oder in stark verminderter Menge gebildet (1, 2, 3). Vor dem enzymatischen Block kommt es zu einem Stau von Metaboliten: Entweder tritt der direkt vor dem Block anfallende Metabolit in erhöhten Konzentrationen auf (1), oder es kommt zu einem Rückstau; in der Wirkkette früher gebildete Metaboliten treten vermehrt auf (2). Häufig ist auch der Abbau des gestauten Metaboliten über einen Stoffwechselweg, der normalerweise nicht benutzt wird (3). Die Krankheitserscheinungen können bedingt sein: durch das Fehlen des Endprodukts, durch die erhöhte Konzentration von Intermediärprodukten, durch das Auftreten anomaler Abbauprodukte oder durch eine Kombination dieser Mechanismen.

Während viele erbliche Stoffwechselstörungen auf Enzymdefekten beruhen, sind einige auf Mutationen zurückzuführen, die Transportproteine betreffen, oder auf genetisch bedingte Alterationen von Membranrezeptoren (s. z. B. 2.4.4.3.3). Es gibt erbliche Varianten von Enzymen, die die Enzymaktivitäten nicht oder nur ganz unerheblich beeinträchtigen. Bei durchschnittlich jedem 5. Enzym werden derartige erbliche Varianten häufig angetroffen. Seltenere Enzymvarianten sind von fast allen Enzymen bekannt.

Bei der Phenylketonurie ist durch einen Defekt der Phenylalaninhydroxylase die Hydroxylierung von Phenylalanin zu Tyrosin blockiert. Inzwischen sind weit über 100 Enzymdefekte charakterisiert worden, die den Aminosäurestoffwechsel, Lipid- und Kohlenhydratstoffwechsel, den Stoffwechsel von Mukopolysacchariden, Porphyrinen, Ketosteroiden u. a. betreffen. Weitere Beispiele sind die Galaktosämie, die auf einem Defekt der Galaktose-1-Phosphat-Uridyl-Transferase beruht, die durch einen Defekt der Glukose-6-Phosphatase bedingte Glykogenspeicherkrankheit Cori Typ I (*v. Gierkes* Krankheit) und der auf einen Tyrosinase-Mangel zurückzuführende Albinismus.

Durch den Enzymblock bei der Phenylketonurie (PKU) kommt es zur Hyperphenylalaninämie, d. h. die Konzentration von Phenylalanin ist im Blut, Liquor und Gewebe erhöht. Der pathogenetische Mechanismus der Hirnschädigung, der zum Schwachsinn führt, ist bei der PKU oder den anderen metabolisch bedingten Schwachsinnsformen noch nicht geklärt. Die *Tay-Sachs*-Krankheit beruht auf einem Defekt der N-Azetylhexosaminidase A, welcher eine Speicherung des Gangliosids GM2 in den Nervenzellen des Zentralnervensystems bewirkt.

Beim genetisch heterogenen Albinismus kann die Melaninsynthese gestört sein, so daß das Endprodukt einer Enzymwirkkette, das Melanin, nicht gebildet wird. Beispiele für Hormonsynthesestörungen sind die verschiedenen Formen des adrenogenitalen Syndroms (s. auch 2.4.4.4.1): Der 21-Hydroxylase-Defekt, der zur Virilisation führt, und der oft durch Salzverlust kompliziert ist, der 11-β-Hydroxylase-Defekt, der mit Virilisation und Hochdruck einhergeht, und weitere seltene Enzymdefekte der Kortikosteroid-Biosynthese.

Suchtests sollen praktisch und billig sein, damit sie in großen Massenprogrammen Anwendung finden können. Bei der Phenylketonurie wurde zunächst der Windeltest als Suchtest eingeführt: Nachweis von Phenylbrenztraubensäure in den uringetränkten Windeln mit Ferrichlorid, die sich durch Grünfärbung zu erkennen gibt. Der Test ist nicht spezifisch. Zudem setzt die Phenylbrenztraubensäureausscheidung zu einem Zeitpunkt ein, zu dem das Hirn bereits geschädigt sein kann. Allgemeine Verwendung findet daher der von *Guthrie* entwickelte mikrobiologische Test zum Nachweis einer Hyperphenylalaninämie, der an einem durch Anstechen der Ferse gewonnenen Blutstropfen durchgeführt wird (s. 4.3.3).

9.2 Pharmakogenetik

9.2.1 Grundlagen

Unter Pharmakogenetik versteht man die medizinisch bedeutsamen, genetisch bedingten Variationen von einzelnen Personen in ihrer Reaktion auf die Verabfolgung von Medikamenten: Pharmakogenetische Reaktionen sind von einer Reihe von Arzneimitteln bekannt, besonders zu nennen sind Malariamittel, Sulfonamide, Barbiturate, Succinyldicholin und Isoniazid.

9.2.2 Genmutationen als Grundlage atypischer Arzneimittelwirkungen

Pseudocholinesterase-Varianten sind die Ursache, daß es nach Gabe des Muskelrelaxans Succinyldicholin zu Atemstillstand bei einigen Menschen kommt. Die Häufigkeit dieser Komplikation beträgt 1 : 2000. Ein Leber-Azetylase-Polymorphismus bedingt unterschiedliche Abbauarten des Tuberkulostatikums Isonikotinsäure-Hydrazid (INH). Die sog. langsamen Ausscheider erleiden häufiger eine Polyneuritis bei Langzeitbehandlung mit INH. Der häufigste genetische Defekt ist der Glukose-6-Phosphat-Dehydrogenase-Mangel, von dem über 100 Millionen Menschen betroffen sind. Nach Einnahme bestimmter Medikamente wie Primaquine u. a. Malariamittel, Sulfonamide, Nitrofurantoin, Chloramphenicol, Anilinderivate u. a. kommt es zu hämolytischen Krisen. Molekulargenetisch können verschiedene G-6-PD-Mutanten unterschieden werden, sie werden X-chromosomal rezessiv vererbt, so daß in erster Linie Männer betroffen sind.

Viele pharmakogenetische Reaktionen sind multifaktoriell bedingt. Sie beruhen nicht auf dem Defekt eines einzigen Enzyms, sondern auf erblichen Variationen mehrerer am Stoffwechsel eines Medikamentes beteiligter Enzyme und Transportproteine. Solche individuellen Unterschiede in der Reaktion auf Medikamente sind eher die Regel als die Ausnahme.

10 Genetische Beratung

10.1 Allgemeines

Das Bewußtsein für genetische Fragestellungen in der Bevölkerung nimmt zu .Eine wichtige Rolle spielt dabei die Möglichkeit der Familienplanung: Wer die Zahl seiner Kinder nicht dem Zufall überläßt, der wird sich auch Gedanken über die Gesundheit der gewünschten Kinder machen. Die Praxis der genetischen Beratung zeigt immer wieder, daß die Ratsuchenden mit Ängsten und Sorgen kommen, auch ohne daß sie sich über das Ausmaß einer bestimmten Belastung im klaren sind. Die Aufgabe des Arztes ist nun, durch eine genaue Diagnose festzustellen, ob tatsächlich ein genetisches Risiko vorliegt oder ob eine teratogene Umweltschädigung (z. B. Rötelnembryopathie oder Alkoholembryopathie) ursächlich wirksam war. In einer sehr großen Zahl von Beratungsfällen wird der Arzt die Erfahrung machen, daß die Ängste und Sorgen vor einem genetischen Risiko unbegründet waren. In der Kinderklinik macht man diese Erfahrung häufig bei Müttern, die ein Kind mit Perinatalschaden haben und befürchten, der geistige und statomotorische Entwicklungsrückstand habe eine ausschließliche genetische Ursache, wie überhaupt überaus häufig genetische Faktoren als Ursachen von Auffälligkeiten angesehen werden.

Für die verschiedenen Störungen der Morphogenese wurde eine Nomenklatur vorgeschlagen, die gute Definitionsmöglichkeiten bietet (*Spranger* et al. 1982):

Als *Malformation* wird ein morphologischer Defekt eines Organs, eines Organteils oder einer Körperregion bezeichnet, der durch einen genetisch angelegten abnormen Entwicklungsprozeß hervorgerufen wird. Die Radiusaplasie beim Holt-Oram-Syndrom ist ein Beispiel (Abb. 100).

Als *Disruption* wird der morphologische Defekt eines Organs, Organteils oder einer Körperregion definiert, der durch Umwelteinflüsse bewirkt wird: die Gliedmaßendefekte bei der Thalidomid-Embryopathie oder die Linsentrübung durch die Röteln-Embryopathie sind hier Beispiele. Der Begriff Disruption ist synonym mit der Bezeichnung „sekundäre Fehlbildung" in der älteren Literatur.

Eine *Deformation* ist eine auffällige Formbeschaffenheit oder Lage eines Körperteils, die durch mechanische Kräfte verursacht wird. Ein Beispiel ist der pes equinovarus, der z. B. durch ein Oligohydramnion entstanden sein kann.

Eine *Dysplasie* umfaßt die pathologische Organisation von Zellen in einem Gewebe und die pathologische Morphologie, die daraus resultiert. Die Auffälligkeiten der Histogenese gehören hierher, z. B. die Osteogenesis imperfecta und das Marfan-Syndrom. Da der histologische Defekt überall da auftritt, wo das pathologisch veränderte Gewebe vorkommt, zeigen Dysplasien oft eine sehr pleiotrope Genwirkung. Im Gegensatz zu den Malformationen, Disruptionen und Deformationen sind dysplastische Veränderungen oft nicht auf ein einzelnes Organ beschränkt.

10.1.1 Auswirkung

Genetisch bedingte Leiden sind, da Ernährungsstörungen und Infektionskrankheiten den Arzt in Mitteleuropa im allgemeinen nicht mehr vor unlösbare Probleme stellen, so in den Vordergrund getreten, daß genetische Kenntnisse entscheidend wichtig für die vorbeugende und familienberatende Aufgabe des Arztes werden. Innerhalb der Kinderheilkunde kommen heute etwa ⅕ der Patienten wegen eines genetischen Leidens zum Arzt, etwa 2 % aller Neugeborenen weisen eine genetisch bedingte Fehlbildung oder Behinderung auf. Ein genetisch bedingtes Leiden oder eine Chromosomenaberration wird der Arzt heute ungleich häufiger sehen als ein Kind mit Diphtherie oder Kinderlähmung. Leider ist es heute in der Bundesrepublik immer noch so, daß Eltern ahnungslos kranke Kinder bekommen, obwohl man ihnen das Risiko hätte voraussagen können. Andere Eltern wiederum wagen aus Sorge vor einer genetischen Belastung nicht, ein Kind zu bekommen, obwohl die genetische Beratung ihnen diese Sorge hätte nehmen können.

Gerade bei Eltern, die in ihrem Kinderwunsch hochmotiviert sind, kann die genetische Beratung dazu führen, daß eine Schwangerschaft, deren Abbruch erwogen wurde, fortgesetzt wird oder daß nach der Geburt eines behinderten Kindes weitere Schwangerschaften geplant werden. Die genetische Beratung wird in solchen Fällen zu einer der stärksten geburtenfördernden Maßnahmen.

Genetische Beratung kann nur im Sinne der Beratung des einzelnen Ratsuchenden, eines Ehepaars oder einer Familie gesehen werden. Eugenische Gesichtspunkte im Sinne der Verbesserung des Erbgutes einer Bevölkerung durch Eliminierung pathologischer Gene kann nicht Aufgabe der genetischen Beratung sein. Schwerwiegend nachteilige dominante Gene sind im allgemeinen Letalfaktoren (s. 4.2.4). Bei rezessi-

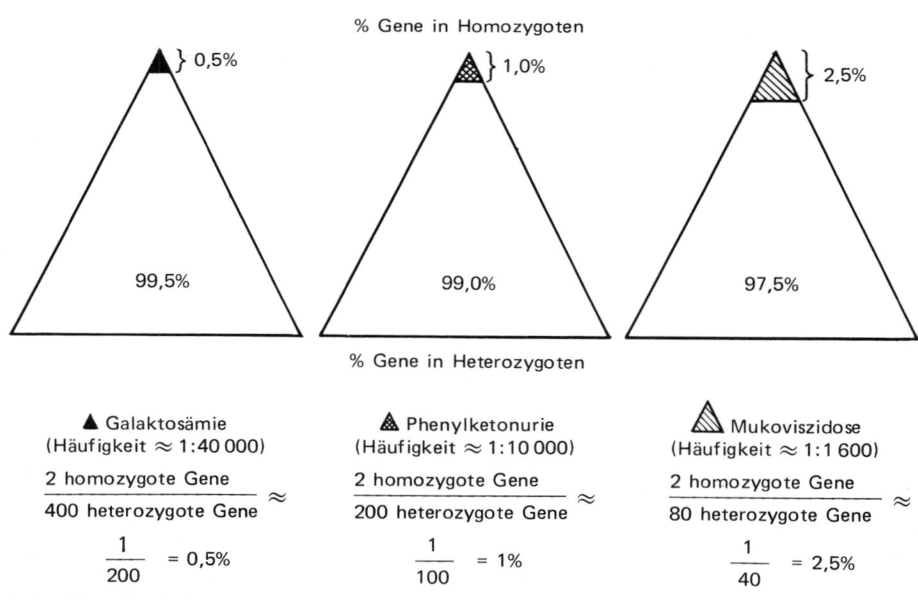

Abb. 89 „Die Spitze des Eisbergs“: Die Abbildung versucht, das Verhältnis homozygot auftretender Gene zu in heterozygotem Zustand vorliegenden Genen bei drei rezessiven Erbleiden darzustellen. Bei der Galaktosämie beträgt die Heterozygotenfrequenz 1:100, auf einen homozygoten Genträger (1:40 000) kommen also 400 heterozygote. Bei der Mukoviszidose beträgt die Heterozygotenfrequenz 1:20, auf einen homozygoten Genträger (1:1600) kommen also 80 heterozygote. Das Beispiel Phenylketonurie ist im Text behandelt.

ven Genen ist die Zunahme nachteiliger Gene, wenn die Homozygoten zur Fortpflanzung kommen, weit geringer, als intuitiv angenommen würde: Nach dem *Hardy-Weinberg*-Gesetz (s. 8.2) ergibt sich, daß bei einer Homozygoten-Frequenz von 1 : 10 000 (das ist die Größenordnung der Phenylketonurie-Häufigkeit, s. 8.2) die Heterozygoten-Frequenz 1 : 50 ist. In einer Population von 10 000 Individuen finden sich also 1 homozygoter und 200 heterozygote Probanden.

Kämen außer den Heterozygoten auch alle Homozygoten zur Fortpflanzung, so würde in einer Generation unter 10 000 Personen das Gen statt 200mal 202mal vererbt. Standen bisher Mutation und Selektion durch Eliminierung der Homozygoten im Gleichgewicht, so muß sich jetzt ein neues Gleichgewicht auf höherem Niveau einpendeln, bis neue Selektionsfaktoren wirksam werden. Bis eine Verdopplung der Gene einträte, bis also die Homozygotenhäufigkeit von 1 : 10 000 auf 1 : 5000 anstiege, würden 36 Generationen, also etwa 1000 Jahre, vergehen.

Daß die in den homozygoten Patienten sichtbar werdenden rezessiven Gene nur die „Spitze des Eisbergs" sind, die um so kleiner ist, je seltener ein Leiden ist, ist an drei Beispielen in Abb. 89 graphisch dargestellt.

10.1.2 Indikationen für eine genetische Beratung

Die häufigsten genetischen Beratungssituationen sind:

(1) Eltern haben ein Kind mit Fehlbildungen oder einem geistigen Entwicklungsrückstand und fragen, wie hoch das Risiko für weitere Kinder ist;
(2) in der Familie eines Ehepartners ist ein auffälliger Proband vorgekommen. Die Frage ist dann: Müssen wir bei einem eigenen Kind mit ähnlichen Störungen rechnen?
(3) ein Elternteil leidet an einem als genetisch bedingt angesehenen Leiden;
(4) fragliche Schädigung der Frucht durch einen möglicherweise teratogenen Umweltfaktor (physikalische oder chemische Noxe, Virusinfekt);
(5) erhöhtes Alter der Eltern;
(6) habituelle Abortneigung ohne gynäkologische Ursache;
(7) Verwandtenehe.

10.1.3 Allgemeine ärztliche Maßnahmen

Das praktische Vorgehen des Arztes bei einer genetischen Beratung unterscheidet sich nicht grundsätzlich von der Anamneseerhebung bei einer klinischen Untersuchung: besonderer Wert ist auf die Familienvorgeschichte zu legen. Der Arzt muß sich über die Geschwister des Probanden (Indexpatienten), über die Eltern, über die Geschwister der Eltern und über die Vettern und Cousinen ersten Grades informieren. Selbstverständlich muß gefragt werden, ob der Proband selbst bereits Kinder mit Fehlbildungen hat, ob die Schwangerschaften aus seiner Ehe vermehrt mit Fehlgeburten geendet haben. Entscheidend wichtig für jede Beratung ist die präzise Diagnose des fraglichen Leidens. *Vogel* hat den Satz geprägt, den man sich immer wieder vor Augen halten muß: „Es gibt keine allgemeine genetische Belastung, es gibt nur eine spezielle genetische Belastung". Sie kann in einem monogen oder einem multifaktoriell bedingten Leiden oder einer Chromosomenaberration bestehen.

Zum praktischen Vorgehen des beratenden Arztes gehört die Anfertigung eines Stammbaums, auf die keinesfalls verzichtet werden darf, auch wenn ein Befund ganz

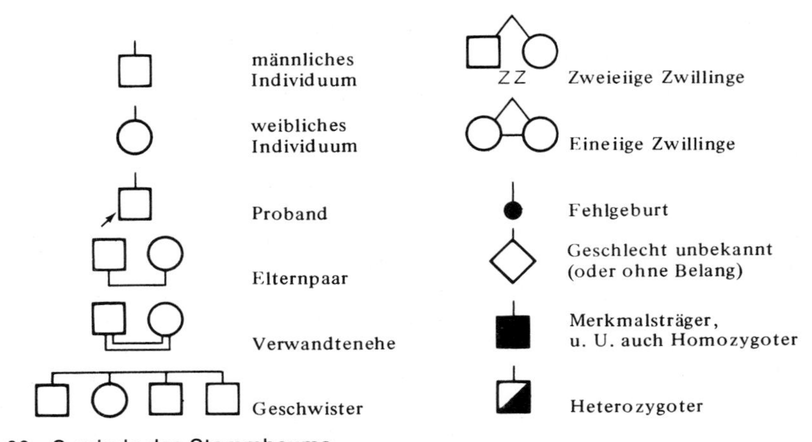

Abb. 90 Symbole des Stammbaums

klar zu sein scheint. Die gebräuchlichen Symbole des Stammbaums sind schematisch in der Abb. 90 dargestellt.

Wichtig ist, daß die einzelnen Geschwisterreihen in den einzelnen Generationen vollständig dargestellt sind, daß das Geschlecht angegeben ist, und vor allem, daß lückenhafte Informationen als solche gekennzeichnet sind. Die Bestimmung der Position innerhalb des Stammbaums erfolgt in der Form, daß die Generationen von der ältesten Generation ausgehend mit I, II, III usw. bezeichnet werden. Innerhalb der einzelnen Generationen, also waagerecht, wird mit arabischen Ziffern durchnumeriert. So hat schließlich, wenn der Stammbaum endgültig erhoben ist, jede Person ihre feste Bezeichnung.

Ein Elternpaar muß darauf hingewiesen werden, daß das Wiederholungsrisiko für ein bestimmtes monogen bedingtes Leiden unabhängig davon ist, ob und wieviel Kinder mit diesem Leiden bereits geboren sind. So kann ein Vater, der ein dominantes Gen trägt und bereits zwei Kinder hat, die gleichfalls das dominante Gen geerbt haben, nicht davon ausgehen, daß nun statistisch gesehen zwei gesunde Kinder kommen müßten. Das Risiko ist, unabhängig von den bereits geborenen Kindern, für das nächste Kind immer wieder gleich.

10.1.4. Psychologische Aspekte der genetischen Beratung

In die genetische Beratung, die letzten Endes häufig in die Frage mündet „Können wir noch eine Schwangerschaft riskieren?“, gehen außer den reinen Wahrscheinlichkeitszahlen auch andere Überlegungen mit ein: Wie schwer ist das Krankheitsbild, wie stark wäre das Leben des Merkmalsträgers belastet? – Die Antwort wird bei einer *Brachydaktylie* anders aussehen als bei einer *Achondroplasie*. Ein weiterer Gesichtspunkt ist, ob Therapiemöglichkeiten, so z. B. durch spezielle Diät bei Störungen des Aminosäure- oder Kohlenhydratstoffwechsels, bestehen (s. 10.9). Schließlich muß man überlegen, wie hoch die Belastung für das spezielle ratsuchende Ehepaar durch ein weiteres genetisch krankes Kind ist, auch wenn Therapiemöglichkeiten bestehen. Die Zahl der bereits vorhandenen Kinder geht in die Beratungssituation ebenso mit ein wie z. B. die Berufstätigkeit der Eltern, also auch die Frage, ob ein Elternteil seinen Beruf aufgeben würde, wenn die Versorgung eines genetisch behinderten Kindes dies erforderte, das Alter der Eltern usw.

Diese letzten Sätze leiten bereits über zu den psychologischen Aspekten, die man bei der Beratung abwägen muß. Sie sollen hier nachdrücklich hervorgehoben werden. Die Berechnung des Krankheitsrisikos stellt sich zunächst als rein naturwissenschaftliches Problem dar, die eigentliche Beratung der Eltern ist dann aber eine ärztliche Handlung von großer Tragweite. Die Konsequenzen, die sich aus ihr ergeben, können den Lebensplan und die menschlichen Beziehungen der Betroffenen zutiefst verändern. Eine wichtige ärztliche Aufgabe ist es, den Eltern Schuldgefühle zu nehmen, die sich fast immer einstellen, wenn bei einem von beiden eine genetische Belastung festgestellt wird. Es ist wesentlich, solchen Eltern klarzumachen, daß nachteilige Gene im Erbgut eines jeden Menschen vorhanden sind, daß die Kategorie „Schuld" beim Vorhandensein eines speziellen Gens, das sich in der speziellen Situation auswirkt, völlig fehl am Platz ist. Das Aufklärungsgespräch soll natürlich dem Wissensstand des Ratsuchenden entsprechen, grundsätzlich muß aber dem Ratsuchenden die Wahrheit über das Risiko gesagt werden. Der Arzt sollte keine autoritären Richtlinien geben, sich aber im Einzelfall nicht scheuen, Entscheidungshilfen anzubieten.

10.2 Autosomal rezessive Erbkrankheiten

10.2.1 Wiederholungsrisiken

Das Wiederholungsrisiko für Geschwister von Kranken beträgt 25 %, da anzunehmen ist, daß beide Eltern heterozygote Genträger sind. Das Risiko für die Verwandten ersten und zweiten Grades leitet sich rein mathematisch aus dem Risiko dieser Verwandten ab, heterozygote Eltern zu haben. So sind gesunde Geschwister eines Kranken mit einer Wahrscheinlichkeit von ⅔ heterozygote Genträger, Geschwister der Eltern mit einer Wahrscheinlichkeit von ½ heterozygot, Base und Vetter mit einer Wahrscheinlichkeit von ¼ heterozygot. Falls es nicht zu Verwandtenehen kommt, ist das Risiko für die Kinder dieser Verwandten gleich dem Produkt aus ihrem eigenen Risiko, heterozygot zu sein und der Heterozygotenfrequenz in der Population, in der Regel also vernachlässigenswert gering.

Ein homozygot Kranker kann dann ein krankes Kind haben, wenn er einen heterozygoten Partner heiratet. Es liegt dann Pseudodominanz (s. 4.3.6) vor. Mit einem homozygot gesunden Partner werden seine sämtlichen Kinder heterozygot und folglich klinisch gesund sein. Für das gleiche Gen homozygot kranke Partner können miteinander ausschließlich homozygot kranke Nachkommen haben.

Heterozygotentests sind immer dann von Bedeutung, wenn das Risiko des Ratsuchenden, heterozygot zu sein, groß ist, z. B. bei Geschwistern und nahen Verwandten von Homozygoten (s. 4.3.7). Ist der Proband tatsächlich heterozygot, sollte auch der Ehepartner auf Heterozygotie getestet werden. Ist der Ehepartner nicht heterozygot, ist bezüglich des fraglichen Leidens aus dieser Ehe kein krankes Kind zu erwarten.

10.2.2 Verwandtenehen

Verwandtenehen sind in der Bundesrepublik relativ selten, ihr Anteil liegt bei 0,1–0,3 %. Bei bisher unbelasteten Familien – was aber durch eine sehr sorgfältige

Anamnese gesichert sein muß – liegt zwar ein leicht erhöhtes Risiko für das Homozygotwerden nachteiliger Gene vor; es kann aber in Kauf genommen werden. Gibt also die Vorgeschichte keinen Anhaltspunkt für eine erbliche Belastung, so ist von einer Ehe zwischen Vetter und Base ersten Grades aus genetischer Sicht nicht abzuraten. Anders liegt der Fall, wenn sich Anhaltspunkte dafür ergeben, daß in der Familie ein nachteiliges rezessives Gen vorliegt. Gelingt es nicht, durch Heterozygotentests festzustellen, ob beide Ehewillige heterozygot sind oder nicht, so muß das Risiko des Zusammentreffens zweier, aufgrund der gemeinsamen Abstammung gleichartiger Gene entsprechend berücksichtigt werden. Häufigster Fall einer Verwandtenehe ist die Ehe zwischen Vetter und Base ersten Grades: Sie haben ⅛ ihrer Gene gemeinsam.

10.3 Autosomal dominante Erbkrankheiten

10.3.1 Wiederholungsrisiko

Das Wiederholungsrisiko für Kinder von Trägern eines autosomal-dominanten Erbleidens, das eine hunderprozentige Penetranz zeigt, beträgt 50 %. Wenn mehrfach gesunde Genträger im Stammbaum beobachtet wurden, so liegt die Penetranz unter 100 %. Das Wiederholungsrisiko für den pathologischen Phänotyp ist folglich in dem Grade geringer als 50 %, als die Penetranz von 100 % abweicht. Nimmt man ein dominantes Gen mit einer Penetranz von nur noch 50 %, so wird von den 50 % Genträgern unter den Kindern eines autosomal-dominant Erkrankten nur die Hälfte, also 25 % seiner Kinder insgesamt, das Merkmal zeigen. Bei einer solch niedrigen Penetranz wird es schwierig, formalgenetisch nur aus der Stammbaumanalyse auf Dominanz zu schließen.

Bei Dominanz mit variablem Erkrankungsalter, Beispiel Chorea Huntington (s. 4.2.5), kann das *Bayes*sche Theorem die Risikoberechnung ermöglichen (s. 10.4.3.2).

Gesunde Geschwister eines Kranken mit einem autosomal-dominanten Leiden haben, wenn die Penetranz des Merkmals 100 % ist, kein genetisch erhöhtes Risiko bezüglich dieses speziellen Merkmals.

10.3.2 Neumutanten

Gesunde Eltern, die ein Kind mit einem autosomal-dominanten Erbleiden mit 100%iger Penetranz haben (z. B. *Achondroplasie* oder *Akrozephalosyndaktylie*), haben bezüglich ihrer weiteren Kinder kein erhöhtes Risiko. Erstmaliges Auftreten eines dominanten Leidens mit voller Penetranz in einer Familie muß als Neumutation angesehen werden.

Auf den Zusammenhang zwischen Mutationsrate und väterlichem Alter ist unter 7.1 hingewiesen worden.

10.4 X-chromosomal rezessive Erbkrankheiten

10.4.1 Wiederholungsrisiko

Das Erkrankungsrisiko für Geschwister von Kranken mit einem X-chromosomal rezessiven Erbleiden beträgt für Schwestern 0 % (aber 50 % der Schwestern sind Konduktorinnen), für Brüder 50 % (den Durchschnittsfall vorausgesetzt, bei dem der Vater phänotypisch gesund und die Mutter Konduktorin ist). Ist die Mutter homozygot erkrankt, z. B. an *Rot-Grün-Farbblindheit,* so ist das Erkrankungsrisiko für die Söhne 100 % – alle bekommen ein X-Chromosom mit der Genmutation für Rot-Grün-Blindheit – für Töchter bleibt es bei 0 %, wenn der Vater gesund war, aber alle sind Konduktorinnen. Kinder eines rot-grün-blinden Vaters und einer Mutter, die nicht Konduktorin ist, sind sämtlich gesund, die Töchter sind jedoch alle wieder Konduktorinnen – jede bekommt das X-Chromosom mit der Genmutation für Rot-Grün-Blindheit (Abb. 68).

Das Erkrankungsrisiko verändert sich dann, wenn bei dem Kranken eine Neumutation als Ursache des Krankheitsbildes angenommen werden muß. Es ist dann, entsprechend 10.3.2, bei weiteren Geschwistern nicht erhöht.

10.4.2 Risiko, Überträger zu sein

Zur Abschätzung der Wahrscheinlichkeit, ob eine gesunde Frau Überträgerin ist, ist die Prüfung der Familienanamnese notwendig. Eine gesunde Frau ist mit 100%iger Wahrscheinlichkeit Überträgerin (Konduktorin, heterozygot), wenn ihr Vater hemizygot und somit krank ist. War der Großvater mütterlicherseits erkrankt so beträgt die Wahrscheinlichkeit für eine gesunde Frau, Überträgerin zu sein, 50 %. Die Verhältnisse lassen sich ableiten aus Abb. 68.

Kinder gesunder Brüder von Patienten mit einem X-chromosomal rezessiven Leiden werden sämtlich gesund sein, da ein gesunder Mann auf seinem X-Chromosom das normale Gen trägt.

Um das Risiko für Kinder von Schwestern Erkrankter zu berechnen, ist ein Heterozygotentest bei diesen Schwestern zu fordern. Liegt ein solcher Test nicht vor, so ist das Risiko für ihre Kinder nur formal zu berechnen. Dabei muß davon ausgegangen werden, daß die Hälfte Konduktorinnen sein werden.

10.4.3 Das Bayessche Theorem

Das *Bayes*sche Theorem (1763) ermöglicht es, bei der Risikoberechnung in der genetischen Beratung **a priori bestehende Risiken** (Mutationsrate, Genfrequenzen, Stammbaumgegebenheiten vorhergehender Generationen) mit **„konditionalen“**, d. h. individuell vorliegenden relevanten Parametern (Stammbaum der nächsten Generation, klinische und biochemische Daten) gemeinsam zu erfassen und auszuwerten.

10.4.3.1 Beispiel X-chromosomal rezessive Muskeldystrophie

Am Stammbaum (Abb. 91 a) einer Familie mit *Duchennescher Muskeldystrophie* sei die Anwendung des Theorems für die Berechnung des Risikos einer Ratsuchenden (II/4), Konduktorin oder Nichtkonduktorin zu sein (Tab. 16), erläutert:

Die 14 % unseres Beispiels bedeuten, daß mit dieser Wahrscheinlichkeit II/4 Genträgerin ist. Der nächste Sohn der Ratsuchenden trägt also ein 7%iges Erkrankungsrisiko; wird tatsächlich ein kranker Sohn geboren, beträgt das kalkulierbare Risiko für jeden weiteren Sohn natürlich 50 % (dann ist die Mutter erwiesene Überträgerin!).

Tabelle 16 Bayessches Theorem: Muskeldystrophie Duchenne

	Konduktorin	Nichtkonduktorin
Im ersten Schritt wird die „a priori" Wahrscheinlichkeit, daß die Ratsuchende II/4 das *Duchenne*-Gen überträgt, ermittelt. Sie beträgt 50 %, da ihre Mutter I/1 definitive Konduktorin ist. Genauso wahrscheinlich ist, daß II/4 nicht Konduktorin, sondern homozygot gesund ist, also: *a priori*	$\frac{1}{2}$	$\frac{1}{2}$
im zweiten Schritt wird angegeben, wie wahrscheinlich die aktuelle Situation (fragl. Konduktorin mit einem gesunden Sohn) wäre, *gesetzt den Fall* (konditional!), II/4 *ist* (linke Spalte) und ist *nicht* (rechte Spalte) Konduktorin. Ist sie es, beträgt die Wahrscheinlichkeit 50 %, ist sie es nicht, beträgt sie 100 %. Diese „bedingte Wahrscheinlichkeit" ist also ein Maß für die Wahrscheinlichkeit eines bereits eingetroffenen Zustandes, allerdings auf der Basis einer Hypothese („wenn Konduktorin") und ihrer Antithese (wenn „Nichtkonduktorin"), also: *1. konditionale Wahrscheinlichkeit*	$\frac{1}{2}$	1
eine weitere konditionale Wahrscheinlichkeit kann eingeführt werden, um eine zusätzliche, aus Enzymbestimmungen erhaltene Information mit auszuwerten: II/4 hat einen CPK-Wert im Normbereich, was nur für 33 % der Konduktorinnen, aber für alle Nichtkonduktorinnen zutrifft (präzise für 95 %), also: *2. konditionale Wahrscheinlichkeit*	$\frac{1}{3}$	1
die Produkte aus der a priori und den konditionalen Wahrscheinlichkeiten ergeben jeweils eine „joint probability", d. h. sowohl für die Hypothese „sie ist Konduktorin" als auch für „sie ist es nicht", also: *joint probability*	$\frac{1}{2} \cdot \frac{1}{2} \cdot \frac{1}{3} = \frac{1}{12}$	$\frac{1}{2} \cdot 1 \cdot 1 = \frac{1}{2} = \frac{6}{12}$
mittels des Quotienten aus der joint probability (ja = a) und der Summe von joint probability (ja = a) und joint probability (nein = b) ergibt sich dann die endgültige, alle zur Verfügung stehende quantifizierbare Information einbeziehende Wahrscheinlichkeit („posterior"), mit der die Ratsuchende II/4 das krankhafte Gen trägt: *a posteriori-Wahrscheinlichkeit:*	$\frac{a}{a+b} = \frac{\frac{1}{12}}{\frac{1}{12} + \frac{6}{12}} = \frac{\frac{1}{12}}{\frac{7}{12}} = \frac{1}{7} = 14\,\%$	

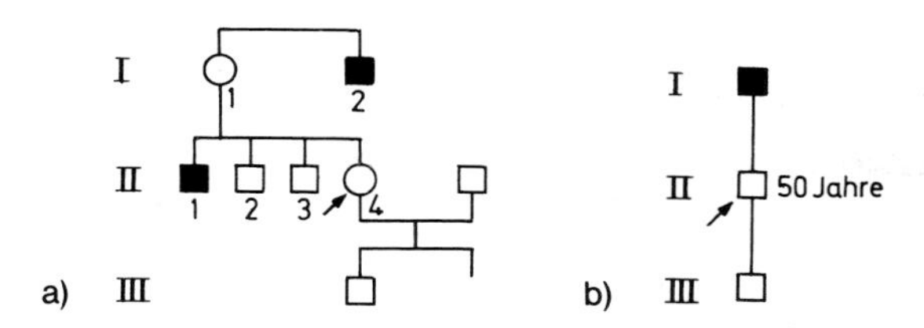

Abb. 91 Stammbaum-Beispiele zum *Bayes*schen Theorem: a) Muskeldystrophie Duchenne, b) Chorea Huntington

10.4.3.2 Beispiel Chorea Huntington

Ein weiteres Beispiel, diesmal einer autosomal dominanten Erkrankung, möge verdeutlichen, wie diese Methode bei Erbkrankheiten mit variablem Erkrankungsalter zur Beratung eingesetzt werden kann (Abb. 91 b und Tab. 17) (*Emery* 1976).

Die 16% unseres Beispiels bedeuten, daß mit dieser Wahrscheinlichkeit der Ratsuchende selber Gen-Träger ist. Für alle seine Kinder gilt wiederum die Hälfte dieses Wertes, aber auch hier nur solange, bis ein offensichtlich erkranktes Kind oder die Erkrankung des Vaters diesen als Gen-Träger ausweist.

Tabelle 17 Bayessches Theorem: Chorea Huntington

Ein offenbar gesunder 50jähriger Mann, dessen Vater an Chorea Huntington litt, möchte wissen, ob sein Sohn von der Krankheit ebenfalls bedroht ist. Nun besteht a priori für ihn ein 50%iges Erkrankungsrisiko, da autosomal dominierter Erbgang vorliegt, also: *a priori*	Genträger	Nicht-Genträger
	$\frac{1}{2}$	$\frac{1}{2}$
aus der Kenntnis der statistischen Verteilung des Erkrankungsalters ist allerdings die Wahrscheinlichkiet, mit 50 Jahren als Genträger (konditional!) noch symptomfrei zu sein, lediglich 20 % ($\frac{1}{5}$). Trägt der Ratsuchende das Gen jedoch nicht, liegt dieser Wahrscheinlichkeitswert bei 100 % (1), also: *konditionale Wahrscheinlichkeit*	$\frac{1}{5}$	1
wie im ersten Beispiel schon erläutert, bildet man nun die „joint probabilities" als Produkt aus den a priori und konditionalen Wahrscheinlichkeiten, also: *joint probability*	$\frac{1}{2} \cdot \frac{1}{5} = \frac{1}{10}$	$\frac{1}{2} = \frac{5}{10}$
nach der Formel $\frac{a}{a+b}$ wird nun die posteriore Wahrscheinlichkeit (die endgültige Wahrscheinlichkeit) errechnet, mit der der Ratsuchende das Chorea-Gen von seinem Vater geerbt hat. *a posteriori-Wahrscheinlichkeit:*	$\frac{\frac{1}{10}}{\frac{1}{10} + \frac{5}{10}}$	$= \frac{1}{6} = 16\,\%$

10.5 Multifaktoriell (polygen) bedingte Krankheiten

10.5.1 Prinzip der empirischen Erbprognose

Ein polygen bedingtes Leiden ist durch eine Gruppe von Genen bedingt, die – jedes einzeln für sich (wenn sie nicht gekoppelt sind) den *Mendel*schen Regeln folgend – sich von Generation zu Generation neu kombinieren (s. 5.1).

Multifaktoriell bedingte Merkmale zeigen folglich keinen einfachen Erbgang. Grundlage der genetischen Beratung bei solchen Krankheiten ist daher die sog. empirische Erbprognose.

Die empirischen Risikoziffern werden dadurch gewonnen, daß man Serien von Patienten und ihren Familien zusammenstellt und durch den Vergleich von erkrankten mit nichterkrankten Personen die Erkrankungswahrscheinlichkeit (Gefährdungsziffer), ausgedrückt in %, errechnet. Das muß für jeden Verwandtschaftsgrad eigens geschehen, also jeweils für Eltern, Kinder, Geschwister, Vettern und Basen, Onkel und Tanten usw. Bei Krankheiten, die sich erst im späten Lebensalter manifestieren, muß man noch rechnerische Alterskorrekturen vornehmen. Die Risikoziffern müssen oft zunächst Näherungswerte bleiben, da sie auf phänotypischer, also genferner Ebene gewonnen werden. Für *atopische Erkrankungen* (Asthma, Ekzem, Heuschnupfen), die mit einer Häufigkeit von 7,3–14,2 % in der Bevölkerung auftreten, beträgt das empirische Risiko nach einem erkrankten Kind ca. 18 %.

Für den *Diabetes mellitus* (aus Theile 1978) sind in Tabelle 18a Risikozahlen, in die vor allem das Erkrankungsalter des Probanden und der Verwandten eingeht, dargestellt, in Tabelle 18b ist das Risiko in Relation gesetzt zu den unterschiedlichen Häufigkeiten des Diabetes mellitus in der Bevölkerung.

Die Höhe der empirischen Risikoziffern hängt davon ab, ob die Eltern eines kranken Kindes gesund sind, ob ein Elternteil selbst krank ist, ferner ob bereits ein oder zwei kranke Kinder geboren wurden (Tab. 19).

Wichtig ist weiterhin, ob das betreffende Leiden eine bestimmte Geschlechtswendigkeit zeigt (s. 5.3). Ist das der Fall, wie z. B. bei der Hüftgelenksluxation oder Pylorusstenose, so gilt, daß das empirische Risiko höher ist, wenn der betroffene Ratsuchende dem seltener befallenen Geschlecht angehört (*Carter*-Effekt).

Am Beispiel der *Pylorusstenose,* die ca. sechsmal häufiger Knaben als Mädchen befällt, soll das mit den Daten einer amerikanischen Studie erläutert werden (Abb. 92). 330 als Säuglinge an Pylorusstenose erkrankte Väter hatten unter ihren 346

Tabelle 18a Risiko für erstgradige Verwandte von Diabetikern in Abhängigkeit vom Erkrankungsalter in %

Erkrankungsrisiko des Probanden im Alter von		25 J.	45 J.	65 J.	85 J.
Allgemeines Bevölkerungsrisiko		0.2–0.3	0.5–0.9	1.7–3.8	1.4–9.2
Erstgradiger	unter 25 J.	8	13	17	25
Verwandter erkrankt	über 25 J.	1	2	9	21

Tabelle 18b Risiko für erstgradige Verwandte von Diabetikern in Abhängigkeit von der Erkrankungshäufigkeit in der allgemeinen Bevölkerung

Erkrankungsalter des Probanden	Erhöhung des Risikos für Diabetes mellitus gegenüber der allgemeinen Bevölkerung		
	Geschwister	Kinder	Eltern
0–19 Jahre	× 10–14	× 18–24	× 2–3
20–39 Jahre	× 4– 5	× 6–13	× 2–3
über 40 Jahre	× 2– 4	× 1– 3	× 2–3

Tabelle 19 Empirische Risiken für einige wichtige häufige Fehlbildungen

Art der Fehlbildung		Empirisches Risiko in %	Häufigkeit in der Bevölkerung in %
Lippen-Kiefer-Gaumen-Spalte			
nach 1 erkrankten Kind		4	0,1–0,18
nach 2 erkrankten Kindern		9	
wenn ein Elternteil erkrankt ist		4	Knaben häufiger
wenn ein Elternteil und 1 Kind erkrankt sind		17	als Mädchen
Das Risiko ist erhöht, wenn der erkrankte Elternteil die Mutter oder das erste erkrankte Kind weiblich ist.			
Spina bifida			
(+ Anenzephalie und/oder Hydrozephalie)			~0,1
nach 1 erkrankten Kind		4	
nach 2 erkrankten Kindern		10	
Klumpfuß			
nach 1 erkrankten Kind		3	~0,1
Pylorusstenose			
wenn die Mutter betroffen ist oder nach erkrankter Tochter	für Knaben	20	
	für Mädchen	7	
wenn der Vater betroffen ist oder nach erkranktem Sohn	für Knaben	5	Knaben 0,6
	für Mädchen	2,5	Mädchen 0,1
Angeborene Hüftluxation			
nach erkrankter Tochter	Knaben	0,6	
	Mädchen	6,25	
nach erkranktem Sohn	Knaben	0,9	Knaben 0,05
	Mädchen	6,9	Mädchen 0,3

Söhnen 19 (= 5,5 %) und unter ihren 337 Töchtern 8 (= 2,4 %) erkrankte Kinder. Etwa 3mal höher ist das Risiko für Mütter, wenn sie als Säugling erkrankt waren: 239 Mütter hatten unter ihren 103 Söhnen 20 (= 19,4 %) und unter ihren 96 Töchtern 7 (= 7,3 %) erkrankte Kinder.

In der Psychiatrie können wir nur für die chromosomalen und für einige metabolische Schwachsinnsformen pränatale Diagnosen stellen und exakte Voraussagen machen. Meist kann man nur Erkrankungsrisiken, d. h. also Wahrscheinlichkeiten, mitteilen.

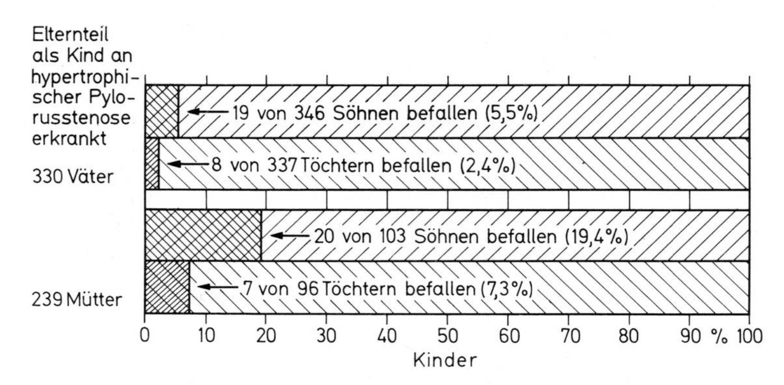

Abb. 92 Empirisches genetisches Risiko bei hypertrophischer Pylorusstenose in Abhängigkeit vom Geschlecht des befallenen Elternteils

Das empirische Erkrankungsrisiko für die Nachkommen *Schizophrener* beträgt 9–16 % (Tab. 20). Im allgemeinen sollten schizophrene Patienten besser keine Kinder haben. Das Kind läuft nicht nur Gefahr, die schizophrenen Anlagen zu bekommen, sondern wird auch von einem Milieu erwartet, das durch die Erkrankung eines oder beider Eltern unstabil und ungünstig ist. Der Kranke selbst ist durch die Versorgung eines Kindes oft überfordert. Gesunden Geschwistern und Nachkommen von Schizophrenen dagegen braucht man meist nicht von Kindern abzuraten. Die Schwierigkeit ist nur die, daß man niemals genau wissen kann, ob jemand nicht doch noch selbst erkrankt; dann ändert sich die günstige Situation natürlich.

Tabelle 20 Empirische Risiken für Schizophrenie. In Klammern stehen die aus allen Untersuchungen errechneten Mittelwerte

Verwandtschaftsgrad zu einem Schizophrenen	Empirisches Risiko in %		Durchschnitts-risiko
Kinder	9–16	(13,7)	0,85
Geschwister	8–14	(10,4)	
ZZ	5–16		
EZ	20–75		
Kinder zweier erkrankter Eltern	40–68		
Enkel	2– 8	(3,5)	
Vettern und Basen	2– 6	(3,5)	
Neffen und Nichten	1– 4	(2,6)	

Beim *idiopathischen Schwachsinn* besitzen die Kinder eines Kranken ein globales Erkrankungsrisiko von 16–50 % (Mittelwerte ca. 29 %) und die Geschwister von 11–41 % (Mittelwert 21 %), während die Häufigkeit in der Bevölkerung 2–4 % beträgt. Kinder aus solchen Familien haben nicht nur die kranken Anlagen, sondern oft auch ein schlechtes soziales Milieu zu erwarten. Für die Patienten selbst, die vielleicht gerade noch sozial angepaßt waren, bedeutet ein Kind oft eine zusätzliche Belastung, der sie nicht mehr gewachsen sind. Eine besondere Indikation zur Konzeptionsverhütung bildet eine Gruppe leicht schwachsinniger Mädchen, die ohne große Probleme bei Eltern und Verwandten leben können, aber häufige, unerwünschte Schwangerschaften durchmachen, ohne in der Lage zu sein, sich ihrer Kinder anzunehmen.

10.6 Erkrankungen durch Chromosomenaberrationen

10.6.1 Wiederholungsrisiko

Bei jedem Verdacht auf eine Chromosomenaberration (s. 3.7) ist die Chromosomenanalyse zwingende Voraussetzung für die Abschätzung des Wiederholungsrisikos, da allein durch die klinische Diagnose der zytogenetische Aberrationstyp nicht erschlossen werden kann. Theoretische und empirische Risiken und die diagnostischen Konseqenzen bei den Aberrationstypen, die zum Down-Syndrom führen, sind in Abb. 93 dargestellt.

	Vater	Mutter	Kind	Diagnose	Beratung
a	21 normal	21 normal	21 trisom	**Freie Trisomie 21** (Neumutation)	*Wiederholungsrisiko* theoretisch: 0% empirisch bei Müttern unter 38 J.: ca. 1% bei Müttern über 38 J.: 2–5% *Pränatale Diagnostik empfohlen*
b	14 21 normal	14 21 normal	14 21 unbalancierte Translokation t(14q21q)	**Translokations-trisomie 21** (Neumutation)	*Wiederholungsrisiko* theoretisch: 0% empirisch: ? *Pränatale Diagnostik empfohlen*
c	14 21 balancierte Translokation t(14q21q)	14 21 normal	14 21 unbalancierte Translokation t(14q21q)	**Translokations-trisomie 21** (vererbt)	*Wiederholungsrisiko* theoretisch: 25% empirisch Vater Carrier: ca. 4% Mutter Carrier: ca. 10% *Pränatale Diagnostik empfohlen*
d	21 normal	21 balancierte Translokation t(21q21q)	21 unbalancierte Translokation t(21q21q)	**Translokations-trisomie 21** (vererbt)	*Wiederholungsrisiko* theoretisch: 50% Da die übrigen 50% der Nachkommen eine Monosomie 21 haben werden, *ist von Fortpflanzung des Carriers abzuraten*
e	21 normal	21 balancierte perizentrische Inversion inv(21) (p11;q22)	21 unbalancierte Strukturaberration durch Crossing over in der Inversionsschleife	**partielle Trisomie 21** (vererbt)	*Wiederholungsrisiko* theoretisch: 25% empirisch: ? *Pränatale Diagnostik empfohlen*

Abb. 93 Zytogenetische Aberrationstypen und deren Bedeutung für die Familienberatung am Beispiel der Trisomie 21 (Down-Syndrom)

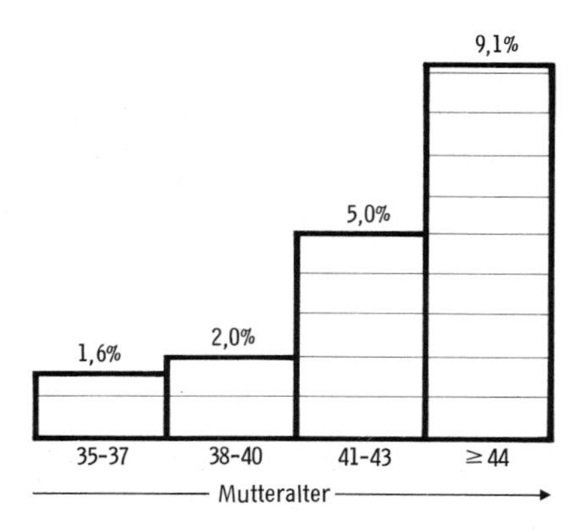

Abb. 94 a Risiko für de novo-Chromosomenaberrationen bei erhöhtem Alter der Mutter, ohne Berücksichtigung des Vateralters (traditionelle Betrachtungsweise) (siehe unterste Zeile der Tabelle 21)

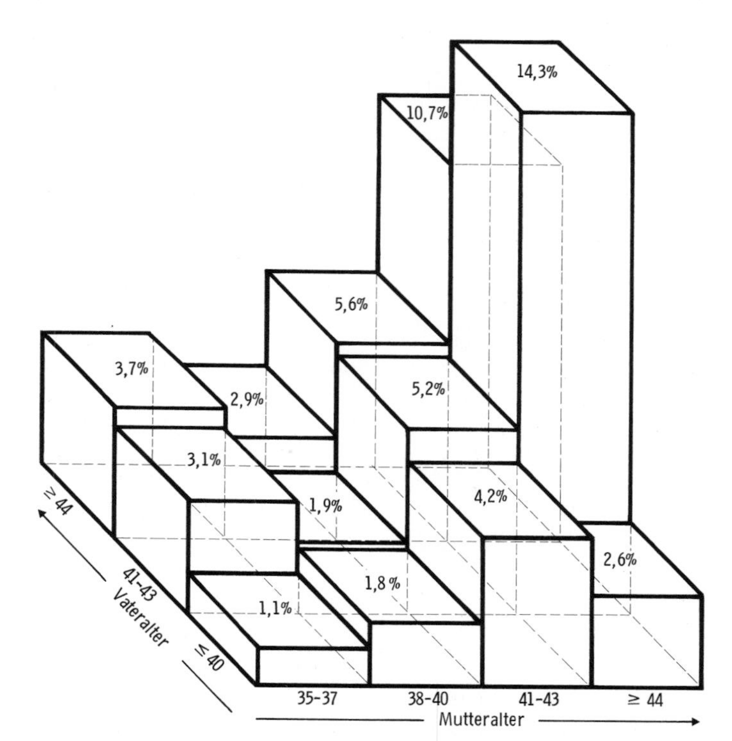

Abb. 94 b Graphische Darstellung des Zusammenwirkens von Vater- und Mutteralter beim Risiko für Feten mit de novo-Aberrationen (siehe Tabelle 21)

Da Chromosomenaberrationen pränatal beim Feten diagnostizierbar sind, ist in jedem Einzelfall bei Vorliegen eines chromosomalen Risikos die pränatale Diagnostik zu diskutieren.

10.6.2 Alter der Eltern

Die Chromosomenaberrationen durch Überzahl eines Chromosoms nehmen mit dem Alter der Eltern zu. Die Risikoziffern für mütterliche und väterliche Altersklassen sind in Tabelle 21 und den Abb. 94a u.b dargestellt (Ergebnisse der DFG-Studie 1983).

Tabelle 21 Beobachtete de novo-Aberrationen/Anzahl pränataler Diagnosen und Risikozahlen (%) in 4 Mutteralter- und 3 Vateralterklassen

Vater-				Mutteralter (J.)						
alter (J.)	35–37	%	38–40	%	41–43	%	>44	4	Total	%
≤40	18/1635	1,1	30/1652	1,8	14/336	4,2	1/39	2,6	63/3662	1,7
41–43	8/256	3,1	12/640	1,9	12/230	5,2	2/14	14,3	34/1140	3,0
≥44	9/244	3,7	17/595	2,9	24/432	5,6	12/112	10,7	62/1383	4,5
Total	35/2135	1,6	59/2887	2,0	50/998	5,0	15/165	9,1	159/6185	2,6

10.6.3 Habituelle Aborte, Infertilität

Habituelle Aborte können auf einer balancierten Strukturaberration bei einem Elternteil beruhen. Es sollte deswegen unbedingt nach spätestens drei spontanen Fehlgeburten eine Chromosomenanalyse beider Eltern vorgenommen werden.

Die Risikoziffern leiten sich aus den besonderen Verhältnissen bei der Meiose ab und sind in Abschnitt 3.2 dargestellt. Bezüglich der Infertilität gilt:

Bei jeder Frau mit primärer Amenorrhoe muß eine Chromosomenanalyse zur Abklärung der Diagnose durchgeführt werden, um ein Turner-Syndrom, eine testikuläre Feminisierung oder eine strukturelle X-chromosomale Aberration als Ursache feststellen oder ausschließen zu können. Im männlichen Geschlecht geht von den gonosomalen Aberrationen das Klinefelter-Syndrom (47,XXY) mit Infertilität einher. Zur genauen Abklärung einer Infertilität im männlichen Geschlecht ist deswegen gleichfalls die Chromosomenanalyse indiziert. Triplo-X-Frauen (47,XXX) und 47,XYY-Männer sind in der Regel fertil.

10.7 Pränatale Diagnostik

10.7.1 Methode

Mit der pränatalen genetischen Diagnostik, die als ein Spezialbereich der genetischen Beratung angesehen werden muß, gelingt es durch Untersuchung der Zellen des ungeborenen Kindes, das Vorliegen eines bestimmten genetischen Leidens zu bestätigen oder auszuschließen. Das Prinzip ist in der Abb. 95 dargestellt: Nach transabdominaler Punktion der Fruchtblase (Amniozentese) unter Ultraschallkontrolle in der 16. Schwangerschaftswoche werden etwa 20 ml Fruchtwasser gewonnen und die darin schwimmenden kindlichen Zellen angezüchtet (s. 2.1). Chromosomensatz und Stoffwechselleistungen dieser Zellen entsprechen denen des Kindes in utero.

Es können also mit dieser Methode Aussagen über die Chromosomenkonstitution und damit auch über das Geschlecht des Kindes gemacht werden; biochemische Tests

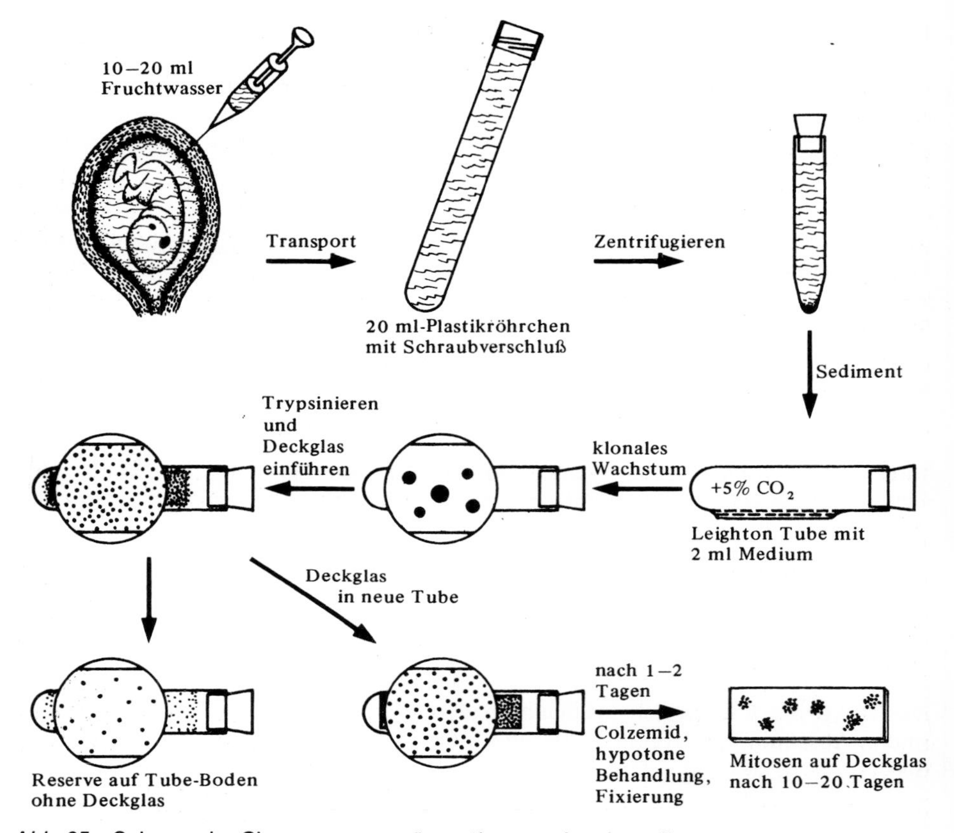

Abb. 95 Schema der Chromosomenpräparation aus Amnionzellen

erlauben die pränatale Diagnose bestimmter genetischer Stoffwechseldefekte; die Konzentration des $alpha_1$-Fetoproteins (AFP) im Fruchtwasser gibt Aufschluß über das Vorliegen eines Neuralrohrverschlußdefektes.

10.7.2 Indikationen

Eine pränatale Diagnostik ist bei vier Indikationsgruppen angezeigt:

(1) Verdacht auf Chromosomenaberration. Drei Untergruppen sind zu besprechen:

A. Erhöhtes Alter der Eltern: Auf der Basis aller beobachteten de novo-Aberrationen wurden vorläufige Risikoschätzungen durchgeführt, die für die genetische Beratung herangezogen werden können. Die Zahlen aus den Ergebnissen des Schwerpunktprogramms der Deutschen Forschungsgemeinschaft „Pränatale Diagnostik genetischer Defekte“ sind in Tab. 21 dargestellt.

Für Mütter ≤34 Jahre können derzeit keine Risikoschätzungen gemacht werden. Da jedoch ein Alterseffekt auch für Väter gefunden wurde, empfehlen wir, unabhängig vom Mutteralter, die pränatale Diagnostik für alle Paare, bei denen der Vater ≥44 Jahre alt ist.

B. Vorangegangenes Kind mit einer Chromosomenaberration.
Nach der Geburt eines Kindes mit einer freien Trisomie ist empirisch das Risiko für das Wiederauftreten einer Chromosomenaberration bei jedem weiteren Kind gegenüber gleichaltrigen unbelasteten Eltern um etwa das 10fache erhöht. Insgesamt ist das Wiederholungsrisiko mit ~1 % anzugeben, wobei sich bei einer weiteren Schwangerschaft nicht die gleiche Chromosomenaberration wiederholen muß. Es scheint vielmehr ein allgemein erhöhtes Risiko für eine Non-disjunction zu bestehen.

C. Ein Elternteil ist Träger einer balancierten Chromosomentranslokation. Die Risiken sind in Abschnitt 3.2 dargestellt.

(2) X-chromosomal-rezessives Leiden

Ist die Mutter Konduktorin für ein X-chromosomal rezessives Erbleiden, das sich biochemisch nicht diagnostizieren läßt, so besteht bisher nur die Möglichkeit, das fetale

Tabelle 22 Genetische Erkrankungen, die in der Frühschwangerschaft entdeckt werden können

Kohlenhydratstoffwechsel	*Lipidosen*
Galaktosämie (Galaktose-1-PhU-Mangel)	GM1-Gangliosidose (Typ 1–4)
Galaktokinase-Mangel	GM2-Gangliosidose (Typ 1–3)
Glykogenose II (M. Pompe)	Sphingomyelin-Lipidose (M. Niemann-Pick)
Glykogenose III (M. Cori)	Glukosyl-Zeramid-Lipidose (M. Gaucher)
Glykogenose IV (M. Anderson)	Galaktosyl-Zeramid-Lipidose (M. Krabbe)
Glukose-6-PD-Mangel	Zeramid-Trihexidose (M. Fabry)*
Pyruvat-Decarboxylase-Mangel	Metachromatische Leukodystrophie
alpha-Fucosidase-Mangel	M. Refsum
alpha-Mannosidase-Mangel	M. Wolman
	Phytansäure-Hydroxylase-Mangel
Mukopolysaccharidosen und Mukolipidosen	
MPS-Typ I/V (M. Hurler)	*Aminosäure-Stoffwechsel*
MPS-Typ II (M. Hunter)*	Argininsuccin-Azidurie
MPS-Typ III A + B (M. Sanfilippo)	Zitrullinämie
MPS-Typ V/I (M. Scheie)	Hyperammonämie II
MPS-Typ VI (M. Maroteaux-Lamy)	Ahornsirupkrankheit
MPS-Typ VII (Glucuronidase-Mangel)	Hypervalinämie
Mukolipidose II und III	Propionazidämie
	Methylmalonazidämie (Typ 1–47)
Andere Stoffwechselerkrankungen	Homocystinurie
Adrenogenitales Syndrom	Cystathionurie
Lesch-Nyhan-Syndrom*	Zystinose
Xeroderma pigmentosum	Hyperlysinämie
Mangel der lysosomalen sauren Phosphatase	Histidinämie
β-Thalassämie	
Sichelzellanämie	
α_1-Antitrypsin-Mangel	
kombinierter Immundefekt	

* *X-gebundener Erbgang, alle anderen sind autosomal rezessive Erkrankungen*

Geschlecht zu bestimmen. Bei einer Knabenschwangerschaft beträgt das Erkrankungsrisiko 50 %; bei schwerwiegenden Leiden wie der Muskeldystrophie Typ *Duchenne* muß der Schwangerschaftsabbruch diskutiert werden.

(3) Die Eltern sind heterozygote Anlageträger für einen rezessiv vererbten Stoffwechseldefekt.

Durch biochemische Untersuchungen der Amnionzellkultur können bisher etwa 50 Stoffwechselleiden pränatal diagnostiziert werden (s. Tabelle 22). Formal beträgt bei autosomal-rezessiven Leiden das Erkrankungsrisiko für Kinder heterozygoter Eltern 25 %, bei X-chromosomal-rezessiven Leiden 50 % für die Söhne von Konduktorinnen. Bei Mukoviszidose und Phenylketonurie, den häufigsten rezessiven Krankheiten, ist eine pränatale Diagnose bisher nicht möglich.

(4) Genetisches Risiko für einen Neuralrohrdefekt (Spina bifida aperta, Meningomyelozele oder Anenzephalus)

Das empirische Wiederholungsrisiko bei diesen multifaktoriell bedingten Leiden beträgt nach der Geburt eines kranken Kindes 5 %, es steigt auf mehr als 10 %, wenn ein Elternpaar zwei betroffene Kinder hat. Durch die Bestimmung des $alpha_1$-Fetoproteins, eines physiologischen Glykoproteins, das durch die Fehlbildung aus dem Liquor ins Fruchtwasser übertritt, gelingt es mit hoher Treffsicherheit, das Krankheitsbild pränatal zu diagnostizieren. Die Normwerte des AFP im Fruchtwasser und die Werte bei pathologischen Befunden zeigt die Abb. 96.

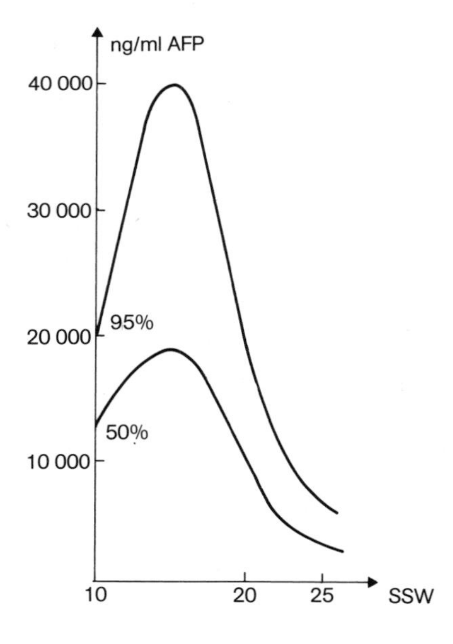

Abb. 96 Konzentration des AFP im Fruchtwasser in Abhängigkeit vom Alter der Schwangerschaft

Neue Möglichkeiten der pränatalen Diagnostik sind durch die *Fetoskopie* gegeben, mit der es gelingt, Teile des Feten unmittelbar zu betrachten. So können genetisch bedingte fetale Fehlbildungen (z. B. die Hexadaktylie beim autosomal rezessiv vererbten Ellis-van-Creveld-Syndrom) diagnostiziert werden.

Weiterhin gelingt die Bestimmung der Gerinnungsfaktoren (z. B. Faktor VIII) bei den Haemophilien. Zur Gewinnung des fetalen Blutes wird dabei unter Sicht eine Plazentavene aufgesucht. Durch eine neben dem Fetoskop vorgeschobene Nadel kann die Vene punktiert und Blut aspiriert werden (Abb. 97).

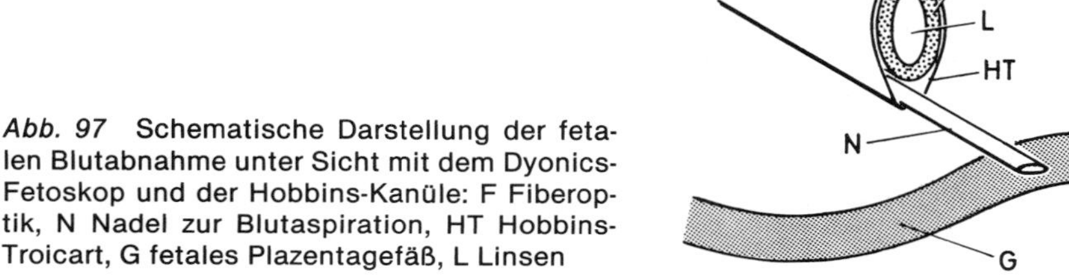

Abb. 97 Schematische Darstellung der fetalen Blutabnahme unter Sicht mit dem Dyonics-Fetoskop und der Hobbins-Kanüle: F Fiberoptik, N Nadel zur Blutaspiration, HT Hobbins-Troicart, G fetales Plazentagefäß, L Linsen

10.7.3 Praktische Maßnahmen

Der Amniozentese geht die genetische Beratung der Eltern voraus. Dabei muß das Risiko der speziellen genetischen Belastung gegen das Risiko der Punktion abgewogen werden. Das Risiko für die Mutter erscheint denkbar gering, darf aber wie bei jedem intraabdominalen Eingriff nicht außer acht gelassen werden.

Besteht eine Rh-Konstellation, so ist die Sensibilisierung der Mutter durch eingeschwemmte fetale Erythrozyten möglich. Die prophylaktische Gabe von Anti-D-Immunglobulin ist indiziert. Das Risiko, daß durch den Nadeleinstich in die Amnionhöhle eine Fehlgeburt induziert wird, liegt unter 1 %.

Was diese Ziffer für die einzelnen Eltern bedeutet, kann nur das ärztliche Gespräch in jedem Einzelfall klären. Ein 38jähriges Elternpaar etwa, das nach 15jähriger steriler Ehe ein Kind erwartet, wird vielleicht auch dieses relativ niedrige Risiko als zu hoch empfinden im Vergleich mit dem 2–3%igen Risiko, aufgrund des aktuellen Lebensalters ein chromosomenkrankes Kind zu bekommen.

10.7.4 Grenzen und Zukunft der pränatalen Diagnostik

Genetische Defekte, denen weder eine biochemisch nachweisbare Stoffwechselstörung noch eine Chromosomenaberration zugrunde liegen, entziehen sich bisher weitgehend der pränatalen Diagnostik. Die Mehrzahl der multifaktoriell vererbten und der dominanten Leiden gehören in diese Gruppe. Da jedoch dominante Gene in der Regel eine Anomalie der Körperform bewirken, liegen hier die Möglichkeiten der sich immer eindrucksvoller verbessernden Ultraschalldiagnostik.

Vielversprechend sind die neuen Versuche, pränatale Diagnostik an den Zellen der Chorionzotten durchzuführen: Durch transzervikale Punktion in der 6.–10. Schwangerschaftswoche werden Chorionzotten aspiriert. Aus diesem kindlichen Gewebe kann innerhalb weniger Stunden durch Direktpräparation eine Chromosomenanalyse durchgeführt werden. Weiter sind Enzymbestimmungen und direkte DNS-Analysen mittels gentechnologischer Methoden möglich.

Noch ist die Methode in der Erprobung, ihre Einführung in die Routine wird die pränatale Diagnostik grundsätzlich verbessern.

10.8 Teratogene Fruchtschädigung

Einer der Hauptgründe für die Frage nach genetischem Rat ist die Angst vor einer Schädigung der Frucht durch physikalische, chemische oder biologische Noxen. Die Thalidomid-Embryopathie hat das Bewußtsein für die Probleme erweckt.

Die Sorge der Ratsuchenden ist es, daß eine möglicherweise teratogene Noxe zu Fehlbildungen oder Hirnschäden des werdenden Kindes führen kann. In den meisten Fällen kann beruhigt und zum Austragen der Schwangerschaft geraten werden. Nur in sehr wenigen Fällen sind die zu erwartenden Schäden so gravierend, daß eine medizinische Indikation zum Schwangerschaftsabbruch gestellt werden sollte.

Neben Art und Ausmaß der Noxe ist der Zeitpunkt der Einwirkung entscheidend. Die Sensibilität gegenüber teratogenen Noxen und mögliche Schäden in Abhängigkeit vom Differenzierungsstadium gibt Abb. 98 wieder. In der Zeit der Blastogenese sind die einzelnen Zellen noch nicht determiniert. Gesetzte Schäden werden entweder vollständig regeneriert, oder die Blastula stirbt ab („Alles oder Nichts-Regel"). Die Sensibilität gegenüber teratogenen Noxen erreicht ihr Maximum in der Embryonalperiode, der Zeit der intensiven Organdifferenzierung. In dieser Zeit können Fehlbildungen induziert werden. In der Fetalperiode sinkt die Sensibilität rasch ab, teratogene Wirkungen manifestieren sich in dieser Periode vor allem in Wachstumsverzögerung und

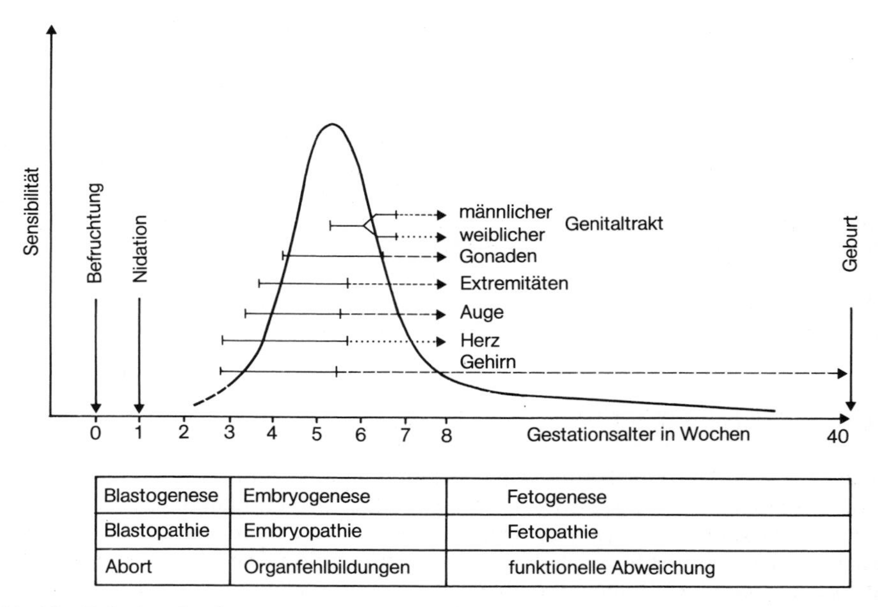

Blastogenese	Embryogenese	Fetogenese
Blastopathie	Embryopathie	Fetopathie
Abort	Organfehlbildungen	funktionelle Abweichung

Abb. 98 Zeitplan der Organentwicklung und Sensibilität gegenüber teratogenen Noxen

Differenzierungsstörungen des Gehirns. Die folgenden Abschnitte können nur einen groben Überblick geben.

10.8.1 Strahlenbelastung

Nach therapeutischen Bestrahlungen in der Frühschwangerschaft wurden ab Dosen von 20 rem bei den Nachkommen häufig geistige Retardierung, Mikrozephalie, Augenschädigungen und Minderwuchs beobachtet .Tierexperimente ergaben für ionisierende Strahlen eine lineare Dosiswirkungsbeziehung ohne Schwellenwert. Das Ausmaß der Strahlenexposition für Mutter und Fetus bei den verschiedenen diagnostischen Maßnahmen zeigt die Tabelle 23.

Tabelle 23 Strahlenexposition von Mutter und Fetus bei Untersuchungen mit Röntgenstrahlen – Mittelwerte und übliche Schwankungsbreiten bei verschiedenen Untersuchungsverfahren. Angaben in rem (aus *Stieve* 1978)

Untersuchungsart bei der Mutter	Mittelwert der Einfalldosis bei der Mutter	Schwankungsbreite	Mittelwert der Einfalldosis beim Fetus	Schwankungsbreite
Schädel	0,65	0,5 – 1,0	0,0002	0,0001–0,004
Lunge	0,14	0,01– 2,0	0,003	0,0002–0,05
Abdomen (Übersicht)	0,4	0,1 –5,0	0,1	0,25 –1,3
Becken (Übersicht)	0,7	0,25– 2,8	0,2	0,06 –0,7
Lendenwirbelsäule	3,5	0,8 –12,0	0,6	0,2 –3,0
Magendarmpassage	3,8	2,5 –80,0	0,4	0,06 –4,0
Kontrasteinlauf	15,0	5,0 –50,0	0,9	0,01 –3,0
Gallenblase	2,0	0,5 – 5,0	0,05	0,01 –0,5
i.v. Pyelogramm	2,0	0,5 –10,0	0,4	0,2 –1,0
Hysterosalpingographie	2,5	1,0 –20,0	0,5	0,3 –3,0

In der Bundesrepublik Deutschland sind folgende Richtlinien allgemein akzeptiert: Dosen unter 10 rem können als harmlos für den Embryo und Feten angesehen werden. Zwischen 10 und 20 rem kann ein Schwangerschaftsabbruch erwogen werden, ab 20 rem sollte ein Schwangerschaftsabbruch empfohlen werden. Röntgenaufnahmen sollten in der Schwangerschaft zwar möglichst unterlassen werden, andererseits führen die meisten Verfahren zu einer Belastung des Uterus von weniger als 1 rem. Bei korrekt durchgeführten Untersuchungen wird fast nie die kritische Dosis von 10 rem erreicht. Dies muß jedoch in jedem Einzelfall überprüft werden.

10.8.2 Belastung durch Pharmaka, Chemikalien und Genußgifte

Nur für erstaunlich wenige Medikamente und Chemikalien konnte bisher Teratogenität beim Menschen nachgewiesen werden, obwohl zahlreiche Substanzen sich im Tierversuch als mehr oder minder teratogen erwiesen haben. Dennoch ist die Unsicherheit groß, welche Medikamente in der Schwangerschaft genommen werden können. Dies rührt daher, daß in den Beipackzetteln vieler Medikamente der Hinweis auf eine mögliche Fruchtschädigung gegeben wird.

Zahlreiche Medikamente sind schon so häufig während Schwangerschaften ohne erkennbare Auswirkungen auf das Kind angewandt worden, daß Teratogenität praktisch ausgeschlossen werden kann. Dazu gehören in üblicher Dosierung Penizilline, eine Reihe von Antihistaminika und Antiemetika, Glukokortikoide sowie die üblichen Analgetika und Antipyretika, wenn sie gelegentlich eingenommen werden.

In Tabelle 24 sind die Substanzen zusammengestellt, deren Teratogenität beim Menschen mit hinreichender Sicherheit erwiesen ist. Da für die meisten Substanzen exakte Risikoziffern nicht bekannt sind, ergibt sich mit Ausnahme der Folsäureantagonisten und chronischer Alkoholkrankheit der Mutter nur selten eine eindeutige Indikation zum Schwangerschaftsabbruch.

Tabelle 24 Medikamente, Chemikalien und Genußgifte, deren Teratogenität für den Menschen erwiesen ist

Noxe	teratogene Wirkung	Risiko
Thalidomid	spezifische Embryopathie	wahrscheinlich hoch
Zytostatika	Abort, variable Fehlbildungen, Wachstumsretardierung	bei Folsäureantagonisten hoch, bei anderen Substanzen quantitativ schwer abzuschätzen
Androgene Hormone	Virilisierung weiblicher Feten	bis zur 12. SSW vorhanden, quantitativ jedoch schwer abzuschätzen
Diäthylstilböstrol	Adenokarzinom der Vagina und Zervix bei adoleszenten Töchtern	vorhanden, quantitativ wahrscheinlich gering (1–4‰?)
Oxazolidine	Abort, Trimethadion-Embryopathie	wahrscheinlich hoch (ca. 80 %?)
Hydantoine, Barbiturate, Primidon	spezifische Embryopathie	wahrscheinlich niedrig (ca. 7–10 %)
Dicumarine	„Warfarin-Embryopathie“ Zerebralstörung, Abort, Totgeburt, Blutungen	vorhanden, quantitativ schwer abzuschätzen
Methyl-Quecksilber	Minimata-Krankheit (Mikrozephalie, Zerebralparese)	vorhanden nach Verzehr von quecksilberverseuchten Fischen, quantitativ nicht abzuschätzen
Alkohol	spezifische Embryopathie	abhängig von der Phase der mütterlichen Alkoholkrankheit, bis ca. 50 %

Hingewiesen sei auf die Situation beim Etretinat (Tigason®). Es ist angezeigt zur Therapie schwerster Verhornungsstörungen: Psoriasis, Ichthyosis usw. Der Hersteller weist auf die Teratogenität hin. Es wird während der Behandlung sowie bis 2 Jahre nach Absetzen von Tigason eine wirksame Empfängnisverhütung gefordert.

Nur einige häufiger beobachtete Embryopathien werden im einzelnen beschrieben.

10.8.2.1 Thalidomid-Embryopathie

In den Jahren 1959–1962 wurden etwa 6–8000 Kinder mit Thalidomidschäden geboren (*Lenz* 1966). Die Art der Fehlbildung war sehr variabel und abhängig vom Zeit-

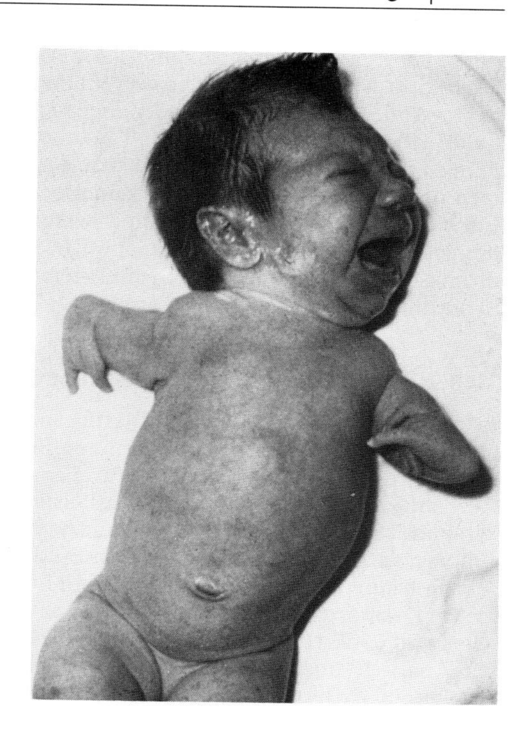

Abb. 99
Kind mit Phokomelie durch Thalidomid

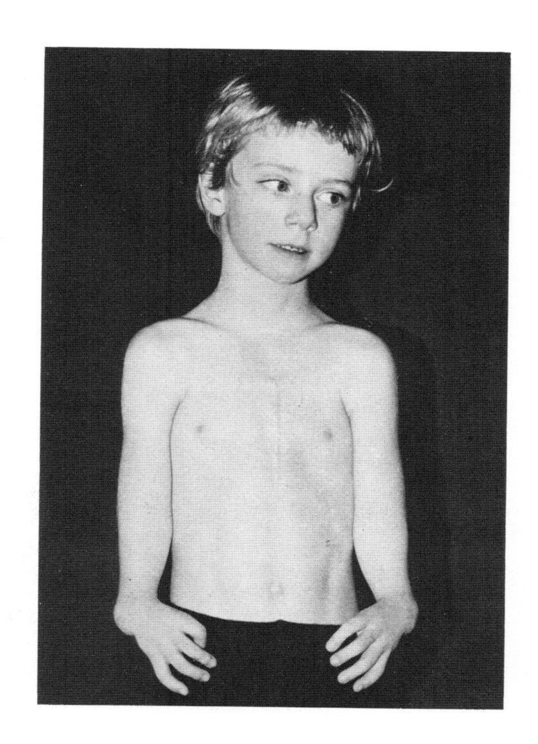

Abb. 100 Junge mit Holt-Oram-Syndrom: Herzfehler und Radius-Daumen-Aplasie bds.

punkt der Medikamenteneinnahme. Am 35. Tag nach der letzten Periode führte Thalidomid zu Anotie und Gesichtsnervenlähmungen, 2 Tage später zu Aplasie der Daumen. Am 38.–40. Tag wurden schwerste Phokomelien der Arme verursacht (Abb. 99), zwischen dem 41.–45. Tag innere Fehlbildungen, am 44.–47. Tag Fehlbildungen der Beine und des Herzens. Am 47.–48. Tag kam es zu Triphalangie der Daumen und Analstenose, später zu keiner erkennbaren Fehlbildung mehr. Die geistige Entwicklung der geschädigten Kinder war in der Regel normal. Einige Fälle mit Thalidomid-Embrypathie waren sehr ähnlich dem dominant erblichen Holt-Oram-Syndrom (Abb. 100, radiale Defekte und Herzfehler) und dem dominant erblichen Arias-Syndrom (Radiusdefekte und Taubheit).

10.8.2.2 Hydantoin-Barbiturat-Embryopathie

In etwa 0,5 % aller Schwangerschaften müssen Antikonvulsiva genommen werden. Oxazolidine werden nur sehr selten zur Behandlung eines petit mal angewandt, sie scheinen hoch teratogen zu sein. Für Teratogenität von Succinutin, Valproinat und Carbamazepin beim Menschen gibt es bisher keine verläßlichen Anhaltspunkte. *Hanson* und *Smith* (1976) beobachteten die nach ihrer Auffassung spezifische Hydantoin-Embryopathie in einer kontrollierten Studie an 104 intrauterin Hydantoinen ausgesetzten Kindern in einer Häufigkeit von 11 %. Die gleiche Kombination von kraniofazialer Dysmorphie und Hypoplasie von Endphalangen und Nägeln sahen u. a. *Majewski* et al. (1981) auch nach Barbiturat- oder Primidon-Monotherapie; letzteres wird partiell über Barbiturate metabolisiert. Deshalb erscheint die Bezeichnung Hydantoin-Barbiturat-Embryopathie sinnvoller.

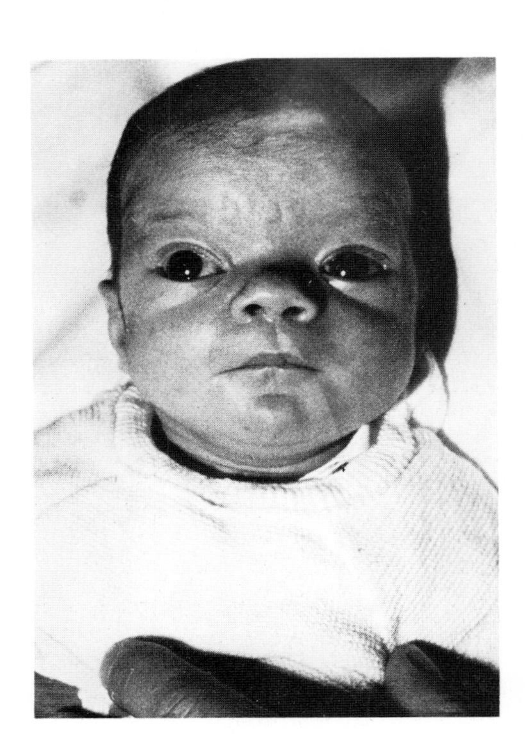

Abb. 101 Säugling mit Hydantoin-Barbiturat-Embryopathie (nach Primidon-Monotherapie)

Hauptsymptome sind mäßiggradiger intrauteriner und postnataler Minderwuchs, Mikrozephalie und meist mäßiggradige statomotorische und geistige Retardierung. Die Fazies wirkt vergröbert, die Nasenwurzel ist breit und tief eingezogen, weitere Anomalien sind Epikanthus, Ptosis, kurze Nase und großer Mund mit vollen, wulstigen Lippen (Abb. 101). Gröbere Fehlbildungen gehören offenbar nicht zu dieser Embryopathie. Charakteristisch sind Hypoplasien von Endphalangen und Nägeln (Abb. 102). Wir beobachteten diese Embryopathie in einer retrospektiven Studie bei 10 von 146 Kindern (ca. 7 %), nicht jedoch bei 46 Kindern von unbehandelten Epileptikerinnen. Da die HB-Embryopathie relativ selten auftritt und die Schädigung oft nicht schwer ist, ergibt sich meist keine zwingende Indikation zur Interruptio.

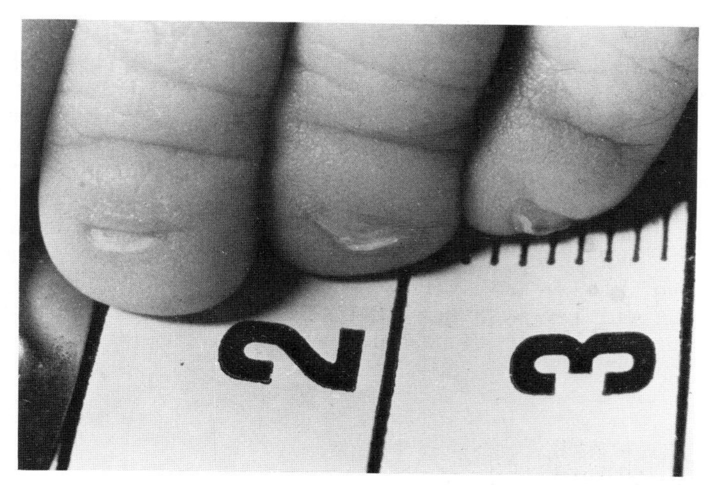

Abb. 102 Nagelhypoplasie eines Säuglings mit HB-Embryopathie

10.8.2.3 Kumarin-Embryofetopathie

Über Antikoagulantientherapie mit Kumarinderivaten, insbesondere Warfarin, wurde bisher in 471 Schwangerschaften berichtet (*Kleinebrecht* 1982). In 33 Fällen wurde die sogenannte Warfarin-Embryopathie (besser: Kumarin-Embryopathie) beobachtet, in 8 Fällen isolierte Anomalien des ZNS. 41 Schwangerschaften endeten in einer Fehlgeburt, 32 in Totgeburten, bei 11 Neugeborenen kam es zu Blutungen. Da es sich um eine retrospektive Zusammenstellung von Literaturkasuistiken handelt, lassen sich daraus keine verläßlichen Risikoziffern errechnen.

Kumarin-Embryopathie: ähnlich den verschiedenen Formen der Chondrodysplasia punctata; verkürzte Extremitäten, hypoplastische, eingesunkene Nase, Augenfehlbildungen (Mikrophthalmie, Optikusatrophie), kalkspritzerförmige Einlagerungen in Gelenken, Wirbelkörpern und im Kalkaneus. Etwa ⅓ der Patienten waren geistig mäßig bis stark retardiert. Die kritische Phase scheint die 4.–7. Woche p. c. zu sein.

Kumarin-Fetopathie: Wurden Kumarine im 2. oder 3. Trimenon gegeben, traten gehäuft zerebrale Störungen auf: Enzephalozele, Kleinhirnatrophie, diffuse zerebrale Atrophie, Hydrozephalus, Dandy-Walker-Fehlbildung etc. Eine kritische Phase ließ sich aus den Fallberichten nicht eruieren. Auch 5 Kinder mit Kumarin-Embryopathie wiesen ZNS-Fehlbildungen auf, sie waren alle über das 1. Trimenon hinaus exponiert gewesen. Totgeburten und Blutungen bei lebendgeborenen Kindern waren gehäuft. Möglicherweise lassen sich alle genannten Risiken mindern, wenn die Kumarindosis über den Tag verteilt wird und der Prothrombinspiegel nicht unter 40 % des Normalwertes gesenkt wird. Heparinisierung führt zwar zu keiner spezifischen Embryopathie, das Risiko für Totgeburten scheint jedoch eher höher zu sein als nach Kumarinmedikation (*Hall* et al. 1980).

10.8.2.4 Alkohol-Embryopathie

Unter allen bekannten Embryopathien ist die Alkoholembryopathie (AE) mit Abstand die häufigste. Es gibt bisher nur wenige Studien zur Häufigkeit. In Frankreich wurde sie mit einer Häufigkeit von 1 : 212 Neugeborenen beobachtet (*Dehaene* et al. 1981). Es wird geschätzt, daß in der Bundesrepublik jährlich 600 Kinder mit stark ausgeprägter AE und weitere 1200 mit schwächeren Manifestationen geboren werden (Häufigkeit ~1 : 300). Es lassen sich schwache, mittlere und starke Manifestationen unterscheiden (AE I–III). Bei Kindern mit AE III ist die Fazies so charakteristisch, daß sich leicht die Diagnose stellen läßt (Abb. 103): Gerundete Stirn, enge Lidspalten, Epikanthus, verkürzter Nasenrücken, verschärfte Nasolabialfalten, Retrogenie. Hauptsymptome sind intrauteriner und postnataler Minderwuchs, Mikrozephalie, geistige Retardierung, Hyperexzitabilität, Herzfehler, Anomalien von Genitalien und Gelenken sowie die typischen kraniofazialen Anomalien. Über die Häufigkeit der einzelnen Symptome informiert Tabelle 25. Durch Bewertung der Symptome mit Punkten läßt sich die Einteilung in die Schädigungsgrade I–III objektivieren.

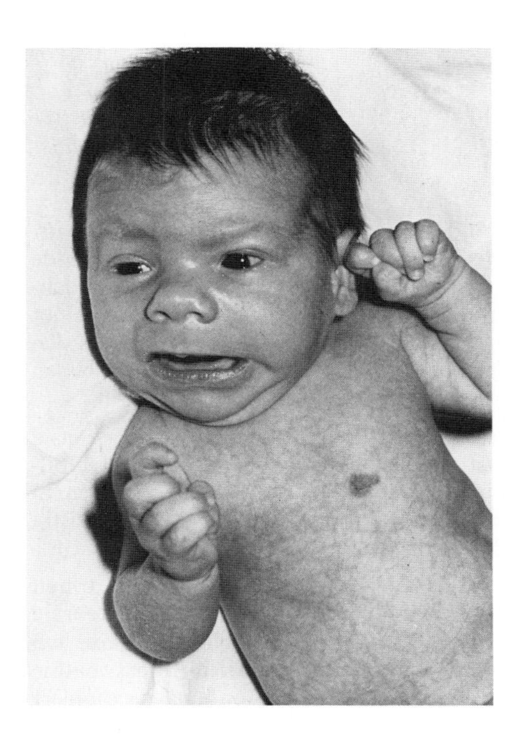

Abb. 103
Säugling mit Alkoholembryopathie III

Tabelle 25 Symptomatik der Alkoholembryopathie (n = 108)

Punkte	Symptome	a/b	Häufigkeit %
4	Intrauteriner Minderwuchs	93/105	89
4	Mikrozephalus	87/103	84
2/4/8	Statomotorische und geistige Retardierung	88/ 99	89
4	Hyperaktivität	69/101	68
2	Hypotonie der Muskulatur	58/100	58
2	Epikanthus	71/108	66
2	Ptosis	41/107	38
2	Blepharophimose	8/ 71	11
–	Antimongoloide Lidachsen	39/105	37
3	Verkürzter Nasenrücken	52/106	49
1	Nasolabialfalten	74/104	71
1	Schmales Lippenrot	64/104	61
2	Hypoplasie der Mandibula	80/107	74
2	Hoher Gaumen	41/106	39
4	Gaumenspalte	8/108	7
3	Anomale Handfurchen	70/102	69
2	Klinodaktylie V	54/106	51
2	Kamptodaktylie	16/104	16
1	Endphalangen-/Nagelhypoplasie	13/105	13
2	Supinationshemmung	15/105	14
2	Hüftluxation	9/ 98	9
–	Trichterbrust	30/107	28
4	Herzfehler	29/102	29
2/4	Anomalien des Genitale	49/106	46
1	Steißbeingrübchen	45/102	44
–	Hämangiome	12/108	11
2	Hernien	12/105	12
4	Urogenitalfehlbildungen	7/ 71	10

AE I (n = 41): 10–29 Punkte
AE II (n = 32): 30–39 Punkte
AE III (n = 35): ≥40 Punkte

a/b = Probanden mit dem Merkmal/ Gesamtzahl der Probanden

AE III: Schwerst betroffene Patienten mit allen oder fast allen in Tabelle 25 angeführten Symptomen, sowie typischer Fazies (Abb. 103 u. 104). Alle Kinder mit AE III sind hyperexzitabel und muskelhypoton, alle sind geistig deutlich retardiert (mittlerer IQ = 66). In dieser Gruppe beobachteten wir Herzfehler bei etwa 60 % (vornehmlich Scheidewanddefekte, aber auch komplexe Vitien), sowie eine vermehrte Säuglingssterblichkeit.

AE II: Mittelschwer betroffene Patienten mit weniger auffälliger Fazies (Abb. 105), jedoch Minderwuchs, Untergewicht und Mikrozephalie. Nur mäßige neurologische Auffälligkeit, meist mäßige geistige Retardierung (mittlerer IQ = 79). Innere Fehlbildungen nicht häufig.

AE I: Schwachform der AE. Außer Minderwuchs, Untergewicht, Mikrozephalie und mäßiger geistiger Retardierung meist keine weiteren Symptome. Mittlerer IQ = 91.

Die Diagnose AE läßt sich bei mittlerer und schwacher Manifestation nur in Verbindung mit der mütterlichen Alkoholanamnese stellen. Die Einteilung nach Punkten ist

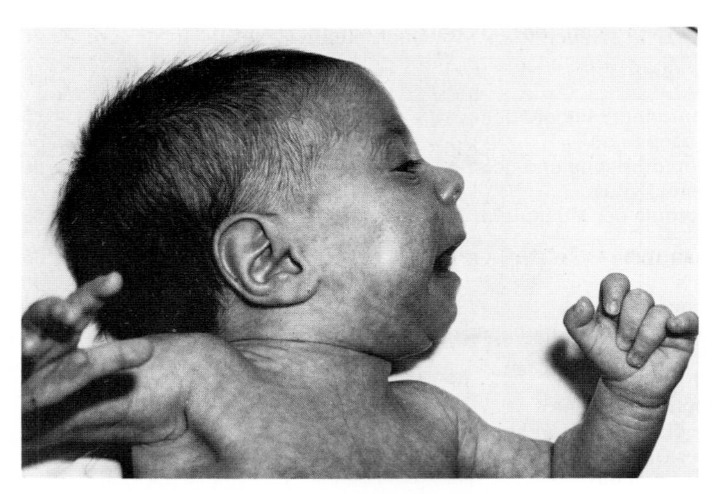

Abb. 104 Profil eines Säuglings mit Alkoholembryopathie III

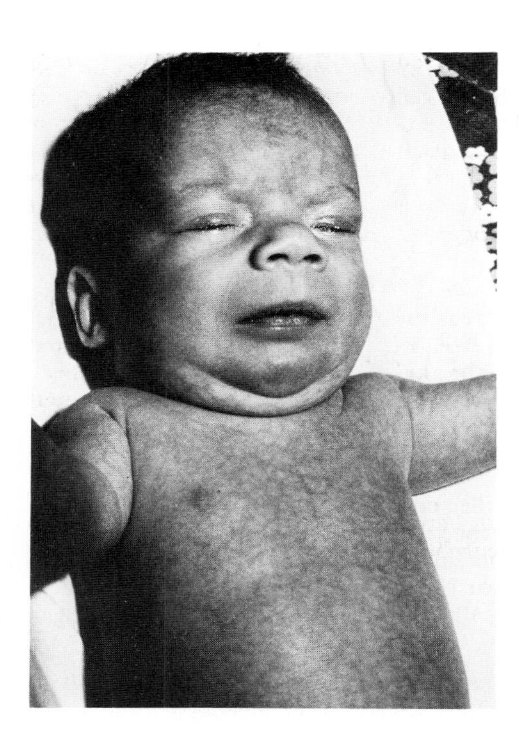

Abb. 105
Säugling mit Alkoholembryopathie II

nur verläßlich in den ersten Lebensjahren, da sich die kraniofaziale Dysmorphie und die neurologische Symptomatik später abschwächt. Groborientierend erlaubt diese Einteilung eine Prognosestellung für die geistige Entwicklung.

Häufigkeit der AE und Schweregrad sind abhängig vom Stadium der mütterlichen Alkoholkrankheit. In der Prodromalphase ist kaum mit kindlichen Schädigungen zu rechnen, in der kritischen Phase beobachteten wir meist schwächere Manifestationen, in der chronischen Phase der Alkoholkrankheit sind jedoch über 40 % der Nachkommen meist stark geschädigt. Nur bei erheblichem, ständigem Alkoholkonsum und Alkoholkrankheit der Mutter kommt es zu erkennbaren kindlichen Schädigungen. In der kritischen Phase kann eine Interruptio erwogen, in der chronischen Phase sollte sie befürwortet werden.

10.8.3 Pränatale Infektionen

Seit *Gregg* 1941 erkannte, daß die Trias Katarakt, Schwerhörigkeit und Herzfehler durch eine Rötelninfektion während der Schwangerschaft bedingt sein kann, haben sich die Kenntnisse der Folgen einer pränatalen Infektion wesentlich erweitert. Tabelle 26 gibt einen Überblick dazu. Neben Röteln haben Zytomegalie und Toxoplasmose praktische Bedeutung erlangt.

10.8.3.1 Röteln

Nur die primäre Rötelninfektion der Mutter während der Schwangerschaft führt zu kindlichen Störungen, eine Reinfektion bei ausreichenden Antikörpern hat keine Folgen. Häufigkeit und Art der kindlichen Störungen werden vor allem vom Zeitpunkt der Infektion während der Schwangerschaft beeinflußt. Infektionen im 1. Schwangerschaftsmonat führen bei etwa 50 % zur Rötelnembryopathie, im 2. Monat sind 25 % betroffen. Die Morbidität sinkt im 3. Monat auf 10 %, im 4. auf 4 % ab. Infektionen im 3. oder 4. Monat führen vorwiegend zu Innenohrschwerhörigkeit, seltener zu Katarakt. Hauptsymptome der Rötelnembryopathie sind niedriges Geburtsgewicht (<2500 g bei termingerechter Geburt), geistige Retardierung, Augendefekte, Schwerhörigkeit und Herzfehler. Letztere treten bei etwa 50 % der Kinder auf, meist handelt es sich um einen Ductus arteriosus persistens und/oder Pulmonalstenose, seltener sind Aortenstenose oder Scheidewanddefekte. Bei etwa der Hälfte der Patienten bestehen eine ein- oder beidseitige Innenohrschwerhörigkeit bis hin zur Taubheit, Katarakte und/oder Mikrophthalmie. Häufig ist eine fast immer benigne Retinopathie. Etwa 40 % der Kinder sind mehr oder minder deutlich zerebral geschädigt und mikrozephal.

Infektionen in der Fetalperiode oder chronisch persistierende Infektionen führen zum sogenannten erweiterten „akuten Rötelnsyndrom“. Nahezu alle Organe können betroffen sein, insbesondere erkranken Neugeborene an Exanthem, Thrombozytopenie, Anämie, Hepatosplenomegalie, Enzephalitis, Myokarditis, interstitieller Pneumonie und Läsionen der Metaphysen. Viszerale Symptome können allein oder in Kombination mit Symptomen der Embryopathie auftreten. Die Letalität bei viszeraler Beteiligung beträgt etwa 35 % innerhalb des ersten Lebensjahres. Eine besondere Verlaufsform ist die „late onset disease“: Bedingt durch eine chronisch persistierende Infektion erkranken zunächst gesunde Säuglinge an Meningoenzephalitis, Gastroenteritis oder interstitieller Pneumonie.

Für das praktische Vorgehen in der genetischen Beratung ergibt sich folgendes:

HAH-Titer (Hämagglutinationshemmtest) von 1 : 32 und höher vor der Schwangerschaft sind beweisend für Immunität. Ein Titeranstieg von mindestens 4 Titerstufen und der Nachweis von spezifischen IgM-Antikörpern (nur innerhalb 6 Wochen nach Infektion) sind beweisend für eine frische Infektion. Ist diese im 1. oder 2. Schwan-

Tabelle 26 Auswirkungen von Virusinfektionen in graviditate und Indikation zur Interruptio (nach *O. Goetz* 1979 modifiziert)

Virus	Klinische Symptome bei Infektion in der 1.–14. Schwangerschaftswoche	Interruptio angezeigt	Klinische Symptome bei Infektion in der 15. Woche – Ende der Schwangerschaft
Röteln	Hörschäden, Katarakt, Herzfehler, geistige Behinderung u. a.	ja	Enzephalitis, Hepatosplenomegalie, Thrombopenie, Frühgeburt
Röteln-Impfvirus	Linsentrübung	nein	–
Masern	Abort, Fehlbildungen?	nein	konnatale Masern
Masern-Impfvirus	–	nein	–
Zytomegalie	Abort (?), Zerebralschaden	ja (?)	Enzephalitis, Hepatosplenomegalie, Chorioretinitis, Thrombopenie
Herpes simplex 1, 2	Im allgemeinen keine, Einzelbeobachtungen: Mikrophthalmus, Mikrozephalus, Chorioretinitis	nein	Enzephalitis generalisierte Herpesinfektion
Varizella-Zoster	Im allgemeinen keine, Einzelbeobachtungen: Zerebralschaden, Augenmißbildungen	nein	Varizellen
Mumps	Abort, Endokardfibroelastose?	nein	–
Mumps-Impfvirus	–	nein	–
Pocken	meistens Abort	ja	Pocken
Pocken-Erstimpfg.	Vaccinia generalisata	nein	–
Pocken-Wiederimpfg.		nein	–
Hepatitis A, B, Non A–Non B	Abort möglich	nein	Hepatitis
Poliomyelitis	Abort	nein	Paresen
Poliomyelitis-Impfvirus	–	nein	–
Coxsackie	Myokarditis möglich	nein	–
Influenza	–	nein	–
Influenza-Impfvirus	–	nein	–
Choriomeningitis	Abort (?)	nein	Enzephalitis, Chorioretinitis (Einzelbeobachtung)
Gelbfieber-Impfvirus	–	nein	Enzephalitis, Chorioretinitis (Einzelbeobachtung)

gerschaftsmonat aufgetreten, sollte die Interruptio befürwortet werden. Im 3. oder 4. Schwangerschaftsmonat sollten möglichst rasch hochdosiert spezifische Gammaglobuline gegeben werden. Sie können die Virämie verhindern oder zumindest die Inkubationszeit verlängern. Eine Globulingabe ist nur sinnvoll innerhalb 7 Tagen nach Ansteckung. Die aktive Schutzimpfung im präpubertären Alter führt in über 95 % zu ausreichender Antikörperbildung. In der Schwangerschaft ist sie kontraindiziert.

10.8.3.2 Zytomegalie

Prospektive Studien in den USA und England ergaben, daß 1–2 % der Neugeborenen pränatal mit Zytomegalieviren (CMV) infiziert waren. Die Mehrzahl blieb jedoch asymptomatisch, ebenso die Mütter. Es wird vermutet, daß 0,1 % aller Neugeborenen erhebliche viszerale oder zerebrale Schädigungen aufgrund einer intrauterinen CMV-Infektion erleiden. In der Regel bewirkt eine CMV-Infektion trotz nachweisbarer Antikörper keine Immunität. Die primäre Infektion der Mutter gilt als gefährlicher für den Feten als die Reinfektion. Wahrscheinlich führen Infektionen im 1. Trimenon häufiger zu zerebralen Schäden als Infektionen in der späteren Schwangerschaft.

Symptome: Betroffene Neugeborene sind zerebral und/oder viszeral erkrankt. CMV-bedingte zerebrale Störungen sind Mikrozephalie, Hydrozephalus, periventrikuläre Verkalkungen, Meningitis, Chorioretinitis und Krämpfe. Viszerale Symptome sind Sepsis, hämolytische Anämie, Thrombozytopenie und Hepatosplenomegalie. Die Prognose ist bei ausgeprägtem Krankheitsbild für die geistige Entwicklung und auch quoad vitam ungünstig. Häufig zeigen Neugeborene jedoch eine nur passagere viszerale Symptomatik.

Diagnose und Prophylaxe: Der sicherste Nachweis einer frischen Infektion ist der direkte Virusnachweis im Urin. Spezifische IgM-Antikörper gelten bei Erwachsenen als beweisend, dagegen sind diese nur bei etwa der Hälfte der erkrankten Neugeborenen nachweisbar. Bei der hohen Durchseuchung der Erwachsenen ist eine erhöhte KBR bei Mutter und Kind allein nicht beweisend für eine frische Infektion. Trotz aller Unsicherheiten kann zu einer Interruptio geraten werden, wenn eine floride Infektion im 1. Trimenon nachgewiesen ist. Eine kausale Therapie ist nicht möglich.

10.8.3.3 Toxoplasmose

Mehr als die Hälfte der Frauen im gebärfähigen Alter haben bereits eine Toxoplasmoseinfektion durchgemacht. In der Regel hinterläßt diese Infektion Immunität. Nur die primäre Infektion während der Schwangerschaft bedeutet eine Gefahr für den Feten. Infektion kurz vor oder zum Zeitpunkt der Konzeption gefährdet den Embryo nicht, wahrscheinlich führt nur die Infektion im letzten Schwangerschaftsdrittel zu einer Schädigung des Kindes (*Piekarski* 1977), so daß ein Schwangerschaftsabbruch wegen Toxoplasmose in der Regel nicht gerechtfertigt erscheint. Es wird geschätzt, daß mit 1 Fall auf 10–20 000 Geburten zu rechnen ist.

Symptome: Sepsis, Hepatomegalie, Ikterus, interstitielle Pneumonie, Chorioretinitis, Mikrophthalmus, Meningoenzephalitis, intrazerebrale Verkalkungen, Hydrozephalus, Krämpfe. 80 % der Überlebenden sind geistig retardiert, 50 % zeigen Störungen der Augen, 10 % sind schwerhörig.

Diagnose und Prophylaxe: Eine frische Infektion ist gesichert bei Titerkonversion von negativen Titern zu Titern über 1 : 256 im Sabin-Feldman-Test und einer KBR von

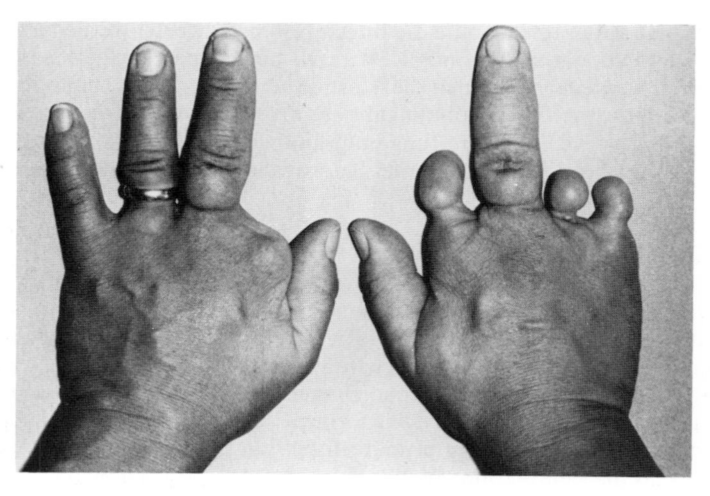

Abb. 106 Amniogene Schnürfurchen und Amputationen

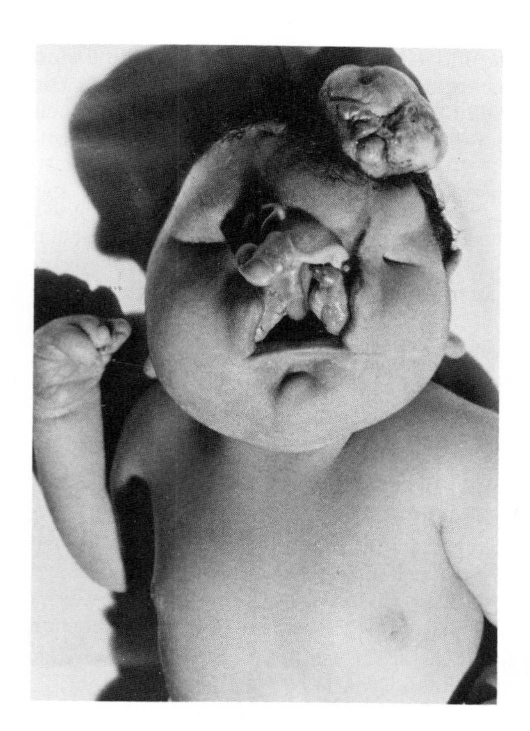

Abb. 107 Amniogene Enzephalozele, LKG- und Gesichtsspalte, Abschnürungen und periphere Syndaktylie bei einem Neugeborenen

1 : 10 und höher. Antikörper des Neugeborenen stammen meist von der Mutter. Sie beweisen nur dann eine Infektion, wenn sie ansteigen und sich spezifische IgM-Antikörper nachweisen lassen. Obwohl die Wirksamkeit noch umstritten ist, sollte ein Therapieversuch mit Trimethoprim-Sulfamethoxazol oder Pyrimethamin und Sulfonamiden durchgeführt werden. Eine Infektion während der Schwangerschaft kann

weitgehend vermieden werden, wenn auf Genuß von rohem Fleisch verzichtet wird. Infektiöse Toxoplasma-Oozyten im Fleisch werden durch Erhitzen abgetötet. Eine weitere Infektionsquelle ist frischer Katzenkot.

10.8.4 Amniogene Fehlbildungen

In etwa 1 : 10 000 Schwangerschaften kommt es aus bisher noch unbekannter Ursache zur Ruptur des Amnions. Es bilden sich Membranen und Stränge, in denen sich der Embryo verfangen kann. An den Extremitäten entstehen Schnürfurchen, bei stärkerer Kompression Amputationen (Abb. 106). Typisch sind auch periphere Syndaktylien von proximal getrennten Strahlen. Durch Verklebung von Membranen mit dem Schädeldach und Traktion können Enzephalozelen entstehen. Durch Traktion von verschluckten Amnionsträngen können Gesichtsspalten oder atypische LKG-Spalten entstehen (Abb. 107). Die große Variabilität der möglichen Fehlbildungen ist wahrscheinlich bedingt durch den unterschiedlichen Zeitpunkt der Amnionruptur. Familiäre Fälle sind zwar bekannt, jedoch so selten, daß eine genetische Komponente unwahrscheinlich ist. Ein Wiederholungsrisiko ist praktisch nicht gegeben.

10.8.5 Intrauterinpessare

In der Bundesrepublik Deutschland treten jährlich mindestens 2500 Schwangerschaften bei liegendem Intrauterinpessar (IUP) auf. Verwandt werden hauptsächlich reine Kunststoffpessare, kupferhaltige und progesteronhaltige Pessare. Alle Pessare führen zu einer erhöhten Abortrate. Eine rein mechanische Schädigung ist wegen der Lage außerhalb des Amnions schlecht vorstellbar und auch nicht nachgewiesen. In Tabelle 27 sind die Daten von über 3000 Schwangerschaften mit IUP in situ zusammengestellt. Es ergibt sich, daß bei allen IUP Extrauteringraviditäten gehäuft sind, besonders bei Progesteron-IUP, hier sind allerdings die Fallzahlen sehr klein. Die Fehlbildungsrate unter den Neugeborenen war bei keinem Pessartyp erhöht. Bei bestehender Schwangerschaft sollte das IUP bis zur 10. Schwangerschaftswoche entfernt werden. Eine Interruptio erscheint aus teratogenetischer Indikation nicht gerechtfertigt. Wegen der Gefahr einer mütterlichen Sepsis kann aus gynäkologischer Sicht ein therapeutischer Abort erwogen werden, wenn der Faden des Pessars nicht mehr sichtbar ist.

Tabelle 27 Verlauf von Schwangerschaften mit verschiedenen Intrauterinpessaren in situ (nach *Zieske* et al. 1977)

Art des IUP	n	Spontanabort	Interruptio	Extrauterin-Gravidität	Frühgeburt	Totgeburt	ausgetr.-Schwangerschaft	Mißbildungen
Kunststoff-IUP	1248	478 (38,3 %)	151 (12,1 %)	51 (4,1 %)	21 (1,7 %)	27 (2,2 %)	519 (41,6 %)	1 (0,19 %)
Kupferhaltige IUP	1636	227 (13,7 %)	943 (57 %)	53 (3,2 %)	17 (1 %)	4 (0,3 %)	386 (23,3 %)	6 (1,6 %)
Progesteron-IUP	122	15 (12 %)	63 (50,4 %)	29 (23,2 %)	–	–	15 (12 %)	–

10.9 Therapie von Erbkrankheiten

Die Diagnose, daß ein Leiden genetisch bedingt ist, bedeutet keinesfalls, daß der Arzt einer solchen Krankheit hilflos gegenübersteht. Die Entwicklung therapeutischer Maßnahmen bei Erbkrankheiten wird mit Sicherheit eine der großen Herausforderungen für die Medizin der nächsten Jahrzehnte sein. Beispiele für die heute schon im ärztlichen Alltag angewandten Prinzipien, deren Kenntnis für die genetische Beratung unabdingbar ist, sind in Tabelle 28 zusammengestellt.

Gentherapeutische Maßnahmen sind erst in einzelnen Fällen erprobt worden. Bei Patienten mit erblicher Hämoglobinopathie und daraus resultierender schwerer Anämie hat man versucht, durch Knochenmark-Transplantation eine Besserung zu erzielen. Bei einem Patienten mit Thalassämie konnte auf diese Weise ein Erfolg erzielt werden. Es wird jetzt versucht, diese Transplantations-Behandlung durch direkte DNS-Behandlung zu ersetzen, um die zelluläre Immunreaktion zu umgehen. Über Erfolg oder Mißerfolg kann noch nicht entschieden werden.

Auf die Möglichkeiten der Gentechnologie in der Zukunft („genetic engineering“ Genmanipulation, Gentransfer) kann nur hingewiesen werden. Noch spielen sie in der praktischen Medizin keine Rolle, allerdings bereits bei der industriellen Herstellung von therapeutischen Substanzen, z. B. Wachstumshormon, Insulin, Interferon (s. 1.4).

Tabelle 28 Beispiele für therapeutische Maßnahmen bei erblichen Krankheiten, geordnet nach dem therapeutischen Prinzip

Therapeutisches Prinzip	Erkrankung	Maßnahme
1. Substratrestriktion	Phenylketonurie Galaktosämie	Phenylalaninarme Diät Galaktosefreie Diät
2. Weglassen von bestimmten Medikamenten	Porphyrie	Kontraindikation für Barbiturate u. a.
	Glukose-6-Phosphat-Dehydrogenase-Mangel	Kontraindikation für Chinolin-Derivate u. a.
3. Supplementierung eines Stoffwechselproduktes		
a) diätetisch	Orotsäureausscheidung	Zufuhr von Uridin und Zytidin
b) medikamentös	Adrenogenitales Syndrom	Kortison
4. Supplementierung eines Genproduktes	Hämophilie A	Antihämophiles Globulin
5. Enzyminduktion	Gilbert-Meulengracht-Syndrom (Glukuronyltransferase)	Phenobarbiturat
6. Enzyminhibition	Gicht (Xanthin-Oxidase)	Allopurinol
7. Elimination im Gewebe abgelagerter Substanzen	Hepato-Lentikuläre Degeneration (Wilsonsche Krankheit)	D-Penizillamin
8. Operative oder prothetische Korrektur	Holt-Oram-Syndrom	Operative Korrektur des angeb. Herzfehlers
9. Operative Entfernung oder Transplantation eines Organs	Hereditäre Sphärozytose	Splenektomie
	Kombinierter Immundefekt	Knochenmark-Transplantation

11 Genetisches Abstammungsgutachten

Grundlage des Abstammungsnachweises ist von alters her der Ähnlichkeitsvergleich zwischen Kind und Elternteil. Dichterisch ist das unübertrefflich von Shakespeare 1610 in „Das Wintermärchen" dargestellt: Dem zweifelnden Leontes, König von Sizilien, will man die Vaterschaft mit folgenden Worten beweisen:

„Das Kind ist Euer;
Und, nach dem alten Sprichwort, gleicht Euch so,
Daß es 'ne Schand' ist. – Seht doch, liebe Herrn,
Ist auch der Druck nur klein, der ganze Inhalt
Des Vaters Abschrift: Augen, Mund und Nase,
Der finstre Zug der Brau'n, die Stirn, die Grübchen,
Die hübschen hier auf Wang' und Kinn; sein Lächeln;
Ganz auch die Form der Nägel, Finger, Hände! –
Natur, du gute Göttin, die es schuf
So ähnlich dem, der's zeugte, bildest du
Auch das Gemüt." (II. Akt, 3. Szene)

Prinzipiell nicht anders geht auch heute der Gutachter beim Erstellen des erbbiologischen Abstammungsgutachtens vor. Eine wesentliche Hilfe, die zum Ausschluß derjenigen Personen führen kann, die nicht für eine Vaterschaft in Frage kommen, ist die Bestimmung der polymorphen genetischen Blut-, Serum- und Enzymgruppensysteme.

11.1 Blutgruppen und Serumproteine

11.1.1 Allgemeines

Unter einem polymorphen System versteht man die Gesamtheit aller varianten Genprodukte, die von einem Genort oder mehreren enggekoppelten Genorten eines einzigen Chromosoms gesteuert werden und die durch Antigen-Antikörperreaktionen an der Zelloberfläche von Blutzellen oder mit biochemischen Methoden (z. B. Elektrophorese) nachweisbar sind. Die Zahl der verschiedenen Genprodukte eines Genortes (= Allel) in einer gegebenen Population bestimmt den Grad des Polymorphismus, der wiederum zusammen mit der relativen Häufigkeit der einzelnen Allele (Genfrequenzen) die Diskriminationsfähigkeit und damit die Anwendbarkeit beim Abstammungsnachweis bedingt.

Die Besonderheit der Blutgruppensysteme wie auch der Serum- und Enzymgruppen liegt in der Tatsache, daß mit nur wenigen Ausnahmen die Merkmale dominante Vererbung zeigen, d. h. unter den Eltern eines Merkmalsträgers muß mindestens ein Merkmalsträger sein. Dieser Grundsatz der Dominanz ist für alle in die Paternitätstestung eingeführten Systeme durch Familienuntersuchungen erwiesen. Auf der Tatsache der Dominanz der Gruppenmerkmale basieren die Ausschlußkonstellationen:
(1) Das Kind besitzt ein Merkmal, das bei der Mutter und beim Präsumptivvater fehlt.
(2) Das Kind zeigt keines der beiden allelen Merkmale des Präsumptivvaters.

(3) Das Kind besitzt eine Genkombination zweier enggekoppelter Genorte in der cis-Position, die weder bei der Mutter noch beim Präsumptivvater nachzuweisen ist. Bei solchen Ausschlußkonstellationen muß die Möglichkeit einer Rekombination mit in Betracht gezogen werden.

Konkrete Beispiele für die Ausschlußkonstellationen werden bei den einzelnen Polymorphismen gegeben.

11.1.2 Blutgruppen-Systeme

11.1.2.1 AB0-System

In diesem System besteht eine multiple Allelie (s. 1.3.3), d. h. es existiert eine Anzahl von varianten Genen des gleichen Genortes, die alle eine gewisse Frequenz in der normalen weißen Bevölkerung aufweisen.

Im AB0-System sind die folgenden Allele von Bedeutung: A_1, A_2, B und 0. Daraus ergeben sich als mögliche Genotypen: die Homozygoten A_1/A_1, A_2/A_2, B/B, 0/0 sowie die Heterozygoten A_1/A_2, A_1/B, $A_1/0$, A_2/B, $A_2/0$, B/0.

Aus serologischen Gründen sind von den oben angegebenen Genotypen nur A_1/B, A_2/B und 0/0 vom Phänotyp her sicher ableitbar. Die übrigen Phänotypen beinhalten folgende Genotypen, die mit Sicherheit nur durch eine Familienanalyse deduziert werden können:

$A_1 = A_1/A_1$, A_1/A_2 und $A_1/0$; $A_2 = A_2/A_2$ und $A_2/0$; B = B/B und B/0.

Wegen der serologischen Unsicherheit der Unterscheidung zwischen A_1 und A_2 werden diese Gruppen im allgemeinen nicht in der Paternitätsserologie verwendet, was die Anzahl der im AB0-System zu beurteilenden Konstellationen auf folgende beschränkt (Tab. 29).

Tabelle 29 Phänotypkonstellationen im AB0-System

Phänotypen der Eltern	Mögliche Phänotypen der Kinder
0 × 0	0
0 × A	0, A
0 × B	0, B
0 × AB	A, B
A × A	A, 0
A × B	B, A, AB, 0
A × AB	A, AB, B
B × B	B, 0
B × AB	B, A, AB
AB × AB	A, B, AB

Eine Ausschlußkonstellation ergibt sich also im einfachsten Fall, wenn Mutter und Präsumptivvater die Gruppe 0 und das Kind A besitzen.

Eine weitere Ausschlußmöglichkeit ergibt sich in der Konstellation: Mutter 0, Präsumptivvater AB und Kind 0. Da A und B Allele sind, hätte das Kind entweder A oder B vom Präsumptivvater erben müssen. Ein solcher Ausschluß ist nur möglich, wenn, wie das bei A und B der Fall ist, die Allelie dieser beiden Gene klar erwiesen ist.

11.1.2.2 Das Rhesussystem

Die Vererbung der Rhesusgruppen wird durch ein komplexes genetisches System gesteuert. Für die Definition der Rh-Antigene werden im allgemeinen sechs verschiedene Antiseren verwendet: Anti-D, Anti-C, Anti-c, Anti-E, Anti-e und Anti-Cw. Die genetische Interpretation der Serumreaktionen erfolgt nach der Theorie von *Fisher* aus dem Jahre 1943: Das Rh-Chromosom trägt die genetische Information zur Ausprägung der Rh-Antigene in drei sehr enggekoppelten Genorten oder in drei dicht benachbarten Mutationsstellen eines einzigen Gens, wobei es für jeden Genort oder jede Mutationsstelle zwei oder mehr Allele gibt: Ein Genort mit den Allelen C, c und Cw, ein zweiter Locus mit D und d und ein dritter Genort mit E und e. Die Vererbungseinheit des Rh-Systems ist der Gen-Komplex, der jeweils ein Allel der drei Loci trägt, wie z. B. CDe. Der Rh-Genotyp setzt sich dann aus zwei solchen Genkomplexen zusammen (z. B. CDe/cde). Von allen möglichen Kombinationen der Gene C, c, Cw, D, d, E, e sind nur drei verhältnismäßig häufig (CDe, cde und cDE), während die anderen von recht niedrigen Genfrequenzen sind und einige sogar extrem selten sind.

Die Reaktionen der oben erwähnten sechs Antiseren reichen oft nicht aus, um den Genotyp eines Individuums zweifelsfrei festzustellen. Man kann aber in solchen Fällen aus den Frequenzen der einzelnen Genkomplexe die Wahrscheinlichkeit für das Vorliegen des einen oder des anderen Genotyps berechnen:

Aus den Serumreaktionen Anti D+, Anti C−, Anti c+, Anti E−, Anti e+, Anti Cw− läßt sich entnehmen, daß zwei verschiedene Genotypen diesem Phänotyp entsprechen: cDe/cDe und cDe/cde, wobei die Wahrscheinlichkeit für das Vorliegen des letzteren Genotyps etwa 97 % beträgt.

Daß solche Berechnungen häufig klare Wahrscheinlichkeiten erbringen, liegt daran, daß die Kombination der Gene in den Genkomplexen nicht den aufgrund der einzelnen Genfrequenzen erwarteten Häufigkeiten entspricht, sondern daß gewisse Assoziationen zwischen den einzelnen Allelen bestehen, wie z. B. zwischen C und D und zwischen c und d. Dies deutet darauf hin, daß eine sehr enge Kopplung zwischen den drei Genorten oder Mutationsstellen des Rh-Systems bestehen muß, die ein häufiges Crossing-over nicht zuläßt.

11.1.2.3 Das HLA-System

Die Leukozytenantigene haben eine große Bedeutung bei der immunologischen Spenderauswahl für Transplantationen. Wegen seines außerordentlich hohen Polymorphismus wird das HLA-System auch in der Populationsgenetik und für den genetischen Abstammungsnachweis verwendet. Wie die meisten serologisch erkennbaren Marker werden die HLA-Antigene als kodominante Merkmale vererbt. Die Gene des HLA-Systems liegen gekoppelt auf dem kurzen Arm des Chromosom 6 (s. S. 10).

In der Tabelle 30 ist die Vererbung von HLA-Antigenen in einer Familie mit 4 Kindern dargestellt. Bei der Analyse der vier verschiedenen Segregationsmuster (mit A, B, C, D bezeichnet) zeigt sich, daß jeweils 2 Antigene eines Elternteils gekoppelt (d. h. mit gleichem Segregationsmuster) vererbt werden wie z. B. HLA-A1 und HLA-B8 beim Vater oder HLA-A2 und HLA-B12 bei der Mutter. Diese Paare von gekoppelt vererbten Antigenen stellen die eigentliche Vererbungseinheit des HLA-Systems dar und werden allgemein als Haplotypen bezeichnet. Jedes Individuum besitzt 2 HLA-Haplotypen mit jeweils 2 HLA-Antigenen, also nie mehr als 4 verschiedene Antigene. Bei manchen Individuen finden sich jedoch nur 3 oder gar nur 2 serologisch erkennbare Antigene, wobei es sich entweder um Homozygotie für ein bekanntes Merkmal

Tabelle 30 Familienanalyse und Deduktion von HLA-Haplotypen

	HLA A 1	HLA A 2	HLA A 3	HLA A 9	HLA B 5	HLA B 7	HLA B 8	HLA B 12	Haplotypen
Vater	+	–	+	–	–	+	+	–	A/B
Mutter	–	+	–	+	+	–	–	+	C/D
Kind 1	+	+	–	–	–	–	+	+	A/C
Kind 2	–	+	+	–	–	+	–	+	B/C
Kind 3	+	–	–	+	+	–	+	–	A/D
Kind 4	–	–	+	+	+	+	–	–	B/D
Chromosom	A	C	B	D	D	B	A	C	

Haplotypen: des Vaters A: HLA-A 1, B 8 der Mutter C: HLA-A 2, B 12
B: HLA-A 3, B 7 D: HLA-A 9, B 5

oder um das Vorliegen von bisher noch unbekannten Antigenen handeln kann. Zwischen diesen beiden Möglichkeiten kann bei Einzelpersonen nur durch eine Wahrscheinlichkeitsrechnung, die auf Genfrequenzen basiert, unterschieden werden.

11.1.3 Serumgruppen

Unter den genetischen Systemen des menschlichen Serums nehmen die Gm-Gruppen eine besondere Stellung ein. Es handelt sich um ein System, in dem bisher mindestens 23 verschiedene Antigene bekannt sind, deren biochemisches Korrelat im konstanten Teil der schweren Kette der Immunglobulinmoleküle zu finden ist. Ebenfalls am Immunglobulinmolekül, und zwar an der leichten Kette vom Typ Kappa ist das Antigensystem Inv gefunden worden. In diesem System sind 3 Allele Inv 1, 2 und 3 bekannt. In der $Alpha_2$-Globulinfraktion des menschlichen Serums läßt sich durch elektrophoretische Untersuchungen der Gc-Polymorphismus nachweisen. In diesem System sind neben einigen seltenen Varianten 3 verschiedene Genotypen bekannt: die Homozygoten Gc 1–1 und Gc 2–2 sowie der Heterozygote Gc 2–1. Auch das Haptoglobinsystem weist einen genetischen Polymorphismus auf, der in seiner einfachen Form mit den 3 Genotypen eines biallelischen Systems dargestellt werden kann: die beiden Homozygoten Hp 1–1 und Hp 2–2 sowie der Heterozygotentyp Hp 2–1. Diese 3 Standardtypen und eine Reihe von seltenen Varianten lassen sich durch Benzidinfärbung in der Stärkegel-Elektrophorese darstellen.

Die hier genannten Serumgruppensysteme eignen sich vorzüglich zur Anwendung in der Paternitätsserologie. Eine typische Faktorenausschlußkonstellation im Haptoglobinsystem sei angegeben: Mutter Hp 1–1, Kind Hp 2–1, Präsumptivvater Hp 1–1. Eine Ausschlußkonstellation im Gc-System könnte folgendermaßen lauten: Mutter Gc 2–2, Kind Gc 2–1 und Präsumptivvater Gc 2–2.

11.1.4 Enzymgruppen

Die Enzympolymorphismen verdanken ihre Entdeckung der Tatsache, daß bei der elektrophoretischen Untersuchung von Enzympräparaten Banden mit verschiedener Wanderungsgeschwindigkeit nachweisbar waren, obwohl in allen Banden Enzymaktivität nachgewiesen werden konnte, d. h. daß von einem Enzym verschiedene Formen existieren (Isoenzyme, die sich durch ihre verschiedenartige Wanderungsgeschwindigkeit in der Elektrophorese unterscheiden). Für eine große Zahl von Enzymen fand sich ein genetischer Polymorphismus, der durch elektrophoretische Methoden nachweisbar war.

Im System der sauren Erythrozyten-Phosphatase (acP) sind drei verschiedene Allele (Pa, Pb und Pc) bekannt, deren Kombination die Phänotypen

Pa/Pa = A, Pb/Pb = B, Pc/Pc = C, Pb/Pa = BA, Pc/Pa = CA, Pc/Pb = CB

ergeben. Für die Phosphoglukomutase (= PGM) fanden sich 3 verschiedene genetische Systeme: PGM 1 mit 8 verschiedenen Typen, PGM 2 mit 5 verschiedenen Typen und PGM 3 mit 2 verschiedenen Typen. Alle drei Systeme sind nicht miteinander gekoppelt. Von PGM 3 weiß man jedoch, daß es wie das HLA-System auf dem Chromosom Nr. 6 liegt. Auch der Polymorphismus der Adenylatkinase (AK) mit 4 verschiedenen Typen und der Adenosindesaminase (ADA) findet im genetischen Abstammungsnachweis Verwendung.

In Systemen, in denen nur wenige Allele bekannt sind und somit eine hohe Häufigkeit von Homozygotie besteht, muß bei Ausschlüssen immer mit der Möglichkeit von seltenen stummen Allelen oder Deletionen gerechnet werden, die zu einem fälschlichen Ausschluß führen können.

11.1.5 Vaterschaftswahrscheinlichkeit

Unter der Verwendung aller bisher in die Paternitätsserologie eingeführten Polymorphismen gelingt es heute in über 95 %, alle Nichtväter durch ein Blutgruppengutachten auszuschließen. Wird das außerordentlich polymorphe HLA-System mit einbezogen, so erhöht sich dieser Prozentsatz auf über 99 %. Die große Zahl der verwendeten Polymorphismen führt dazu, daß wegen der Seltenheit eines individuellen Phänotyps in der Gesamtheit der untersuchten Polymorphismen die Möglichkeit besteht, gewichtige positive Hinweise auf eine Vaterschaft zu erhalten. Wenn ein Präsumptivvater aufgrund der Untersuchung mit allen verfügbaren Polymorphismen als Vater nicht ausgeschlossen werden kann und er einen einigermaßen seltenen Phänotyp für einige Polymorphismen besitzt, so läßt sich eine außerordentlich hohe Wahrscheinlichkeit für seine Vaterschaft etablieren.

11.2 Erbbiologisches Abstammungsgutachten

Durch die Untersuchung von Blut-, Serum- und Enzymgruppen können durchschnittlich 95 % aller Nichtväter ausgeschlossen werden. Da aber nach dem Nichtehelichengesetz die Vaterschaft eines Mannes festzustellen ist, hat das erbbiologische Abstammungsgutachten seine Bedeutung beibehalten, insbesondere bei Fällen mit mehreren als Väter in Betracht kommenden Männern. Im Hinblick auf die schwerwiegende Bedeutung, die dem erbbiologischen Abstammungsgutachten zivilrechtlich und unter Umständen auch strafrechtlich zukommt, hat die Deutsche Gesellschaft für Anthropologie und Humangenetik Richtlinien aufgestellt, „deren Einhaltung sie ihren Mitgliedern, soweit diese als Sachverständige zugelassen sind, dringend empfiehlt". Nachdem typische morphologische Merkmale im Säuglings- und frühen Kleinkindalter noch nicht ausgeprägt sind, empfehlen die Richtlinien: „Da die Erfolgsaussichten einer anthropologisch erbbiologischen Begutachtung im allgemeinen mit dem Lebensalter des zu untersuchenden Kindes zunehmen, sollte, wenn eben möglich, die Untersuchung nicht vor Beendigung des 3. Lebensjahres erfolgen."

Das Prinzip der erbbiologischen Untersuchung ist, ähnlich wie bei der Zwillingsdiagnostik (s. 6), der polysymptomatische Ähnlichkeitsvergleich. Der Gutachter geht genauso vor wie der Laie, der feststellt, daß ein Kind „ganz der Papa" ist, daß es „dem Vater wie aus dem Gesicht geschnitten ist". Das Problem bei diesem Vorgehen ist, daß es primär intuitiv ist und daß es sich nicht um Merkmale mit einem einfachen Erbgang handelt.

Es wird der Versuch unternommen, eine Vielzahl morphologischer Merkmale und Merkmalskomplexe so genau wie möglich quantitativ zu erfassen. Danach soll der Untersucher auf die folgenden morphologischen Merkmale das Hauptaugenmerk richten: Augenfarbe, Irisstruktur, Haarfarbe, Haarform, Haargrenze, Haarwirbel, Hautfarbe, Kopfform, Gesichtsform, Augengegend usw. Die einzelnen Merkmale werden entweder durch Vergleichstafeln (z. B. Augenfarbe, Haarfarbe, Hautfarbe) oder durch Maße und Indizes, so bei der Kopfform größte Kopflänge, größte Kopfbreite, Ohrhöhe des Kopfes, Länge-Breitenindex, Breite-Höhenindex, kleinste Stirnbreite usw. zusammengestellt. An Hand und Fuß werden Gesamtform, Längenverhältnis des II. und III. Fingers, der I., II. und III. Zehe usw. festgestellt. Der Befund der Hautleisten ist besonders bedeutungsvoll, so die Verteilung der verschiedenen Papillarmuster auf die einzelnen Finger, die Details der Zehenmuster, der Vergleich von Ähnlichkeiten im Feinbau komplizierter Musterstrukturen und das evtl. Vorkommen relativ seltener Mustertypen beim Kind und evtl. beim Vater. Weiterhin ist die Leistenzahl von Bedeutung.

Die Schwierigkeit des erbbiologischen Abstammungsgutachtens ist, daß praktisch immer morphologische Merkmale, die polygen bedingt sind, miteinander verglichen werden. Die positive Feststellung der Vaterschaft gründet sich auf die Feststellung einer großen Ähnlichkeit zwischen dem vermutlichen Vater und dem Kind bei gleichzeitiger Verschiedenheit zwischen Mutter und Kind in einem sehr seltenen dominant erblichen Merkmal oder in weniger seltenen Erbmerkmalen, wenn dieselben eine ausgesprochen ähnliche individuelle Ausprägung zeigen und wenn mehrere derartige Ähnlichkeiten feststellbar sind. Bei polygen vererbten Merkmalen erfolgt die positive Feststellung der Vaterschaft – Verschiedenheit zwischen Mutter und Kind vorausgesetzt – durch Ähnlichkeit:

(1) In wenigen seltenen, auch pathologischen Merkmalen oder Merkmalskomplexen.

(2) In mehreren Merkmalen oder Merkmalskomplexen geringerer Häufigkeiten oder in extremen Abweichungen.

(3) In zahlreichen Merkmalen mittlerer Häufigkeit beim Fehlen von Abweichungen.

Die negative Feststellung erfolgt durch Unähnlichkeit:

(1) In mehreren beim Mann fehlenden und beim Kind vorhandenen vererbbaren Merkmalen.

(2) In mehreren entgegengesetzten extremen Merkmalen oder Merkmalskomplexen.

(3) In einer größeren Zahl von Merkmalen oder Merkmalskomplexen mittlerer Häufigkeit bei Fehlen von Ähnlichkeiten.

Neben der Erblichkeit ist die Häufigkeit eines Merkmals in der Bevölkerung von außerordentlicher Wichtigkeit: Übereinstimmung oder Ähnlichkeit von häufig vorkommenden Merkmalen ist von geringerer Beweiskraft als Übereinstimmung oder Ähnlichkeit in seltener vorkommenden Merkmalen: In einer durchweg blauäugigen

Bevölkerung wird Dunkeläugigkeit beim Kind und Eventualvater ein wichtiges Indiz sein; dieses Indiz verliert wesentlich an Gewicht, wenn die Merkmale Blauäugigkeit und Dunkeläugigkeit gleich häufig in der Bevölkerung vorkommen.

Ein erbbiologisches Abstammungsgutachten wird im allgemeinen die Wahrscheinlichkeit („Plausibilität") der Abstammung angeben können. Das Ergebnis wird so formuliert:

(1) Es ist möglich (nicht auszuschließen), daß das Kind vom Präsumptivvater abstammt.

(2) Es spricht mehr für als gegen (bzw. mehr gegen als für) die Annahme, daß das Kind vom Präsumptivvater abstammt.

(3) Es ist sehr wahrscheinlich (unwahrscheinlich), daß das Kind vom Präsumptivvater abstammt.

(4) Es ist mit an Sicherheit grenzender Wahrscheinlichkeit anzunehmen (auszuschließen), daß das Kind vom Präsumptivvater abstammt.

Abbildungsnachweis

Abb. 3 Huisman, T. H. J.: Advances in Clinical Chemistry, Academic Press Inc., 1972
Abb. 4 Lenz, W.: Medizinische Genetik, Thieme Stuttgart, 1978
Abb. 15 und 47 Schwinger, E., Lübeck
Abb. 18 a Evans: Chromosome Structure and Function, Kongreß-Vortrag Wien, 1978
Abb. 18 e Zentgraf, H. W., Heidelberg
Abb. 23 Stephens und Lewin 1965
Abb. 30 b Prader, A.: Störungen der Geschlechtsdifferenzierung in Labhardt, 1978
Abb. 53 Hossfeld, Essen
Abb. 53 Gropp, A.: Pathologie von Chromosomenanomalien in: Die heutige Rolle der Genetik in der Krankheitsätiologie, Fischer, Stuttgart–New York 1983
Abb. 56 McKusick, V.: Mendelian Inheritance in Man, Baltimore, London 1983
Abb. 64 Entwurf Hövels, Universitäts-Kinderklinik Frankfurt/M.
Abb. 66 Bickel, H. und H. J. Bremer: Dtsch. Med. Wchschr. 92 (700) 1967
Abb. 70 modifiziert nach: Th. Bonchard, McGue, M.: Familial Studies of Intelligence: A Review, Science 212, 1056, 1981
Abb. 79–81 Lotze, R.: Zwillinge. Einführung in die Zwillingsforschung. Verlag Hohenlohsche Buchhandlung, 1937
Abb. 82 v. Verschuer, O.: Wirksame Faktoren im Leben des Menschen, Steiner, Wiesbaden 1954 (oben und Mitte), Murken J., 1965 (unten)
Abb. 83 Shields, J.: Monozygotic Twins brought up apart and brought up together. Oxford University Press, London 1962
Abb. 84 a Bleuler, E.: Lehrbuch der Psychiatrie. 7. Aufl., Springer, Berlin, 1943
Abb. 84 b Pfeiffer, W.: Transkulturelle Psychiatrie, Thieme Stuttgart 1971
Abb. 85 nach Vogel, F. Motulsky A. G.: Human Genetics Springer, Heidelberg–New York 1979
Abb. 86 a Bodmer, W. F. und L. L. Cavalli-Sforza: Genetics, Evolution and Man, W. H. Freeman and Co., 1976 und Boyd, M. F. Malariology, Saunders, 1949
Abb. 87 Post, R. H. Humangenetik 13 (253–284) 1971
Abb. 92 McKusick, V., R. Claiborne: Medical Genetics. H. P. Publishing Co., New York 1973
Abb. 93 Stengel-Rukowski: Aberrationen der Autosomen. In: Pädiatrie in Praxis und Klinik Thieme, Fischer, Stuttgart 1978

Sämtliche übrigen Abbildungen nach Originalvorlagen oder Entwürfen der Autoren

Literatur

Handbücher, Nachschlagewerke

Becker, P. E. (Hrsg.): Humangenetik Bd. I–V, Thieme, Stuttgart 1964–1976
Emery, A. E. H., Rimoin, D. L.: Principles and Practice of Medical Genetics. Livingstone, Edinburgh 1983
Fuhrmann, W., F. Vogel: Genetische Familienberatung. Ein Leitfaden für den Arzt. Springer, Berlin, Heidelberg, New York 1982
Grouchy, J. de, C. Turleau: Altas des maladies chromosomiques. Expansion Scientifique Francais 1983
Leiber, B., G. Olbrich: Die klinischen Syndrome, Urban und Schwarzenberg, Berlin, München, Wien 1981
McKusick, V. A.: Mendelian inheritance in man. Johns Hopkins, Baltimore 1983
Schinzel, A.: Catalogue of Unbalanced Chromosome Aberrations in Man. Walter de Gruyter, Berlin, New York 1984
Vogel, F., and *A. G. Motulsky:* Human Genetics. Spinger, Berlin, Heidelberg, New York 1979
Witkowski, R., O. Prokop: Genetik erblicher Syndrome und Mißbildungen. Wörterbuch für die Familienberatung. Akademie Verlag, Berlin 1983

Lehrbücher, Übersichtsarbeiten, spezielle weiterführende Literatur

Albert, E., S. Scholz: Das HLA-System: Genetische Organisation und physiologische Bedeutung. In: Rheuma Forum 10, pp. 9–24. Braun, Karlsruhe 1980
Bauchinger, M.: Strahleninduzierte Chromosomenaberrationen, Handbuch der med. Radiologie, Bd. II/3. Springer, Berlin, Heidelberg, New York, 1972
Bayes, T.: An Essay Towards Solving a Problem in the Doctrine of Chances. In: Emery 1983
Becker, P. E.: Genetische Beratung bei Myotonien und Muskeldystrophien. Internist 19 (475–481) 1978
Carter, C. O.: Monogenetic Disorders. Journal of Medical Genetics 14 (316–320) 1977
Cleve, H., B. Hartmann, B. May: Enzymopathien. In: Erkrankung durch Arzneimittel. Thieme, Stuttgart (1984 in Vorbereitung)
Daumer, K.: Genetik. München. Bayr. Schulbuch-Verl. 1982
Dehaene, P., G. Crepin, G. Delahousse, D. Querleu, R. Walbaum, M. Titan, C. Samaille-Vilette: Aspects épidémiologiques du syndrome d'alcoholisme foetal. La Nouv. Press. Méd. 10, (2639–2643) (1981)
Dutrillaux, B. und *J. Couturier:* Praktikum der Chromosomenanalyse. Enke, Stuttgart 1983
Gebhart, E.: Chemische Mutagenese. Gustav Fischer, Stuttgart, New York 1982
Goetz, O.: Infektionen als Indikation zum Schwangerschaftsabbruch. Internist (287–290) 1978
Hall, J. G., Pauli, R. M., Wilson, K. M.: Maternal and Fetal Sequelase of Anticoagulation During Pregnancy. Am. J. Med. 68 (122–140) (1980)
Hanshaw, J. B., Dudgeon, J. A.: Viral diseases of the fetus and newborn. Saunders, Philadelphia, London, Toronto 1978
Hanson, J. W., Myrianthopoulos, N. C., Sedwick, M. A., Smith, D. W.: Risks to the offspring of women treated with hydantoin anticonvulsants, with emphasis on the fetal hydantoin syndrome. J. Pediat. 89, 662–668 (1976)
Harnisch, W. und *W. M. Teller.* Osteogenesis imperfecta. Mschr. Kinderheilk. 126 (597–606) 1978
Held, K. R. und *Koepp, P.:* Maternale Phenylketonurie. Deutsches Ärzteblatt 80 (31–38) 1983
Holzner, J. H., K. Hübner: Die heutige Rolle der Genetik in der Krankheitsätiologie. Fischer, Stuttgart 1983

Kessler, S.: Genetic Counseling-Psychological Dimensions. Academic Press, New York 1979 [dt. Ausgabe, Enke, Stuttgart (1984 in Vorb.)]
Kleinebrecht, J.: Arzneimittel in der Schwangerschaft. Apotheker Verlag Stuttgart 1982
Kleinebrecht, J.: Zur Teratogenität von Cumarin-Derivaten. Dtsch. Med. Wschr. 107 (1929–1931) (1982)
Knorr, D.: Störungen der sexuellen Differenzierung. Internist 20 (85–94) 1979
Labhardt: Klinik der Inneren Sekretion. Springer, Berlin, Heidelberg, New York 1978
Lau, H.: Indikationen zum Schwangerschaftsabbruch. Demeter, München 1982
Lenz, W.: Medizinische Genetik. Thieme, Stuttgart 1983
Lenz, W.: Malformations caused by drugs in pregnancy. Am. J. Dis. Child. 112, 99–108 (1966)
Majewski, F.: Die Alkoholembryopathie: Fakten und Hypothesen. Erg. Innere Med. Kinderheilk. 43 (1–55) 1979
Majewski, F., M. Steger, B. Richter, J. Gill, F. Rabe: The teratogenicity of hydantoins and barbiturates in humans, with considerations on the etiology of malformations and cerebral disturbances in the children of epileptic parents. Biol. Res. Pregnancy 2 (37–45) 1981
Murken, J. D., S. Stengel-Rutkowski (Hrsg.): Pränatale Diagnostik. Enke, Stuttgart 1978
Nagell, W.: Zellkern und Zellzyklen. Ulmer, Stuttgart 1976
Neubert, D.: Medikamentöse Noxen als Indikation zum Schwangerschaftsabbruch. Internist 19 (304–310 (1978)
Nielsen, J.: Anomalien der Geschlechtschromosomen. Dt. Ärzteblatt (865–870) 1979
Nielsen, J., I. Sillesen: Das Turner-Syndrom. Enke, Stuttgart 1983
Piekarski, G.: Die Toxoplasmose-Infektionswege. Diagnostik, therapeutische Konsequenzen. Gynäkologe 10 (9–14) 1977
Sandberg, A. A.: Chromosomes in Human Cancer and Leukemia. Elevier, New York 1980
Sandberg, A. A.: Progress and Topics in Cytogenetics, vol IV Sister Chromotid exchange. Alan R. Liss, Inc New York 1982
Schwinger, E. und *U. Froster-Iskenius:* Das Marker-X-Syndrom. Enke. Stuttgart 1983
Spranger, J., K. Benirschke, J. G. Hall, W. Lenz, R. B. Lowry, J. M. Opitz, L. Pinsky, H. G. Schwarzacher und *D. W. Smith:* Errors of morphogenesis: Concepts and terms. The Journal of Pediatrics 100 (160—165) 1982
Sperling, K.: Genforschung in der medizinischen Genetik: Fortschritt oder Bedrohung? In: Klinische Genetik in der Pädiatrie. Milupa, Friedrichsdorf 1982
Spiess, H.: Der pränatale und perinatale Virusinfekt. Medizinische Verlagsgesellschaft, Marburg 1981
Stene, J., E. Stene, S. Stengel-Rutkowski and *J. Murken:* Paternal age and Down's syndrome. Data from Prenatal Diagnoses (DFG). Hum. Genet. 59 (119—124) 1981
Stieve, F.-E.: Strahlenexpositionen als Indikation zum Schwangerschaftsabbruch. Internist 19 (299—303) 1978
Stoleke, P.: Endokriniologie des Kindes- und Jugendalters, Springer, Heidelberg 1982
Stubbe, H.: Kurze Geschichte der Genetik bis zur Wiederentdeckung der Vererbungsregeln Gregor Mendels. Fischer, Jena 1965
Theile, H., H. G. Kranhold, I. Starke: Familiäre und soziale Aspekte in Familien mit Phenylketonurie, Dt. Gesundheits-Wesen (1603—1605) 1983
Vogel, F.: Lehrbuch der allgemeinen Humangenetik. Springer, Berlin, Göttingen, Heidelberg, New York 1961
Wunderlich, Chr.: Das mongoloide Kind, Enke, Stuttgart 1977
Zerbin-Rüdin, E.: Genetische Aspekte psychischer Störungen. In: *Baumann, U., H. Berbalk, G. Seidenstücker* (Hrsg.): Klinische Psychologie. Trends in Forschung und Praxis. Huber, Bern, Stuttgart, Wien 1978
Zerbin-Rüdin, E.: Psychiatrische Genetik. In: *Kisker, K. P. , J. E. Meyer, M. Müller, E. Strömgern* (Hrsg.): Psychiatrie der Gegenwart, Bd. 1/2. Springer, Berlin, Heidelberg, New York 1979
Zielske, F., K. Becker, P. Knauf: Schwangerschaften bei Intrauterinpessaren in situ. Geburtsh. Frauenheilk. 37 (473—484) 1977

Sachregister

Murken/Cleve **Humangenetik**

3. Auflage

ISBN 3 432 **88173** 8

Ihre Meinung über dieses Buch ist für uns von großem Interesse.
Bitte beantworten Sie uns deshalb ein paar Fragen.

Bitte trennen Sie dieses Blatt heraus und senden Sie es im Kuvert an:

Ferdinand Enke Verlag
Postfach 1304
D-7000 Stuttgart 1

Besten Dank für Ihre Bemühungen!

Qualität des Inhalts

1. Wie ist das Thema behandelt?

☐ zu ausführlich
☐ zu kurz
☐ angemessen
☐ ____________________

2. Wie ist der Stoff dargestellt?

☐ schwer verständlich
☐ gut verständlich
☐ weitschweifig
☐ ____________________
☐ unübersichtlich
☐ anschaulich
☐ didaktisch gut gegliedert
☐ ____________________

3. Welche zusätzlichen Forderungen sähen Sie gern erfüllt?

☐ Text ausführlicher
☐ mehr Tabellen und Grafiken
☐ mehr Abbildungen
☐ straffere Gliederung
☐ stichwortartige Zusammenfassungen
☐ ____________________

Sachregister
☐ nicht ausreichend
☐ ausreichend

Literaturverzeichnis
☐ zu lange
☐ ausreichend
☐ zu kurz

bitte wenden!

Qualität der Ausstattung

	sehr gut	gut	genügend	ungenügend
Druck				
Papier				
Abbildungen				
Tabellen, graf. Darstellungen				
Gliederung				
Einband				

Bemerkungen:

Wir nehmen Sie gern in unsere Informationskartei auf.
Bitte machen Sie uns dazu ein paar Angaben:

Name, Vorname

Adresse

Beruf (Studienfachrichtung)

Semesterzahl